U0093091
古龍自署

盛期之風貌

臥龍生作品　帶動武俠風潮

《飛燕驚龍》開一代武俠新風

《飛燕驚龍》(1958)爲臥龍生成名作，共48回，約120萬言。此書承《風塵俠隱》之餘烈，首倡「武林九大門派」及「江湖大一統」之說，更早於香港武俠巨匠金庸撰《笑傲江湖》(1967)所稱「千秋萬世，一統」達九年以上。流風所及，臺、港武俠作家無不效尤；而所謂「武林盟主」、「江湖霸業」等新提法，竟成爲社會大眾耳熟能詳的流行術語了。

《飛燕》一書可讀性高，格局甚大。主要是寫江湖群雄爲覬覦傳說中的武林奇書《歸元秘笈》而引起一連串的明爭暗鬥；再以一部假秘笈和萬年火龜爲餌，交插敘述武林九大門派（代表正派）彼此之間的爾虞我詐，以及天龍幫（代表反方）網羅天下奇人異士而與九大門派的對立衝突。其中崑崙派弟子楊夢寰偕師妹沈霞琳行道江湖，卻如夢似幻地成爲巾幗奇人朱若蘭、趙小蝶之絕世武功技驚天龍幫，而海天一叟李滄瀾復接連敗於沈霞琳、楊夢寰之手；致令其爭霸江湖之雄心盡泯，始化解了一場武林浩劫云。

在故事佈局上，本書以「懷璧其罪」（與真、假《歸元秘笈》有關）的楊夢寰屢遭險難，卻每獲武林紅妝垂青爲書膽(明)，又以金環二郎陶玉之嫉才害能，專與楊夢寰作對(暗)爲反派人物總代表。由是一明一暗交織成章，一波未平，一波又起，極盡波譎雲詭之能事。最後天龍幫冰消瓦解，陶玉帶著偷搶來的《歸元秘笈》跳下萬丈懸崖，生死不明，卻予人留下無窮想像空間。三年後，作者再續寫《風雨燕歸來》以交代陶玉重出江湖，爲惡世間，則力不從心，當屬狗尾續貂之作。

在人物塑造方面，臥龍生寫男主角楊夢寰中看不中用，固然乏善可陳，徹底失敗；但寫其他三名女主角如「天使的化身」沈霞琳聖潔無瑕，至情至性，處處惹人憐愛；「正義的女神」朱若蘭氣質高華，冷若冰霜，凜然不可犯；「無影女」李瑤紅則刁蠻任性，甘爲情死等等，均各擅勝場。乃至寫次要人物如「賓中之主」海天一叟李滄瀾之雄才大略，豪邁氣派；玉簫仙子之放蕩不羈，爲愛痴狂；以及八臂神翁聞公泰之老奸巨猾，天龍幫軍師王寒湘之冷傲自負等，亦多有可觀。

與

摘自 葉洪生、林保淳著
《台灣武俠小說發展史》

台港武俠文學

流行天王

臥龍生

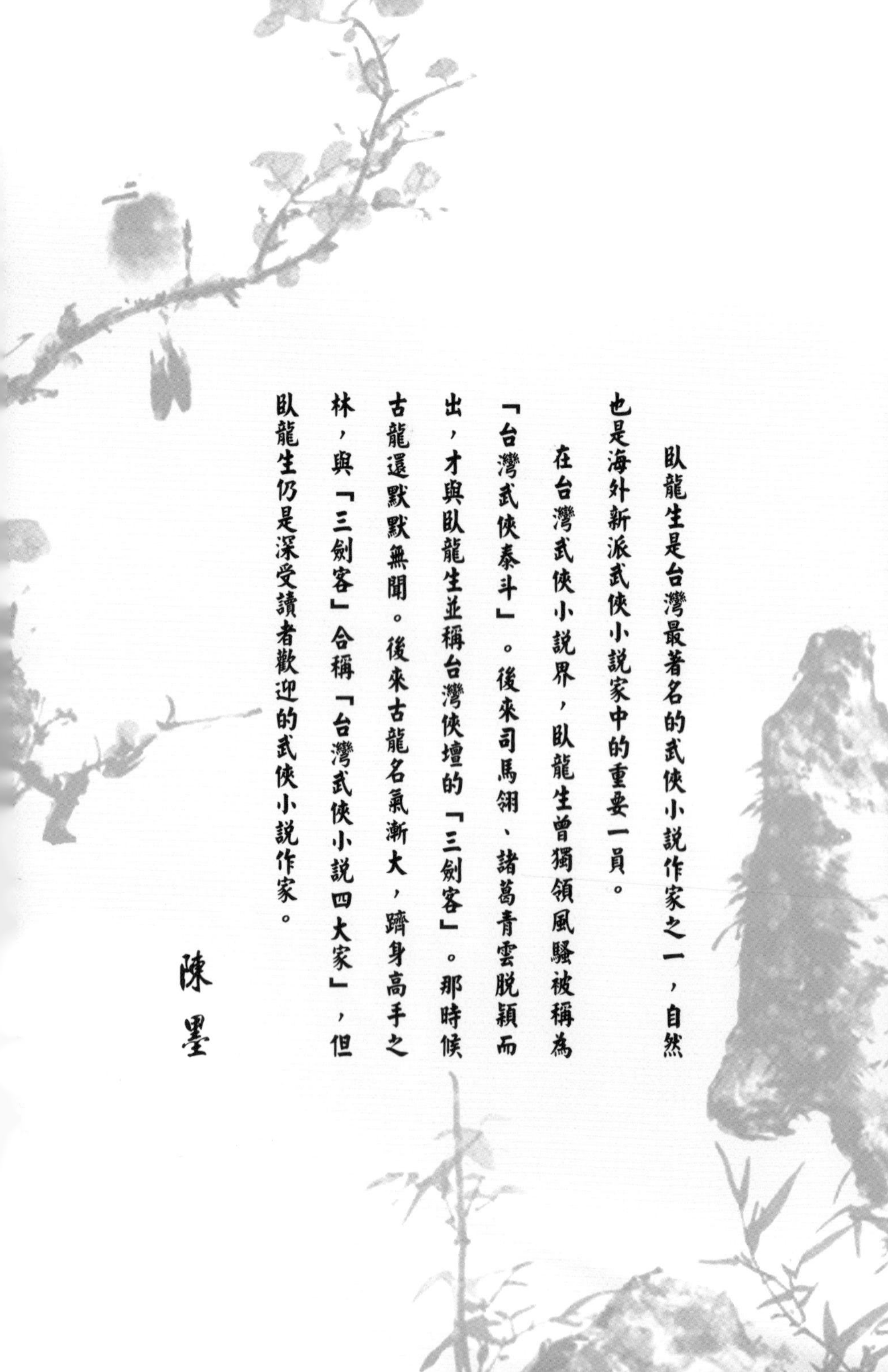

臥龍生是台灣最著名的武俠小說作家之一，自然也是海外新派武俠小說家中的重要一員。

在台灣武俠小說界，臥龍生曾獨領風騷被稱為「台灣武俠泰斗」。後來司馬翎、諸葛青雲脫穎而出，才與臥龍生並稱台灣俠壇的「三劍客」。那時候古龍還默默無聞。後來古龍名氣漸大，躋身高手之林，與「三劍客」合稱「台灣武俠小說四大家」，但臥龍生仍是深受讀者歡迎的武俠小說作家。

陳墨

雙鳳旗
（二）
臥龍生
武俠經典珍藏版
34
臥龍生

臥龍生精品集 34

雙鳳旗（二）

目錄

十五　至尊之劍

容哥兒停下腳步，道：「咱們這等找法，就再找上十天半月，只怕也是不易找到，必得找個人問問才行。」

黃十峰沉吟了一陣，道：「容兄，何妨把二姑娘的書信取出瞧瞧，女孩子心細如髮，也許她早把去路繪注於信函之上了。」

容哥兒掏出身上密函。

凝目望去，只見函封之上沾了一張小小的便箋，道：「在那鳳頭金釵之後，說明了金鳳谷的去路。只要稍用心神查看，不難瞭解。」

容哥兒歎息一聲，道：「我這人當真是粗心大意，她早已在函封之上，加有便箋，我竟然未能查覺。」

黃十峰道：「如非處境如此，區區亦想不出那密函了。」

容哥兒取出鳳頭金釵，凝目望去，果然釵上雕刻了一片形如山勢的花紋。

黃十峰仔細瞧了釵上花，又打量了一下四周形勢，突然說道：「咱們上那山峰之上瞧瞧。」當下舉步奔上一座高峰。

容哥兒還未瞧出一點名堂，但也只好跟在黃十峰身後，奔向高峰。

這時，已是夕陽斜照時分，絢爛的晚霞中，只見群山起伏，景色瑰麗無比。

只聽黃十峰長長吁一口氣，自言自語地說道：「果然是在此地了。」

容哥兒道：「什麼在此地了？」

黃十峰道：「金鳳谷啊！」揚手指著東北方一座山峰，道：「容兄你瞧！那高聳的山峰，像不像一座鳳頭？」

容哥兒瞧了一陣，道：「不錯，果然是像。」

黃十峰道：「兩側綿連的山勢，像不像兩張鳳翅。」

容哥兒道：「用意想把它們連在一起，那就很像了。」

黃十峰道：「山勢形態，豈能栩栩如真鳳。」

就在兩人說上幾句話的工夫，晚霞已然消退，起伏群山，已然籠罩在暮色之中。

黃十峰道：「據區區所知，金鳳門自經過十餘年前的一場大戰之後，傷亡殆盡，所有的男人，大都死光，只餘下江夫人和幾個女兒，咱們夜間往訪，恐有不便，倒不如在此宿住一宵，明日再去如何？」

容哥道：「聽憑幫主之意。」

一夜無事，天亮起身，就谷中山泉洗漱一番，整整衣服，移步向金鳳谷中行去。

所謂金鳳谷，是依那山態形勢而名，入口處有如鳳嘴，兩側山勢陡峭，其間是一條狹長的小徑。兩人行到谷口，黃十峰突然停了下來，說道：「這金鳳谷天然形勢，已然十分險惡，如若再加人工佈置，更是一夫當關，萬夫難渡，咱們不可貿然闖入，必要先行設法通報一聲才

是。」

語聲甫落，瞥見那狹谷中，急速走出一個青衣少女，身佩長劍，如飛而來，片刻間已到了容哥兒和黃十峰身前，緩緩說道：「兩位貴姓大名？」

黃十峰一抱拳，道：「在下黃十峰。」

那青衣女婢道：「鼎鼎大名的丐幫幫主。」

容哥兒道：「在下姓容……」他似是覺得容哥兒兩字不雅，竟然住口不言。

那青衣少女道：「容相公。」語聲微頓，道：「兩位到此，不知有何貴幹？」

黃十峰道：「咱們有事求見金鳳谷主江老夫人。」

那青衣少女道：「咱們金鳳谷已久年不和武林同道來往，和丐幫更是毫無恩犯牽纏，兩位來此，有何貴幹，還望能先行說出。」

黃十峰道：「姑娘如何稱呼？」

青衣少女道：「小婢玉鳳。」

黃十峰道：「那就有勞姑娘通報夫人一聲，就說我等由慈恩寺中而來。」

玉鳳道：「好吧！兩位在谷外等候一時，未得我家夫人允准之前，兩位最好不要闖入谷中。」伸手由容哥兒手中，拿過響箭，轉身奔入谷中。

兩人等了足足有頓飯之久，才見玉鳳緩緩由谷中走出，道：「我家夫人有請兩位佳賓。」

黃十峰一拱手，當先向前行去。容哥兒緊隨在黃十峰的身後，玉鳳斷後而行。

走完那狹長的山谷，景物忽然一變。

只見那山色蒼翠，一目碧綠，一道白石鋪成的小徑，盤轉在青草地上。

玉鳳突然一側嬌軀，越過了容哥兒和黃十峰，道：「這小道上機關重重，小婢爲兩位帶路。」

容哥兒流目四顧，不見一處房舍，心中大感奇怪，暗道：「難道他們都住在山洞之中不成？」忖思之間，到了一株大樹之下。

玉鳳突然停下了腳步，仰望著大樹高聲說道：「稟告夫人，丐幫幫主駕到。」

容哥兒心中忖道：「原來他們住在大樹之上，實在聞所未聞，見所未見的事。」抬頭看去，只見那大樹上枝葉繁茂，看不清樹上景物。

只聽一個低沉的聲音傳了下來，道：「請他們上來坐吧！」

黃十峰心中忖道：「這株千年古松，主幹高逾兩丈，除了施展輕功之外，很難斯斯文文地上去。」正感爲難間，突然刷地一聲，古松上垂下了一道軟梯。

玉鳳欠身肅客道：「兩位請。」

黃十峰、容哥兒魚貫登上軟梯。只見那古松主幹分枝之處，用竹枝搭著一間精緻小巧的竹室，門口處，一個小木架，站著一隻全身碧綠，似鷹非鷹的怪鳥。

室中軟簾啓動，出現了一個年約四旬，一身灰衣的中年美婦。

黃十峰一抱拳道：「在下黃十峰。」

那中年婦人點頭道：「老身姓江。」

黃十峰道：「原來大駕就是江夫人。」

江夫人微微一笑，道：「兩位請來房裏坐吧。」

黃十峰回顧了容哥兒一眼，道：「容兄請。」

容哥兒也不再謙讓，一側身，進入室中，目光轉動，四下打量一眼。

只見這座築建在古松之上，風雅別緻的竹室，長約一丈三四，寬不過六七尺，但因佈設典雅、恰當，看上去毫無狹小的感覺。

江夫人指指兩張籐椅，道：「兩位請坐吧。」

容哥兒緩緩坐了下去，道：「晚輩姓容。」

江夫人也在木案旁一張小椅子上坐了下去，道：「大名如何稱呼？」

她一面問話，兩道目光卻不停在容哥兒的臉上打量。

容哥兒道：「小名哥兒。」

江夫人微微一笑，道：「好一個雅俗共賞的名字。」

語聲微微一頓，接道：「兩位是由慈恩寺中來見老身，不知有何見教？」

容哥兒接道：「令嬡有一封信，要在下帶來金鳳谷，面呈夫人。」

江夫人臉上笑容突斂，說道：「信在何處？」

容哥兒緩緩伸手入懷，摸出那二姑娘的手書，和一隻鳳頭金釵，一併送上。

江夫人先取過鳳頭金釵，很仔細看了一遍，放在桌上，才接過書信，啟封閱讀。

這書信寫得很長，那江夫人又看得十分仔細，似是每一句，每一字，都看得十分用心，足足有一頓飯工夫之久，江夫人才算把一封信看完。

只見她緩緩收起手中的函封，說道：「不錯，用詞筆跡，都是出自小女之手，有勞兩位千里奔走，老身甚感不安。」

語聲微微一頓，道：「自先夫故去之後，金鳳谷從來不留客人，今日破例，留兩位在谷中

宿住一宵，除了二兩禁地之外，兩位可在我金鳳谷中，遊觀一日。」

黃十峰想她看過愛女之信，必然會問起很多事來，哪知她竟是絕口不提，心中暗道：「這位江夫人當真是沉得住氣。」當下說道：「容兄！二姑娘似是還講了兩句，不知你記不記得？」

容哥兒略一沉吟，道：「可是花殘陽春，月沉香江，兩句話嗎？」

黃十峰道：「不錯，正是這兩句話。」

江夫人輕輕歎息一聲，道：「小女如若要死，此刻已然是埋恨九泉了。」

黃十峰道：「那慈恩寺方丈，已經追查她行蹤而去，也許可以救得。」

江夫人臉色冷峻地道：「她雖是無心，但有辱家聲，死了也好使老身向江家先祖交代。」

黃十峰呆了一呆，起身道：「多承夫人接見，黃某此來用心已了，就此告別。」

江夫人輕輕歎息一聲，道：「我金鳳門十餘年來，很少和武林同道往來，老身也準備從此閉關自守，棄絕塵緣，但此刻形勢迫逼，說不得只好再行出山了。」目光投注到黃十峰臉上，接道：「幫主如無要事，就請留上一日，小女死不足惜，但死亡之恨，這作母親的，也不能袖手不管，她死了，也讓她在九泉之下，出一口氣。」

也不待兩人答話，就高聲叫道：「玉鳳何在？」

只聽一個嬌脆的聲音應道。

江夫人緩緩說道：「帶兩位到藏劍閣去，收拾兩間靜室，不可怠慢了佳賓。」

玉鳳道：「婢子領命。」

回頭對黃十峰和容哥兒道：「兩位請吧！」

黃十峰、容哥兒，魚貫出了木屋，踏軟梯而下。
玉鳳搶先一個，笑道：「婢子給兩位帶路。」直向一處山壁下面行去。
黃十峰、容哥兒，心中都有著很多疑問，但礙於玉鳳在旁，不便商量。
只見玉鳳行到山壁下一個大巖旁邊，伸手在大巖上推了一把，那大巖緩緩向旁移去，露出了一個石門，石門上橫寫著「藏劍閣」三個大字。
黃十峰停下腳步，問道：「請問姑娘，這『藏劍閣』可是迎賓之地嗎？」
玉鳳笑道：「藏劍閣乃我金鳳門藏劍之地。」
黃十峰道：「這等機要之地，我等豈可隨便進入呢？」
玉鳳道：「兩位有所不知，我家夫人雖未言，但心中卻對兩位感激異常，要小婢帶兩位留宿於藏劍閣，那就是要兩位就我藏劍閣中所藏的名劍，各取一把，酬謝兩位千里跋涉之苦。」
黃十峰道：「這個我等如何敢當。」
玉鳳道：「兩位如是不肯領我家夫人之情，那是瞧她不起了。」當先緩步而人。
黃十峰、容哥兒只好緊隨著行入了藏劍閣中。
行不過丈餘左右，進入了一座廳堂之中，靠後壁有一張橫放著石案，石案上擺滿了各種形式的寶劍。黃十峰暗自數了一下，共有三十二把之多，不禁暗生震駭，忖道：「如若這三十二把寶劍，當真都是名副其實的寶劍，可算羅盡天下名劍了。」
玉鳳指著石案旁兩行草書道：「諸位瞧那藏劍閣中規戒，就知婢子所言不虛。」
容哥兒凝目望去，只見那石案旁側寫道：「凡入此室者，可取名劍一支，只限一次不得重選，藏劍閣主人留戒。」

玉鳳微微一笑道：「這裏共有三十二把名劍，各有妙用。」

黃十峰道：「天下名劍屈指可數，就區區記憶所及，一網打盡，也未必有三十二把，江夫人能把天下名劍，盡集於斯，實是一件不可思議的事。」

玉鳳微微一笑道：「兩位請各選一劍，小婢再帶兩位到宿住的靜室中央。」

黃十峰道：「好！卻之不恭，那只好合愧受了之了。」隨手取了一柄長劍。

容哥兒目光轉動，看到那石案左角，有一條奇短之劍，長不過一尺五六，舉手取過，道：「在下就要這支短劍算了。」

玉鳳笑道：「小婢恭賀兩位得劍，何不拔出瞧瞧！」

黃十峰微微一笑，手按劍柄機簧，嗆的一聲，抽出長劍。

石室中閃起了一道寒芒，冷森的劍氣，使人感覺微生寒意。

容哥兒嚷道：「好劍啊！好劍啊！」

玉鳳道：「幫主可除去劍柄上的套封，脫離了劍柄。」

凝目望去，只見劍柄刻著「伏魔」兩字。

玉鳳道：「恭喜幫主，這伏魔劍在這三十二柄存劍中，名列第十，那是十分珍貴了。」

容哥兒揚了揚手中的短劍，道：「姑娘可知在下這短劍之名嗎？」

玉鳳道：「瞧到劍名，我能知名列第幾，但卻無法認出劍名。」

容哥兒按動機簧，刷的一聲，抽出短劍。

只見那劍一片黝黑，兩面無刃，那裏像劍，簡直像一塊廢鐵。

容哥兒呆了一呆，道：「這也是名劍？」

黃十峰看他滿臉失望之色，心中大感不忍，道：「區區不喜用劍，願以伏魔寶劍相贈。」

容哥兒神色正然道：「幫主的盛情，在下領了。此乃各憑運氣，在下絕不能受。」

玉鳳似是想不到這三十二名劍中，會有這樣怪劍，當下說道：「容相公何不取下劍柄封套瞧瞧？」

容哥兒道：「不用瞧了，此地有三十二把名劍，此劍一定是名列三十二，如是這藏劍閣寶劍再多一些，此劍也是名列最後。」

玉鳳道：「好吧！」用力一扯，除了劍柄上的封套。

玉鳳凝目望去，只見那劍柄之上雕刻著「至尊」二字，不禁失聲而呼，道：「至尊劍。」

容哥兒道：「至尊劍，哈哈，此劍也當得至尊二字，天下盡都是名劍了。」

玉鳳正色說：「容相公，小婢不知這至尊劍的妙用，但它卻在那藏劍閣主人留下的名劍劍譜上，列名第二。」

容哥兒愕然說道：「當真的嗎？」

玉鳳道：「小婢怎敢謊言相欺，除了『天王』之外，就數到這柄至尊劍了。」

容哥兒舉起手中的至尊劍，瞧了又瞧，道：「在下實在瞧不出這柄至尊劍名貴之處，何以竟然能列爲第二名劍？」

玉鳳道：「其中妙用，小婢亦難說出，但此劍列爲第二名劍，那是絕不會錯。」

黃十峰道：「玉鳳姑娘既然親眼瞧到過藏劍閣主人的劍譜下有此記述，此劍定有它的珍貴之處，明日見著江夫人時，問她一聲就是。」

容哥兒還劍入鞘，說道：「在下並無得失之心，只是找不出此劍妙用，心中有些不服。」

玉鳳微微一笑道：「紅粉贈佳人，名劍配英雄，容相公還是要多多珍惜才是。」

黃十峰道：「我等承夫人厚愛，已經各取一劍，不便再在這藏寶中多留了。」

玉鳳道：「小婢帶兩位到靜室中去。」轉身帶路而行。

兩人隨在玉鳳身後，出了藏劍閣，轉入一座靜室中。

這座靜室，緊鄰藏劍閣，深入山壁之中，天然的石洞，再加上一番精細地的人工佈置，看上去十分雅緻，玉鳳帶兩人進入靜室之後，突然低聲說道：「如若兩位能夠見到我們大小姐，向她探詢這至尊劍的妙用，定可得到解答。」

容哥兒心中暗道：「聽這丫頭口氣，這江家大小姐，似是一位胸羅玄機的奇人，金鳳門下丫頭，人人對她敬重無比。」

忖思之間，突然步履聲響，又一個青衣女婢，緩步而入，低聲對玉鳳說道：「玉鳳姊姊，大姑娘聽得二姑娘的凶訊，很想請兩位過去談談。」目光一掠黃十峰和容哥兒，接道：「但又怕兩位旅途勞累，有所不便。」

容哥兒道：「我等並無倦意，如是大小姐有暇，我等立刻可以拜見。」

那青衣女婢道：「我家大小姐，已在候駕，因她覺得不便打擾，故而先讓小婢來請示兩位一聲。」

黃十峰霍然站起身子，道：「那就有勞姑娘帶路了。」

青衣女婢微微一笑，轉身行去。

黃十峰、容哥兒隨在那女婢之後，出了藏劍閣，穿過一片廣大的草坪，到了另一座山崖之後。容哥兒抬頭看去，只見立壁如削，距地四五丈高，有一座突出的石巖之外，四周不見房屋，崖壁平滑如削，未見痕跡。

容哥兒打量了那石巖，心中暗道：「此巖距地，在五丈以上，單憑輕功，無論如何是難以躍上。」忖思之間，突見石巖上，垂下了一條繩索。

那青衣女婢當先攀索而上，登上石巖。黃十峰、容哥兒先後攀上石巖。

凝目望去，只見石巖之上，有一個四尺方圓的洞口。

那青衣女婢道：「小婢帶路了。」踏梯而下。

原來那石洞之下，是人工壘成的一道級梯，斜向山腹中通去，行約十餘級，突然折向左去，眼前景物一變。梯級已至盡處，橫陳眼前的是一座佈設簡單的小室。

兩張籐椅，一盆白花，使小室中充滿著清雅之氣。

那青衣小婢道：「兩位請坐吧！」轉身而去。

黃十峰、容哥兒緩緩坐了下去，相互望了一眼。

大約過了一盞熱茶工夫，突然間一個清脆的聲音傳了過來，道：「兩位辛苦了。」

黃十峰微微一笑，道：「區區一點旅途，算不得什麼。」

容哥兒凝目望去，只見小室左角垂著一張厚厚的帷幕，聲音就從那帷子中發出。

只聽那清脆的聲音傳了過來，道：「賤妾身體不適，不便和兩位相見，兩位不要見怪才好。」

黃十峰道：「姑娘不用客氣了。」

那清脆聲音說道：「賤妾想問兩位幾件事，還望不吝賜教。」

黃十峰道：「我等知無不言，江大姑娘儘管問吧。」

帷子後面又傳出清脆的聲音，道：「兩位幾時見過舍妹？」

黃十峰沉吟了一聲，道：「八日之前。」

江大姑娘道：「是白天還是夜晚？」

黃十峰道：「是夜之中。」

江大姑娘嘆息一聲，道：「兩位可否把那晚經過情形，仔細地說給賤妾聽聽？」

黃十峰略一沉吟，把二姑娘混跡雨花台，受傷情形，楊九妹療傷的經過，全部說了出來。

只聽江大姑娘輕輕嘆息一聲，道：「聽起來，事情經過，好像十分複雜。」

黃十峰道：「詳細的內情，只怕誰也不清楚，只有二姑娘本人知道了。」

江大姑娘道：「唉！她不過受一種內傷，爲什麼要混跡到風塵中去？她如回到金鳳谷來，一點內傷，難道還療治不好嗎？」

容哥兒心中暗道：「那姑娘墜落風塵，別有苦衷，此事如我不講，這江大姑娘，縱有絕世之才，只怕也難猜到。」

心念一轉，接口說道：「那二姑娘墜落風塵，別有隱痛。」

江大姑娘道：「告訴我，我們是親姊妹，從小在一起長大，情愛深厚，她如真遭不幸，我這做姊姊的決不能坐視，必將盡我之能爲她報仇，兩位千里趕來，傳訊我金鳳門，足見舍妹對兩位的信任，家母和賤妾都很感激，此刻，兩位如少說一點隱秘，賤妾日後追查她死亡之因，就要多上一份困擾，也許一步失錯造成恨憾之事。」

容哥兒道：「在下亦曾思慮及此，故而不揣冒昧直言了。」

江大姑娘道：「賤妾洗耳恭聽。」

容哥兒輕輕咳了一聲，把二姑娘採藥九華山，遇害經過，除了礙於出口之處，含含糊糊的支吾過去外，經過之情，很仔細地說了一遍。

江大姑娘輕輕嘆息一聲，道：「這些事，都是聽自舍妹處嗎？」

容哥兒道：「姑娘親口所言。」

江大姑娘歎道：「那是不會錯了。」

容哥兒道：「除非令妹別有用心，言來不實，在下是一字未加。」

江大姑娘道：「兩位遠來，尚未休息，賤妾就冒昧派人相邀，至感失禮，還望兩位多多原諒。」

黃十峰道：「姊妹情深，自是難怪，我等知道姑娘心事。」語音微微一頓，接道：「我等心中有一件不解之事，請教姑娘。」

江大姑娘沉吟一陣，道：「賤妾所知有限，也許難爲你們作解，不妨說來聽聽。但得賤妾所知，自當效勞。」

黃十峰道：「我等承老夫人的下顧，遣人帶入藏寶劍閣。」

江大姑娘道：「恭喜兩位，藏劍閣存放有三十二把名劍，凡得家母允入藏劍閣之人，可取名劍一把。」

黃十峰道：「在下取得一把伏魔劍。」

江大姑娘道：「伏魔劍在藏劍閣三十二名劍之中，名列第十，其劍鋒利無匹，切金斷金，黃幫主得此名劍，行道江湖那是相得益彰了。」

黃十峰目光凝視容哥兒的身上，道：「區區這位客兄，也取了一把名劍。」

江大姑娘道：「恭喜容相公了。」

黃十峰道：「劍雖是一把名劍，但我等卻不知妙用何在?還望姑娘指示一二。」

江大姑娘道：「兩位可曾瞧到那劍上雕刻的劍名嗎？」

黃十峰道：「劍名至尊。」室中突然間靜了下去，靜得落針可聞。

良久之後，才聽江大姑娘說道：「那至尊在三十二名劍中，列名第二，那藏劍閣主人曾經留有預言，天王出世，武林歸一，至尊出現，江湖大亂。容相公無意中取得至尊劍，還望小心施用。」

容哥兒心中暗道：「一塊廢鐵，有什麼好寶貝的？」

黃十峰道：「姑娘可曾見過那至尊劍嗎？」

江大姑娘道：「這藏劍閣雖在我金鳳谷中，但賤妾卻僅去過一次，不敢妄動。」

黃十峰道：「這麼說來，姑娘未見過那至尊劍了。」

江大姑娘道：「未曾見過。」

黃十峰輕輕嘆息一聲，道：「那是一柄短劍，長不過一尺五六，通體如墨，不加鋒刃，有似一塊廢鐵。」

江大姑娘道：「愈是名劍，愈是藏鋒劍刃，使人無法辨識。」

黃十峰道：「我等不解妙用，因此請教姑娘。」

江大姑娘道：「賤妾未見其劍，也難說出它的妙用，但賤妾可以奉勸相公一句話——」

容哥兒道：「姑娘儘管請說。」

江大姑娘道：「那藏劍閣主人絕不會空言欺世，容相公好好地珍藏那至尊名劍就是。」

容哥兒心中暗道：「說了半天，她也是說不出所以然來。」

黃十峰起身道：「多謝姑娘指教，我等就此告別了。」

江大姑娘道：「兩位請恕賤妾身體不好，不能相送了。」

黃十峰道：「不敢有勞姑娘。」當先起身而下，借一條軟索，離開那懸崖密室。

玉鳳早已在山崖相候，帶兩人一路步入靜室後離去。

容哥兒注目玉鳳去後，低聲對黃十峰道：「幫主，可覺到這裏有甚多可疑之處嗎？」

黃十峰笑道：「容兄可是覺得這金鳳門中，處處有著一種神秘之氣？」

容哥兒道：「不錯，在下覺得她們的行徑有些怪異，那老夫人住在大樹之上，大小姐住在山壁之中，偌大金鳳谷，看不到幾個人，不見一處房舍，使人有著一種淒涼的感覺。」

黃十峰道：「昔年那金鳳谷主，出入江湖時，常見隨從十人，個個黑衣佩劍，武功十分高強，被武林同道呼作黑衣劍隊，行從所至，武林中人無不退避三舍，盛名大噪江湖，誰也想不到金鳳谷中竟然是這樣一副淒涼的場面。」

語聲微微一顫，又道：「也許那金鳳谷主，受了大挫之後，老夫人心意大變，遣散了金鳳谷中人，才變成這等淒清模樣。」

容哥兒道：「在下還有一事不明，請教教主。」

黃十峰道：「什麼事？」

容哥兒道：「那江姑娘分明知道這至尊劍的妙用，不知何以竟不肯說出？」

黃十峰沉吟了一陣道：「這個，在下心中有些懷疑，也許她確有難言苦衷。」

容哥兒道：「如果那江夫人不願咱們取得藏劍閣中寶刃，那就不用帶咱們到藏劍閣去了，既然帶咱們去，定然有贈劍的誠意，何以又不肯說出寶劍之秘？」

黃十峰道：「今夜咱們要留此一宵，等一下酒宴之上，問問江夫人就是。」

容哥兒點點頭道：「眼下也只好如此了。」

黃十峰道：「時刻時光還早，咱們也該坐息一陣，免得晚筵之中，精神不濟。」

過了許久，容哥兒調息完畢，睜眼望去，室中已然目難視物，當下說道：「幫主，那江夫人——」

話未說完，突聞一個嬌脆的聲音，起自室外，道：「兩位醒了嗎？」

黃十峰道：「是玉鳳姑娘嗎？」

室外女子應道：「不錯，正是小婢。」

人影一閃，玉鳳推門而入，左手一晃，燃起火折子，點上桌上火燭，笑道：「小婢已在門外等候甚久，不聞兩位聲息，還道兩位坐息未醒，不敢驚擾兩位。」

黃十峰道：「夫人醒了嗎？」

玉鳳道：「夫人已在客室等候，但她囑咐小婢，不可驚擾兩位坐息，故而小婢候在室外，不敢出聲驚動兩位。」

黃十峰道：「不能有勞夫人久等，咱們這就去見夫人。」

玉鳳帶路，出了石室，穿過一片草坪又到了一個山崖之下。

只見石門敞開，燭火輝煌，江夫人端坐在大廳之上。

玉鳳道：「兩位稍候，小婢去通知夫人一聲。」

黃十峰道：「姑娘請便。」

玉鳳剛剛步入石門，那江夫人似是已然驚覺，大步行了過來，迎出門外，說道：「兩位請入廳中坐吧。」

黃十峰、容哥兒齊應了一聲：「不敢有勞夫人。」大步入廳。

容哥兒目光轉動，只見一座廣大的敞廳中，桌椅早經擺好了，除了自己和黃十峰、江夫人外，只有兩個身著青衣的女婢。

江夫人微微一笑，道：「金鳳谷中，人丁不旺，除了老身和小女之外，只有十個丫頭聽用，今宵客人就只兩位——」

話未說完，忽聞玉鳳的聲音，傳了過來：「大姑娘駕到。」

容哥兒轉頭望去，只見一個長髮披垂，全身黑衣的少女，緩步走了進來。

十六　奇寶之爭

容哥兒想到此女隔簾問事的神秘，不禁多看了兩眼，目光一和她的臉色接觸，不禁為之一呆，急急別過頭去。

只見那少女面色蠟黃，星目半閉，緩步行來，有如垂病不支一般，身子搖擺不定。

那黑衣少女欠身對江夫人一禮，道：「見過母親。」撩起衣襟，欲待下跪。

江夫人道：「我兒正在病中，身體不適，不用行大禮了。」

那黑衣女子道：「多謝母親。」

黃十峰道：「大姑娘身體不適，何不留在房中休息？」

黑衣少女道：「不要緊，賤妾稍坐片刻就去。」說明之間，人已行到席位前面，自行坐了下去，靠在椅上，閉起雙目，如睡熟了過去。

容哥兒輕輕歎息一聲，道：「令嬡的病勢重嗎？」

江夫人道：「唉！大丫頭為人做事，恃強好勝，以身試道，走火入魔，致落得這般模樣；二丫頭貪玩任性，鬧到香消玉殞的結局，幸好老身生性豁達，要不然，早就愁苦死了。」

黃十峰道：「我等傳來噩耗，又勞夫人傷心，心中實是難安。」

江夫人歎道：「二丫頭的結局，早已在老身預料之中……」

但聞一陣急促步履聲，一個青衣女婢急急奔了進來，道：「夫人，谷外來了一個人……」

江夫人道：「什麼人？」

那青衣女婢結結巴巴地說道：「一個獨臂單腿的……的殘廢老……人。」

江大小姐突然一睜雙目，接道：「你看清楚沒有？」

那青衣女婢道：「小婢瞧清楚了，一個胳臂一條腿，絕不會錯。」

江大小姐緩緩閉上雙目，道：「娘啊！請他進來喝杯酒吧！」

江夫人對女兒之言十分聽從，回頭望著那青衣女婢，道：「請他進來。」

那女婢應了一聲，轉身而去。

大約過一頓飯工夫之久，忽聽一陣篤篤之聲，傳了過來。

門外響起那女婢的聲音，道：「客人駕到。」

江夫人輕聲說道：「請他進來。」

容哥兒轉眼望去，只見一個身著黑袍的單腿老人，右脅下架著一條木拐，配合著左腿，緩步走了進來。

江大小姐似是已經睡熟過去，連眼皮也未睜動一下。

江夫人神態亦是冷漠無比，轉顧那單腿老人一眼，冷漠地說道：「不速之客，自己坐吧！」

那單腿老人猶如到自己家中一般，架著木拐，篤篤的走到容哥兒身側坐了下去，放下木拐，伸手拂下長垂胸前的白髯，道：「老夫匆匆趕來，腹中甚是饑餓，可以上菜了吧？」

江夫人微微一揚柳眉，似想發作，但卻又強自忍了下去，回頭對女婢說道：「擺上酒

菜。」那女婢應了一聲，轉身而去。

片刻之後，酒菜齊上，滿桌佳餚，撲鼻生香。

那單腿老人似是已饑火難耐，酒菜一上，立時大吃大喝起來。

容哥兒看他一副狼吞虎嚥的饑相，心中暗忖道：「這人好像幾十年沒吃過飯了。」

只見江夫人一舉酒杯，道：「黃幫主、容相公，淡酒粗餚，不成敬意，兩位隨便吃一點吧。」

容哥兒道：「叨擾夫人了。」舉杯一飲而盡。

黃十峰乾了一杯，道：「夫人如有什麼吩咐，在下等甚願效勞。」

江夫人道：「不敢再勞動兩位了。」

容哥兒目光一轉，只見那江大小姐緊閉雙目而臥，似是已經睡熟，面前杯筷動也未動一下，心中暗道：「她病得如此厲害，爲何不留在房中休息。」

心念轉動，那單腿老人突然轉過臉來，舉起酒杯，道：「小娃兒，來，老夫借花獻佛，敬你一杯。」

容哥兒呆了一呆，才端起酒杯，道：「這個叫在下如何敢當。」

那怪老人先把手中酒一飲而盡，笑道：「四海存知己，天涯若比鄰，咱們何妨做一個忘年之交？」

容哥兒道：「老前輩貴姓啊？」

那老人哈哈一笑道：「老夫一臂，一腿，比起那鐵拐李，尤少了一條臂……」

黃十峰道：「是了，老前輩可是大名鼎鼎的獨臂拐仙了。」

獨臂拐仙哈哈大笑，道：「想不到老夫息隱武林三十年後，仍然還有人記得老夫之名。」
江夫人冷冷接道：「閣下息隱江湖數十年，今日突然到我金鳳谷來，不知是何用心？」
獨臂拐仙淡然一笑，道：「夫人可知道目前江湖上的情勢嗎？」
江夫人道：「不知道。」
獨臂拐仙道：「目下江湖殺劫隱起，大亂在即。」
江夫人冷然說道：「就算是血流成河，屍積如山，但只要他人不鬧到我金鳳谷來，也是與我何干。」
江大姑娘突然睜開雙目，道：「我不信，你是爲武林同道謀命而來。」
她閉目而臥有如熟睡一般，但一開口，卻是詞鋒犀利如刀。
獨臂拐仙哈哈一笑，道，「賢侄女果然是聰明得很，一開口就猜到了老夫的心事。」
江大姑娘又緩緩閉上雙目，仰首靠在椅背之上，道：「那你就不用拐彎抹角了，打開天窗說亮話吧！」
獨臂拐仙道：「事情雖是不大，只是難以啓齒。」
江大姑娘道：「你這般吞吞吐吐，亦非上策，還是實說了吧！」
獨臂拐仙目光投注容哥兒身上，說：「在下想借這位小兄弟用用。」
容哥兒奇道：「在下也好借用的嗎？」
江大姑娘道：「有件事你別忘了，這位容相公是我們金鳳谷的客人。」
獨臂拐仙道：「如若他不是你們金鳳谷的客人，老夫也不用來這裏了。」
江夫人道：「最好你能說個明白，他衝著我們金鳳谷而來，我們必得保護他的安全。」

獨臂拐仙道：「衝著你江夫人，老夫也不能傷害到他。」

江夫人冷冷說道：「那是說，你想帶走他了。」

獨臂拐仙道：「老夫只想討取一件東西。」

江夫人道：「他肯否給你，你們自己商量吧！但在我金鳳谷中，絕不許你出手搶奪。」

獨臂拐仙目光轉到容哥兒臉上，道：「老夫和江夫人一番對答之言，你可都聽明白了。」

容哥兒道：「老前輩可是說要向在下借用一點東西？」

獨臂拐仙道：「事情沒錯，只是用詞不當，不是借用，而是討取。」

容哥兒道：「不知老前輩要討取何物？」

獨臂拐仙冷冷說道：「你們來金鳳谷時，手中提著一個木箱，是也不是？」

容哥兒道：「確有其事。」

獨臂拐仙道：「老夫就要那箱中之物，不知小兄弟意下如何？」

容哥兒答非所問地道：「你可知道小木箱中放的什麼？」

獨臂拐仙道：「自然知道了。」

江大姑娘突然睜開雙目，接道：「那東西是何人所有？」

容哥兒道：「箱中之物，乃慈恩寺中所有，在下只不過暫負保管之責。」

獨臂拐仙怒道：「老夫取走之後，你要那慈恩寺中和尙，找我討取就是。」

容哥兒搖搖頭道：「不行，慈恩寺中大師父，對在下信任甚深，才肯把東西交與在下，如若老前輩取去了，在下要如何向那位方丈交代？」

獨臂拐仙道：「何不就說老夫搶去了就是。」

江大姑娘道：「容相公究竟帶的什麼寶物？竟引得這拐老前輩動了搶劫之心。」

容哥兒心中暗道：「她這般的問我，看來是無法不說的了。」心中念轉，口中說道：「其實也不算什麼珍貴之物，只不過是一只玉蛙罷了。」

江大姑娘道：「玉蛙？」

容哥兒道：「不錯，一只雕刻精緻的玉蛙。」

江大姑娘兩道失去神采的目光，轉注到獨臂拐仙臉上，道：「你要的可是那只玉蛙嗎？」

獨臂拐仙道：「正是一只玉蛙。」

語聲微微一頓，接道：「還有一件事，老夫必得說明，那只玉蛙，老夫如不取去，他也無法收存住。」

容哥兒道：「為什麼？」

獨臂拐仙道：「目下江湖上，已然傳出你身帶玉蛙的消息，偷覷之人，不知凡幾，老夫不取，別人也要取去。」

江大姑娘道：「區區一只玉蛙，為何有如許多搶劫？」

獨臂拐仙輕輕咳了一聲，道：「這個老夫就不清楚了。」

江大姑娘道：「容相公可知那玉蛙的妙用何在嗎？」

容哥兒道：「美玉無瑕，雕功精雅，除此之外，在下實瞧不出有什麼妙用。」

江大姑娘道：「容相公請恕賤妾直言，那玉蛙現在何處？」

容哥兒略一沉吟，道：「現由在下收存。」

江大姑娘道：「如是容相公信任賤妾，那就請把玉蛙取出，讓賤妾開開眼界，也許也可為

相公找出那玉蛙的妙用。」

容哥兒心中暗道：「那玉蛙如若只是一件精工雕刻的古玩名器，絕不會有這麼多人苦苦求取，看來只怕另有妙用。」

心中念轉，右手卻緩緩伸入懷中，取出玉蛙。

黃十峰見多識廣，眼看那獨臂拐仙，兩道目光一直盯在容哥兒的手上，立時暗中運氣戒備。

容哥兒已把玉蛙握在手中，但他發覺目下情勢有些不對，始終不敢把玉蛙托在掌心。

江大姑娘緩緩伸出右手道：「容相公，把玉蛙交給賤妾瞧瞧如何？」

容哥兒依言伸手遞過玉蛙。

江大姑娘接過玉蛙，緩緩挺起身子，雙目仔細在玉蛙之上搜著。

獨臂拐仙哈哈一笑，道：「大姑娘就算是才高八斗，學富五車，只怕也無法瞧出這玉蛙之秘。」

江大姑娘不停翻轉手中玉蛙，仔細瞧看起來。只覺這玉蛙雕功精緻無比，栩栩如生，雙目似是用兩顆紅色寶石嵌入其中，稍覺可疑之外，全身再也瞧不出可疑之處。

獨臂拐仙雙目一直盯注在玉蛙之上，說道：「怎麼樣，姑娘可肯信任在下之言嗎？」

江大姑娘緩緩抬起頭來，道：「如若晚輩想得不錯，這玉蛙之秘，當在它的雙目之中。」

獨臂拐仙微微一笑，道：「聰明的姑娘，你若想從老夫的神情間瞧出破綻，那可是白費心機了。」

江大姑娘高高舉起玉蛙，在手中轉了一陣，道：「拐老前輩，瞧清楚了？」

獨臂拐仙道：「瞧清楚了。」

江大姑娘道：「這只玉蛙是真是假？」

獨臂拐仙道：「是假的。」

江大姑娘微微一笑道：「是假的，那是有勞你拐老前輩白跑一趟了。」

獨臂拐仙哈哈笑道：「不論真假，但如落到了你們母女手中，老人也只有望著那玉蛙興歎的份了。」

江大姑娘道：「拐老前輩不用挑撥，我們母女絕無侵佔玉蛙之心。」

獨臂拐仙淡然一笑，道：「天下武林人物，知道這玉蛙之秘的屈指可數，老夫便是其中之一，不解其秘之人，縱然取得玉蛙，也不過是一件可供把玩之物而已。」

江大姑娘道：「若我問你這玉蛙藏的隱秘為何，拐老前輩定然是不肯說了。」

獨臂拐仙道：「那要看姑娘問的時機了！」

江大姑娘緩緩回過頭去，目注兩個青衣女婢，道：「撤去殘席。」

兩個青衣女婢應了一聲，齊齊動手，片刻時光，已把桌上杯盤碗筷一起收去。

江大姑娘緩緩把手中玉蛙，放在木桌之中，說道：「拐老前輩，請再仔細辨識一下，這玉蛙是假是真？」

獨臂拐仙道：「真的如何?假的又將如何?」

江大姑娘道：「如若這玉蛙是假的，拐老前輩大可不必再用心機了。」

獨臂拐仙道：「如若是真的呢？」

江大姑娘微微一笑，道：「這就要請教老前輩了。」

獨臂拐仙道：「爲何請教老夫？」

江大姑娘道：「如若這玉蛙是真的，拐老前輩作何打算？」

獨臂拐仙道：「老夫志在必得，但決不在你們金鳳谷中出手搶奪。」

江大姑娘微微一笑，道：「這麼說來，拐老前輩很給我們母女面子了。」

語聲微微一頓，接道：「老前輩千算萬算，卻有一失。」

獨臂拐仙雙目盯注在木桌正中置放的玉蛙上，緩緩說道：「不知老夫有何失策處？」

江大姑娘說：「如若拐老前輩今日不來，我們母女也不知這玉蛙之事，老前輩守在金鳳谷外，等候他們出谷，順道下手搶奪，以老前輩的武功，奪走玉蛙，豈不是易如反掌。」

目光轉注到江夫人的臉上，輕輕歎息一聲，又道：「但老前輩卻找上了金鳳谷來，讓我們母女知道此事，那就不能不管了。」

獨臂拐仙道：「姑娘可是準備把此事大包大攬下來嗎？」

江大姑娘道：「大包大攬，雖不敢當，但如要我們坐視不管，亦是說不過去，容相公等爲了舍妹的事，千里風塵，奔來金鳳谷中，我們母女，難道就任他人欺凌，不予過問嗎？」

獨臂拐仙一臉肅然之色，緩緩說道：「不知大姑娘是否已爲老夫留下一條可行之路？」

江大姑娘道：「自然要給前輩一個取得玉蛙的機會。」

獨臂拐仙道：「老夫洗耳恭聽。」

江大姑娘道：「這玉蛙現放在木桌正中，四面之人，都和那玉蛙距離相等，不論何人出手取那玉蛙，都需得相等時間，這其間，唯一的差別，是誰的手法快迅，誰就可以搶到那只玉蛙。」

獨臂拐仙目光環顧了四周一眼，道：「包括令堂、姑娘、丐幫的黃幫主和這位容兄弟？」

江大姑娘道：「如是那樣，拐老前輩豈不是太吃虧嗎？」

獨臂拐仙道：「姑娘之意，可是要老夫和令堂動手？」

江大姑娘道：「家母已然不願和人再起爭執，晚輩奉陪老前輩如何？」

獨臂拐仙道：「如是老夫先取得玉蛙，該如何？」

江大姑娘神情嚴肅，一字一句說道：「晚輩就代那容相公作主，以玉蛙奉贈。」

容哥兒吃了一驚，起身說道：「大姑娘，這玉蛙乃慈恩寺中之物，在下不能作主。」

江大姑娘接道：「容相公，請你相信賤妾一次，如失去玉蛙，賤妾當有補償。」

黃十峰接道：「容兄坐下來吧！此事既有江大姑娘承擔下來，咱們一切聽命就是。」

江大姑娘目光又轉注到獨臂拐仙臉上，道：「拐老前輩，如是晚輩僥倖先行取得玉蛙，拐老前輩又當如何？」

獨臂拐仙望了望一條右臂，冷肅地說道：「姑娘要老夫付出何等代價？只要你說出口，老夫是無不遵命。」

江大姑娘道：「如是晚輩幸而先行取得玉蛙，老前輩打消再取這玉蛙之心。」

獨臂拐仙道：「這未免太便宜老夫了。」

江大姑娘道：「晚輩還有下情未盡。」

獨臂拐仙道：「老夫能力所及，無不照辦，就是要老夫斬下單臂獨腿，也當遵命。」

江大姑娘道：「那倒不用了。」

目光一掠容哥兒，接道：「我要老前輩保護這位容相公一年，一年之內如容相公受到傷

害，老前輩就引咎自絕。」

獨臂拐仙望了容哥兒一眼，哈哈一陣大笑，道：「這倒是從未聽聞過的賭注，老夫就答應下來，但是一年之後呢？」

江大姑娘道：「由今夜子時算起，明年今夜子時爲止，超過時限，不論他遇上什麼凶險，那都和你無關。」

獨臂拐仙道：「那是一解百解，老夫亦可搶他的玉蛙了。」

江大姑娘微微一笑，道：「拐老前輩怎的這等沒有信心，也許今夜你就取得玉蛙。」

獨臂拐仙道：「老夫既是下了決心要得玉蛙，那是不死不休，因此不得不先作一番周全的考慮。」

江大姑娘道：「那時，容相公的生死，都不用拐老前輩負責，何況這玉蛙了，你自可以出手搶奪。」

獨臂拐仙道：「好！咱們就此一言爲定。」

目光盯注在玉蛙之上，接道：「幾時可以動手？」

江大姑娘緩緩把目光轉投到容哥兒的臉上，道：「容相公，這位拐老前輩，武功高強，能否搶得玉蛙，還望容相公多多擔待。」

容哥兒心中暗道：「你既是毫無把握，爲什麼偏要和人打賭？」

心中念轉，口中說道：「事已至此，悉憑姑娘作主就是。」

江大姑娘回頭望了一個女婢一眼道：「傳話出去，要連鳴九聲金鐘。」

那女婢應了一聲，轉身而去。

江大姑娘目光轉向獨臂拐仙，道：「第九聲金鐘響起，咱們就出手搶這玉蛙。」

獨臂拐仙道：「如是有人搶先出手呢？」

江大姑娘道：「如是在第九聲鳴鐘之聲前，擅自出手，那就請自斷手臂。」

獨臂拐仙哈哈一笑，道：「姑娘可是瞧到老夫還有一條可用的右臂嗎？」

江大姑娘道：「也許是晚輩斷去一臂呢。」

獨臂拐仙道：「好吧！就依姑娘之言。」

江大姑娘緩緩由一身側女婢手中，取過一柄長劍，放置在案上，道：「咱們都施用此劍，以做斷臂之用。」

獨臂拐仙道：「好吧！姑娘如何安排，老夫便如何接受就是。」

江大姑娘道：「好吧！那就這麼辦啦！」閉上雙目，緩緩向椅背上躺去。

獨臂拐仙也閉上雙目，藉機運氣調息。

但聞金鐘傳來，連鳴三聲。

獨臂拐仙霍然睜開雙目，抬頭望去，只見那江大姑娘沉睡如故。

容哥兒回顧了黃十峰一眼，焦急之情流露於神色之間。

黃十峰搖搖頭，不等他開口，搶先說道：「容兒，咱們該借這機會休息一下才是。」

容哥兒還待接言，那黃十峰已經閉目假寐。

但聞金鐘再響，又是連鳴三聲。

每聲鐘鳴都似鐵錘擊打在容哥兒的心上一般，使他心神皆顫，大感不安。

這時廳中鴉雀無聲，靜得呼吸可聞。

容哥兒目光轉動，只見那江大姑娘，仍然閉目倚靠在椅背之上，直似睡熟了一般。

獨臂拐仙卻圓睜著雙目，不停地打量木案上的玉蛙。

顯然，他要藉機會，看清那玉蛙的真僞。

噹的一聲，金鐘七鳴。

江大姑娘緩緩睜開雙目，笑道：「拐老前輩，金鐘已響過七聲，還有兩鳴，就可以決定這玉蛙誰屬了。」

獨臂拐仙雙目盯注那玉蛙之上，對江大姑娘之言，恍如未聞。

容哥兒看她鎮靜神態，似是很有把握一般，不由心中一寬。

忖思之間，突聞金鐘傳來兩響。

容哥兒只覺眼睛一花，兩隻手快如電光石火一般，疾向玉蛙抓去。

但聞江大姑娘脆如銀鈴的聲音，傳了過來，道：「拐老前輩，你輸了。」

容哥兒定睛看去，只見江大姑娘的纖巧右手，按在玉蛙之上，獨臂拐仙粗大的五指，卻按在江大姑娘的手臂之上。

這情形一目了然，江大姑娘出手自是較那獨臂拐仙快了一步。

只聽獨臂拐仙冷笑道：「這次打賭不公平，老夫不能認輸。」

江大姑娘淡然一笑，道：「爲什麼？」

獨臂拐仙道：「你早已知道了這金鐘的敲打之法，自然是比老夫佔先了。」

江大姑娘仍然心平氣和地說道：「這麼說來，老前輩是不肯認輸了？」

獨臂拐仙道：「毫釐之差，別在機先，老夫失了先機，自是必敗無疑。」

江大姑娘淡然說道：「拐老前輩，這玉蛙是真品還是僞製？」

獨臂拐仙冷冷說道：「不論真品、僞製，老夫都不能自承失敗。」

江大姑娘道：「老前輩既不願認敗，那是定有高見了？」

獨臂拐仙道：「再來重賭一次。」

江大姑娘道：「如何一個賭法？」

獨臂拐仙道：「上次的賭法，由姑娘所定，這次賭題，自然是由老夫出了。」

江大姑娘道：「如是我不答應呢？」

獨臂拐仙道：「老夫就發出掌心內力，震碎玉蛙。」

江夫人睜開雙目，瞧了獨臂拐仙一眼，冷笑一聲，道：「想不到你這等成名人物，竟然也能做出言而無信的事來。」

獨臂拐仙道：「老夫只不過不願吃虧而已，豈是言而無信。」

江大姑娘道：「好吧！你訂個賭法出來。」

獨臂拐仙道：「鳴鐘取蛙，其間有很多取巧之處，老夫要和你較量一下真才實學。」

江大姑娘道：「那是說動手過招了？」

獨臂拐仙道：「這倒不用了，咱們把這玉蛙，放置於一處很難取得的懸崖峭壁所在，然後各憑真實武功，在同等距離之內，一聲警號之下，一齊行動，誰先取得那玉蛙，那玉蛙就爲誰所有，各憑實學，誰也不能取巧。」

江夫人冷冷說道：「那還不如各憑武學，在這大廳中一決生死，得勝之人，就是這玉蛙的主人，那落敗之人，不死即傷，也用不著再想這玉蛙的事了。」

獨臂拐仙哈哈一笑，道：「夫人之意甚佳，老夫極願奉陪，但不知賢母女，哪一個出手？」

江大姑娘搶先說道：「母親息怒，既然由女兒和他賭了第一場，以後的事還由女兒安排的好。」

容哥兒雙目直似要噴出火來，凝注在獨臂拐仙的臉上，手握劍把，一副躍躍欲試之情。

黃十峰生恐容哥兒忍耐不下，岔而出手，急急一扯容哥兒的衣袖，暗施傳音之術，道：「容兒稍安勿躁，那江大姑娘志在收服獨臂拐仙，並無和他動手之心。」

但聞江大姑娘輕輕歎息一聲，道：「拐老前輩說得也是，如若那鳴鐘傳警之中，有了預謀，拐老前輩確然是吃了很大的虧。」

獨臂拐仙哈哈一笑，道：「大姑娘果是明理的人！」

江大姑娘緩緩伸開五指，道：「我已放開玉蛙，拐老前輩也可移開掌勢了吧！」

獨臂拐仙道：「老夫相信姑娘一次就是。」緩緩收回右掌。

江大姑娘笑著道：「晚輩雖是女流，但一向言出必踐。」

獨臂拐仙臉一紅，道：「賭注由姑娘重訂，老夫這次再輸了，那就心服口服，絕不再有異議。」

江大姑娘道：「賭注如舊，再加上一條是：一年之內，你只能保護容相公的安全，但卻不得干涉他的舉動，他可爲所欲爲。」

獨臂拐仙望了容哥兒一眼，道：「那是說任他東蕩西闖，不論闖出多大的禍來，都由老夫替他擔待，大包大攬下來，是也不是？」

江大姑娘道：「這麼說，自然不能算錯。」
獨臂拐仙望了容哥兒一眼，突然放聲大笑起來。
江大姑娘道：「拐老前輩爲何發笑？」
獨臂拐仙停下大笑之聲，道：「老夫感覺到大姑娘對這立法過寬了，如是他犯了武林中人人忌淫戒，難道也要保護他的安全不成？」
江大姑娘呆了一呆，道：「容相公不是那等人！」
獨臂拐仙笑道：「這個很難說，知人知面不知心，江大姑娘不可過於信任他。」
江大姑娘冷冷地說道：「縱然他是個萬惡不赦的人，那也不關拐老前輩的事，咱們賭的是這只玉蛙。」
獨臂拐仙道：「老夫不過隨便說說罷了。」
江大姑娘道：「老前輩可以出題了。」
獨臂拐仙望了那玉蛙一眼，道：「老夫之意，遣人把這玉蛙送到金鳳谷北面一座高峰之上，然後由老夫和姑娘各施輕功，攀登高峰，哪一個先行上得高峰，取得玉蛙爲勝。」
江夫人一皺眉頭，正待要接口，江大姑娘卻搶先說道：「拐老前輩再仔細想想看，是否還有更好之策？」
獨臂拐仙道：「立壁千仞，懸崖如削，縱然取巧一步，也是無關緊要，老夫覺得這個辦法最好。」
江大姑娘道：「好！就依據老前輩之見。」
獨臂拐仙霍然站起身子，道：「老夫取得玉蛙之心十分切急，咱們此刻就去如何？」

江大姑娘道：「夜色幽暗，拐老前輩單臂獨腿，只怕行動上有些不便。」

獨臂拐仙道：「幸虧老夫的目力尚好。」

江大姑娘微微一笑，站起身，道：「拐老前輩一定要現在動手，晚輩只好奉陪了。」

容哥兒疾快地伸出右手，去取桌上的玉蛙。

就在他右手伸出的同時，獨臂拐仙也疾快地伸出了右手，扣住容哥兒的右腕脈門，五指微一加力，容哥兒頓時感覺半身麻木，幾乎失手丟下玉蛙。

江大姑娘兩道冷厲的目光，緩緩移注到獨臂拐仙的臉上，道：「拐老前輩可是想較量晚輩的武功嗎？」

獨臂拐仙淡淡一笑，道：「老夫並無與金鳳門為敵之心，但姑娘若迫人過甚，那就很難說了。」

江大姑娘緩緩端起桌上的酒杯，輕啓櫻唇，一飲而盡，突然一張櫻口，一道酒箭，疾射而出。只聽一陣砰砰輕響，酒箭正射在丈外一根石柱之上，酒珠激濺，灑了一地。

凝目望去，只見那石柱之上，突然多了一個桃核大小的石洞。

黃十峰、容哥兒實想不到，看上去貌不驚人的江大姑娘，竟然有著如此深厚的內功，心中暗暗震驚道：「人不可貌相，海水不可斗量，這江大姑娘如此長相，但武功卻是這般精湛。」

獨臂拐仙緩緩放開容哥兒的右腕脈穴，微微一笑，道：「大姑娘的內功，近來是愈見精進。」

江大姑娘淡淡說道：「好說，好說，拐老前輩誇獎了。」

容哥兒偷眼望去，只見那江大姑娘一張充滿病容的臉色，仍然是一片蠟黃，毫無異樣表情。

這時，大廳中兩道石門，已然大開，兩個青衣女婢高舉著紗燈，緩步向外行去。

獨臂拐仙略一猶豫，緊隨在兩個女婢身後行去。

江大姑娘目光一掠黃十峰和容哥兒，低聲道：「兩位只宜袖手旁觀，不論發生什麼重大事情，都不可多問，更不要出手。」

黃十峰頷首應道：「我等遵照姑娘的吩咐就是。」

江大姑娘伸出手去，道：「容相公，把玉蛙交給賤妾。」

這時，容哥兒已然對江大姑娘有了很深的信心，緩緩把玉蛙遞了過去。

江大姑娘接過玉蛙，快行兩步，緊追在獨臂拐仙的身後，出了大廳。

容哥兒落後一步，和黃十峰並肩出廳。

抬頭看去，只見滿天濃雲，遮去了星辰，四周夜暗如漆。

江大姑娘右手高高托起玉蛙，道：「請拐老前輩就咱們眼下之人中，選出一個，把玉蛙送到峰頂之上吧。」

獨臂拐仙目光轉注到黃十峰的臉上，道：「有勞黃幫主一行如何？」

黃十峰道：「多承看重。」伸手接過玉蛙。

江夫人突然接口說道：「幫主地勢不熟，老身遣派兩名女婢為你帶路。」舉手一揮，兩個女婢當先向前行去。

黃十峰急步向山峰之上奔去，不多時，已登上峰頂，隨即高舉女婢手中燈籠，說道：「玉蛙已經放好，兩位可以開始了。」

他內功深厚，雖在百丈以上的高峰之上講話，但聲音傳播下，仍然使人聽得清清楚楚。

獨臂拐仙望了江大姑娘一眼，說道：「大姑娘可以開始嗎？」

江大姑娘淡淡一笑道：「老前輩請吧。」

獨臂拐仙一心想那玉蛙，也不客氣，脅間鐵拐用力一點實地，突然騰身而起。別瞧他只有一臂一腿，但輕身提縱之術，卻是大有成就，只見高飛起兩丈多高，然後在空中連翻幾個觔斗，腳落實地，人已在四、五丈外。

容哥兒吃了一驚，暗道這老頭兒好高明的輕功，江大姑娘想勝他只怕不是易事。

心念轉動之間，忽聞衣袂飄風之聲，掠身而過。

轉頭望去，只見那江大姑娘有如一支流矢，劃空而去。

一眨眼間，消失在夜色之中，轉眼再望獨臂拐仙時，哪裏還有人影。

靜夜中但聞得鐵拐擊石之聲，不斷傳來，由大而小，終不可聞。

容哥兒目力雖然過人，但也無法在夜暗中瞧到百丈外的景物，兩人搶登峭壁的情景，自是無法看到，不禁大生憂慮，暗道：「如若那玉蛙落在獨臂拐仙手中，如何對那慈恩寺的方丈交代！」

轉眼望去，只見那江夫人肅然而立，望著峰頂燈火出神。

顯然，她心中亦在憂慮著這場比試，對女兒能勝獨臂拐仙一事，毫無把握。

但站在江夫人身側的女婢卻個個面帶笑容，似是對大姑娘獲勝一事，充滿信心。

又過了片刻，只見峰頂那盞燈火，突然熄去，緊隨著一聲長嘯，傳了下來。

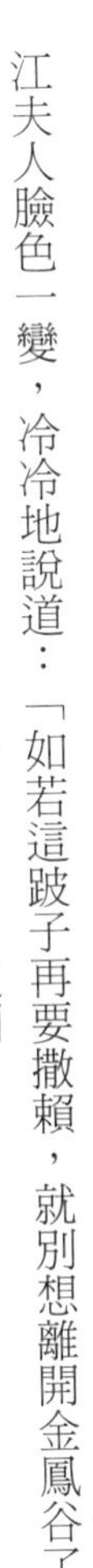
江夫人臉色一變，冷冷地說道：「如若這跛子再要撒賴，就別想離開金鳳谷了。」

她自言自語，關愛女兒之情，流露於神色言詞之間。

容哥兒心中雖然掛念玉蛙的得失，但卻不好開口多問。

又等待了一頓飯的時光，耳際突然響起了鐵拐觸地之聲。

凝目望去，只見獨臂拐仙和江大姑娘並肩行了過來。

江大姑娘手掌之中，高高托著玉蛙，顯然，這一場比試，那獨臂拐仙又輸在江大姑娘手中。

容哥兒心中既是喜悅，又是驚訝，暗道：「瞧不出這位面黃肌瘦，似有大病的江大姑娘，竟然是身懷絕技。」

只見江大姑娘托著玉蛙，直行到容哥兒身前，道：「容相公，物歸原主，你要好好的收存，以拐老前輩的身分，竟然看重這只玉蛙，那是足見這只玉蛙的珍貴了，賤妾雖不知玉蛙貴在何處，但能得拐老前輩的垂青，想是必有大用了。」

獨臂拐仙輕輕咳了一聲，欲言又止。

容哥兒接過玉蛙，藏入懷中。

江大姑娘回顧了獨臂拐仙一眼，道：「拐老前輩，這一次可願認輸嗎？」

獨臂拐仙長歎一聲，道：「老夫如再不認輸，還有何顏面在江湖上立足？」

江大姑娘欠身一禮，道：「其實拐老前輩輕功卓絕，和晚輩也不過一步之差。」

獨臂拐仙苦笑一下，道：「姑娘不用向老夫臉上塗金，老夫願守約言，決定保護這個小娃兒一年就是。」

語聲微微一頓，又道：「老夫在金鳳谷外等候，只要一出金鳳谷，老夫就負起保護他的重任。」言罷，轉身一躍而去，但聞鐵拐觸地之聲，片刻間走得蹤影全無。

江大姑娘肅然而立，直待獨臂拐仙走得蹤影不見，突然張嘴吐出一口鮮血，橫向地上栽去。

江夫人沉聲說道：「孩子！」伸手來扶。

容哥兒距那江大姑娘最近，正好那江大姑娘倒摔的方位，又是正向著容哥兒，倉促之間，一張雙臂，抱住了江大姑娘。

那江大姑娘，人雖然無法支撐，橫向地上栽去，但那神智仍然十分清醒，眼看著栽入了容哥兒懷中，就是無法閃開，被容哥兒伸出的雙臂，緊緊地抱住，只好索性一閉雙目，偎入了容哥兒的懷中，呈暈迷不醒之狀。

這當兒，黃十峰帶著玉鳳、七鳳二婢，急奔而至。

江夫人緩步行了過來，緩緩由容哥兒的懷抱中接過女兒，長歎一聲，道：「孩子，你傷得很重嗎？」

江大姑娘緩緩睜開雙目，望了母親一眼，道：「不要緊，休息兩天就好。」

江夫人道：「為娘扶你回去吧。」

江大姑娘道：「慢一點，女兒還有幾句重要之言，告訴他們。」

她緩緩由母親懷抱中掙起身子，說道：「容相公，賤妾還有幾句話要告訴你。」

容哥兒眼看她為了保護這只玉蛙，受得如此重傷，心中既是感激，又是不安，當下說道：「姑娘有何吩咐，儘管請說，只要在下力所能及，決不推辭。」

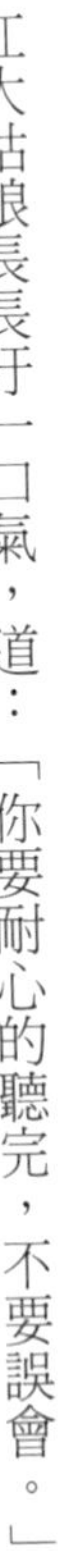
江大姑娘長長吁一口氣，道：「你要耐心的聽完，不要誤會。」

容哥兒道：「在下洗耳恭聽。」

江大姑娘道：「就那獨臂拐仙重視這玉蛙的情形來講，在這一年期中，他雖不能明取，但卻難保他不用偷天換日的手法，以僞製調去真品。」

容哥兒道：「他和姑娘的約賭，連輸了兩次，難道還不肯心服口服嗎？」

江大姑娘緩緩從懷中摸出了一粒藥丸，吞下口去，說道：「問題是咱們都不知道玉蛙的妙用，也無法一眼辨出它的真僞。」

容哥兒道：「這倒不錯。」

江大姑娘道：「如若他獨臂拐仙虛造一只玉蛙，掉去真品，只怕你很難發覺了，賤妾和家母，找他質問，他亦可振振有詞說，爲了保護玉蛙絕對安全，只好施用這等瞞天過海的手法。」

容哥兒點頭道：「嗯！姑娘說得不錯。」

江大姑娘道：「因此賤妾爲這只玉蛙擔憂。」言罷，閉上雙目，偎入母親懷中。

容哥兒見了那獨臂拐仙的武功，已然自知難敵，沉思良久，想不出一個保護玉蛙之法，只好說道：「姑娘有何高見，代在下籌思主意出來。」

江大姑娘啓動雙目，歎息一聲，道：「除非搶先一步，帶上一只僞製玉蛙，把這只真的玉蛙好好的收藏起來。」

容哥兒道：「收藏何處？」

江大姑娘道：「這就要你選擇了，就你所知，想出一個最安全的地方就是。」

容哥兒凝目沉思了片刻，道：「在下實是想不出安全的地方。」

江大姑娘接道：「而且也無法在短短一日之中，雕刻出一只僞品玉蛙。」

容哥兒道：「不錯啊！姑娘這辦法行不通了。」

江大姑娘啓目笑道：「一日雕不成玉蛙，如是用上三、五天的時間，豈不是可以雕出來了？」

容哥兒道：「這玉蛙雕刻精緻無比，豈是一般的手工能夠雕刻得來？必得巧手名匠才成。」

江大姑娘道：「這倒不用容相公擔憂，賤妾可以效勞。」

容哥兒道：「姑娘的身體，如何還能受得勞累。」

江大姑娘道：「不要緊，這雕刻之工，講究巧勁，不用耗費氣力，若容相公能夠相信賤妾，請把玉蛙交給賤妾，三日之內，賤妾當爲相公雕刻成一只僞品。」

容哥兒略一沉吟，緩緩把玉蛙遞了過去，道：「在下相信姑娘。」

江大姑娘接過玉蛙，目光一掠黃十峰和容哥兒，道：「兩位請回靜室，好好休息一下，妾賤雕好玉蛙之後，自會派人相請。」緩緩挺起身子，在兩個丫頭扶持之下，慢步而去。

容哥兒和黃十峰回到石室中時，容哥兒隨手關上兩扇石門，低聲對黃十峰道：「幫主，那江大姑娘對玉蛙，亦似是十分喜愛。」

黃十峰頷首說道：「不錯，寧可把這玉蛙放在金鳳谷，亦不能把玉蛙讓那獨臂拐仙拿走。」

容哥兒歎息一聲，道：「如若那江大姑娘不肯還回玉蛙，咱們該當如何？」

黃十峰淡然一笑道：「她如同時僞造了兩只玉蛙，一齊還你，你又能如何？」

容哥兒呆了一呆，道：「是啊！若兩只都是僞品，我亦無法辨識得出。」

黃十峰道：「所以咱們不用想這件事了。」

三日時光，匆匆而過，三日之中，都由那玉鳳替兩人把食用之物，送入石室。

第四日中午，玉鳳又推門而入，笑對容哥兒道：「容相公，玉蛙僞造已成，我家姑娘請相公先去瞧瞧，看看有無破綻。」

容哥兒這幾日來，都在想著玉蛙之事，當下說道：「好！有勞姑娘帶路了。」

十七　懷璧其罪

容哥兒行了兩步，想到了黃十峰，又轉回頭來，說道：「幫主，一起去吧。」

黃十峰還未來得及答話，玉鳳已搶先說道：「我家姑娘只請容相公一人，小婢不便作主多帶一人見她，黃幫主先請在此等候片刻，待小婢請示過我家姑娘之後，再作主意。」

黃十峰道：「既是大姑娘只請容相公一人，那就請容兄一人去吧，區區在這裏等候，也是一樣。」

容哥兒不便再言，只好隨在那玉鳳身後行去。

玉鳳當先帶路，繞過一個山角，轉向一道狹谷之中。

容哥兒道：「姑娘沒有走錯路嗎？」他心中記得明白，那江大姑娘住在一處懸崖之上，這玉鳳所帶之路，卻是大不相同。

玉鳳回頭一笑，道：「小婢在這金鳳谷住了十餘年，谷中一草一木，無不瞭若指掌，怎會替相公帶錯了路呢？」容哥兒不再言語，緊隨那玉鳳身後而行。

深入十丈左右，狹谷突然向左折去，轉過一個山彎，景物忽然一變。

只見四面高山，環繞著一塊百丈見方的平地，短草嫩柔，奇花盛放，一對小鹿跳奔在青草地上。耳際間泉水潺潺，一道青溪，繞過叢草，流入了一座山腹中去。

小溪上一座朱橋，一對翠綠的水鳥分落朱橋兩側木欄上。

玉鳳行到橋頭，停了下來，欠身說道：「容相公駕到。」

片刻工夫，傳過來一個女子聲音道：「大小姐請容相公直入『忘我小築』之中相見。」

玉鳳道：「是姊姊帶路呢？還是小妹帶他前去？」

只聽那女子聲音傳了過來，道：「這個大姑娘倒未曾說明，但姊姊既然帶他至此，那就勞請送他到忘我小築去吧。」

玉鳳應了一聲，道：「這是我家姑娘習武讀書之地，平日裏門禁森嚴，除了她四個貼身的女婢之外，我等也是不能擅進一步，今日竟然在此地破例見你，可說是我們金鳳谷從未有過的事。」

容哥兒心中暗道：「江大姑娘那副容貌，難道還有人敢生親近之想不成？」心中念轉，口裏卻說道：「這麼說來，在下是頗承優待了。」

玉鳳道：「何止頗承，簡直是破例了。」舉步登橋，向前行去。

容哥兒緊隨身後，行過朱橋，只見一道白石鋪成的小徑，通往一片翠竹林中。穿過竹林，迎面是一座白石砌成的小樓，門右石壁上寫著「忘我小築」四個草字。

玉鳳欠身說道：「小婢玉鳳，奉命邀請容相公到來。」

室中傳出一個清脆聲音，道：「讓他上樓來吧。」

玉鳳輕輕一扯容哥兒的衣袖，低聲說道：「容相公上樓去吧。」

容哥兒道：「姑娘不去了？」

玉鳳道：「這裏有大姑娘的貼身侍婢，小婢事情已完，我要先走一步了。」也不待容哥兒答話，轉身而去。

容哥兒望著玉鳳的背影，繞過竹林不見，才緩緩舉步行去。

進了木門，只見一道階梯，直通樓上。

容哥兒上了階梯，立時有一個全身紫衣的女婢迎了上來，低聲說道：「容相公請進廳中坐吧。」轉身下樓，隨手帶上木門。

容哥兒緩緩行入廳中，只見一座寬大的木桌上，並放一對玉蛙。

一個長髮披肩，身著白綾宮裝的女子，面窗而坐，似是在觀賞窗外的景物。

只聽那女子說道：「容相公，你瞧瞧桌上那一對玉蛙，哪一個是真的？」

容哥兒凝目望去，只見兩隻玉蛙一般模樣，竟然無法辨出真假，當下說道：「姑娘工藝驚人，短短數日工夫，竟然雕刻出如此精緻之物，使人無法分辨真僞。」

江大姑娘道：「容相公過獎了，雕蟲小技，算不得驚人之藝。」

容哥兒伸手拿起兩只玉蛙，在手中掂了一掂，只覺重量亦在伯仲之間，心中大是驚服，暗道：「這江大姑娘之藝，果是驚人，不但雕刻得精巧無比，連重量亦叫人無法分辨，如此天生慧質，卻偏偏生了一副見不得人的醜怪之容。」

只聽江大姑娘說道：「容相公分辨出那玉蛙的真僞了嗎？」

容哥兒道：「在下分辨不出。」

江大姑娘道：「那就行了，你既然無法分辨得出，那獨臂拐仙，也無法在一眼間辨出真僞了。」

容哥兒道：「在下既然無法辨出真僞，實不知該選出哪個才對。」

臥龍生精品集

江大姑娘道：「你可曾想好了保存那玉蛙的辦法嗎？」

容哥兒道：「這個在下還未想到。」

江大姑娘道：「你最好先把保存那玉蛙的方法想好，再分辨真僞不遲。」

容哥兒奇道：「爲什麼？」

江大姑娘道：「這玉蛙確實寶貴得很。」

容哥兒道：「姑娘如何得知？」

江大姑娘道：「我在模仿雕刻那玉蛙之時，無意中觸到了那玉蛙上的機關，揭開了玉蛙腹中之秘。」

容哥兒道：「玉蛙腹中，是何機密？」

江大姑娘道：「這玉蛙腹中，暗藏著一本小冊子，冊上記錄著幾種絕世武功。」

容哥兒道：「原來如此，無怪那獨臂拐仙志在必得了。」

江大姑娘道：「有一件事，賤妾必得先對容相公講個明白。」

容哥兒道：「什麼事？姑娘只管請說。」

江大姑娘道：「賤妾生具過目不忘之能，那玉蛙腹中的冊子，既然被我瞧過了，字字句句都已深記在我的心中，我縱然想忘了它，也是有所不能，此刻那玉蛙已對我沒有價值了。」

容哥兒暗道：「好厲害的丫頭。」口道：「姑娘本是無心，如何能責怪姑娘。」

江大姑娘道：「但那玉蛙腹中的機密，不但對那獨臂拐仙十分重要，整個武林的命運，也被它制裁了一半。」

容哥兒道：「為何只制裁一半呢？」

江大姑娘道：「那玉蛙腹中，記載的武功雖奇，但只是一卷上冊，還有一卷下冊，藏在別處。」

容哥兒道：「還有一卷下冊。」

江大姑娘道：「不錯，不過那下冊有如沉海沙石，不知落失何處，不似這一冊一般，有跡可循。」

容哥兒道：「這玉蛙如此重要，不知如何才能保得安全。」

江大姑娘道：「這就要你來決定，賤妾不便插言。」

容哥兒沉吟了一陣，道：「在下就把這玉蛙寄放在姑娘之處如何？日後由姑娘交還那慈恩寺中方丈。」

江大姑娘緩緩說道：「這話當真？」

容哥兒道：「自然是當真了。」

江大姑娘道：「這玉蛙如此珍貴，寄放我處，你能放下心嗎？」

容哥兒笑道：「在下看姑娘是一位可信可托之人，自然放心得很。」

江大姑娘道：「這玉蛙雖然在慈恩寺中寄放，但也不能就算那慈恩寺方丈所有，賤妾代容相公暫行收存，一年之後，再行交還容相公就是。」

容哥兒道：「就依姑娘之意，還請示這一對玉蛙真偽之別，在下也該告辭了。」

江大姑娘緩緩轉過身來，突然肅然說道：「家母念念不忘先父之仇，但賤妾卻力主息事寧人，安居於金鳳谷中，不再問江湖上事，但舍妹又遭此大變，正值青春年華，遽而月沉星隱，

這打擊對家母而言，實在太大了。因此，賤妾已決心重出江湖，和他們一較才智。」

忽然發覺容哥兒兩道炯炯的眼神，一直盯注在自己的臉上，不禁微現羞意，緩緩垂下頭去，道：「瞧著我幹什麼？」

容哥兒如夢初醒一般，緩緩說道：「你是江大姑娘嗎？」

原來，那江大姑娘雖和容哥兒談了很多的話，但卻一直未曾轉過身子，此刻驟然間轉過身來，頓時讓容哥兒爲之一呆。

本是又老又醜的大姑娘，此刻卻容色一變，只見她柳眉彎彎，除了臉色略現蒼白之外，再也找不出任何缺點。

江大姑娘緩緩應道：「正是賤妾，我忘了戴上面具，倒叫容相公吃驚了。」

容哥兒定了一下心神，道：「唉！在下早該想到才是。」

江大姑娘微微一笑道：「賤妾有一事奉求相公。」

容哥兒道：「什麼事？但管請說。」

江大姑娘道：「賤妾準備之事，還望相公嚴爲守秘，賤妾曾因一時好奇，亂習魔功，以致走火火魔，幸得家母及時相救，使賤妾由苦海脫身，三年面壁苦修，身體才逐漸好轉，估計賤軀盡復，不須一年時光，如若此訊傳出，只怕金鳳谷立時將風波大起，難有寧日。」

容哥兒道：「這個，在下自然要代姑娘守秘了。」

江大姑娘緩緩由懷中取出一個木盒，托在掌心之上，道：「這木盒之中，乃賤妾數年閒暇之時，研製而成的一種小小玩具，自信還可當精巧二字，相公請帶在身上，以備不時之需。」

容哥兒也不推辭，伸手接了過來，藏入懷中，說道：「多謝姑娘。」

江大姑娘黯然歎息一聲，道：「賤妾亦曾留心過舍妹之相，似不是早夭之人，但她媚中帶煞，一年中風波迭起，變化很大，不滿你容相公說，賤妾對星相之學，頗有心得，在未見到舍妹屍體之前，賤妾有些不願相信，但舍妹手書筆跡無誤，賤妾倒也不敢妄作論斷，相公在江湖上行走，還望能多留心下舍妹的消息。」

容哥兒心中暗道：「她手書無誤，難道會有錯不成，這等生死大事，豈是開玩笑嗎？」心中雖是不以爲然，口裏卻應道：「在下當牢記心中，日後在江湖之上走動，留心令妹的消息就是。」

江大姑娘道：「那就有勞相公了，如是相公機緣巧合，探得舍妹消息之後，最好能暫守機密，候賤妾出山之時，再告賤妾不遲。」

容哥兒道：「令堂也不能告訴嗎？」

江大姑娘道：「最好是別告訴她。」

容哥兒道：「好吧！在下記下了。」

江大姑娘伸手指著左面的一只道：「就是這一只了。」

望望案上的玉蛙，接道：「這兩只哪一只是姑娘雕製的僞品？」

容哥兒取過僞製玉蛙，道：「姑娘多珍重，在下就此別過了。」轉身向外行去。

江大姑娘道：「相公止步。」

容哥兒回頭說道：「姑娘還有吩咐嗎？」

江大姑娘道：「關於那至尊劍，相公要好好收藏，好在那寶刃外貌不揚，只要設法掩去那劍上至尊二字，別人也就不會注意了。」

容哥兒心中暗忖道：「一根鐵尺，難道真要我當寶劍般重視它嗎？」

江大姑娘似是已瞧出容哥兒的心意，微微一笑，道：「那藏劍閣主人，窮畢生精力收藏名劍，絕不會故弄玄虛，至尊劍必然有它的妙用，相公不可等閒視之。」

容哥兒道：「好吧！就憑姑娘這幾句話，在下亦要好好的收存那至尊劍了。」

江大姑娘淡淡一笑，道：「好，你可以去了。」慢慢轉過臉去，不再回望一眼。

容哥兒呆呆站了一會兒，才轉身下樓而去，只見一綠衣女婢，滿臉笑容地站在樓下，眼看容哥兒行了過來，欠身一禮，說道：「容相公要走了？」

容哥兒回目望了那女婢一眼，只見她一張俏麗的粉頰，宜嗔宜喜，年不過十三、四歲，十分討人喜愛，當下點頭說道：「不錯，在下告辭了。」

那女婢一欠身，道：「相公一路順風。」

容哥兒道：「多謝姑娘。」抬頭大步而行。

行過小橋流水，才回顧了那如畫景物一眼，退入峽谷之中。

進入峽谷，行不過十餘步，突聞一聲砰然大震，傳了過來。

抬頭看去，只見一道沉重的石門，落了下來，正好把峽谷封起。

那石門有如一道天然的石壁，不知內情之人，絕然瞧不出一點破綻。

容哥兒繞出谷口，那玉鳳早已在谷口等候，笑道：「大姑娘未從在她靜修之地，見過客人，相公是唯一的例外。」言下之意，似有著無限的羨慕之感。

容哥兒心中暗道：「她想留下那真品玉蛙，就算對我客氣一些，也是籠絡手段。」

心中念轉，淡然一笑，也不答話，放步向前行去。

進入石室，黃十峰早已整好行囊，見到容哥兒，急急說道：「容兄弟回來得正好，咱們得快些走了。」一手提起行囊，一手抓起了伏魔劍。

容哥兒緩緩說道：「急什麼呢？」

黃十峰道：「適才有一位姑娘傳達了那江老夫人之命，如若咱們在午時之前不能出谷，那就要再多留住一個月了。」

容哥兒望了那至尊劍一眼，提了起來，隨在黃十峰身後，向外行去，一面問道：「為什麼呢？」

黃十峰道：「因為過了午時之後，金鳳谷即將封谷一月，不論何人，都不能擅自進出。」說話之間，已行到谷口，玉鳳欠身一禮，道：「小婢不送了，兩位一路順風。」

黃十峰一揮手，道：「我等來此數日，打擾姑娘甚多，這裏一併致謝了。」雙手抱拳一禮。

玉鳳道：「小婢如何敢當。」欠身還了一禮，轉身而去。

黃十峰眼看玉鳳去遠，才低聲對容哥兒道：「容兄，你見到江大姑娘了？」

容哥兒道：「見到了，其人果是無所不能，雕刻的玉蛙，和真的一般模樣，叫人難以分辨。」

黃十峰道：「我就要問你此事，你可曾取回玉蛙。」

容哥兒道：「在下雖然拿到了一只，但卻是一件偽品。」

黃十峰道：「你既明知是一件偽品，為什麼還要取來呢？」

容哥兒歎息一聲，道：「我把那只真的玉蛙，留給了江大姑娘。」

黃十峰望了容哥兒一眼，欲言又止。

容哥兒接道：「她說得很有道理，那獨臂拐仙，絕不會因此而死心，必將千方百計的謀取那玉蛙，如若帶著玉蛙讓他保護，豈不如同攜肉誘虎嗎？」

黃十峰微微一笑，道：「不錯，在兩者之間，選一個，容兄並無選錯。」加快腳步向前行去。

行約里許左右，折轉過一個山彎，只見獨臂拐仙架著鐵拐，站在道旁，一臉嚴肅之色，攔住了兩人去路。

容哥兒搶在黃十峰的前面，一拱手，道：「拐老前輩，還在等候嗎？」

獨臂拐仙道：「老夫言出如山，既然答應了那江大姑娘，自然不會改變了，一年之內，老夫要保護你的安全。」

容哥兒道：「拐老前輩似是要言出必踐。」

獨臂拐仙道：「老夫是何等身分，豈有說了不算之理。」

語聲微頓，接道：「但你得把行處告訴老夫，老夫雖然要保護你的安全，但也不能終日守在你的身側。」

容哥兒略一沉吟，道：「在下要回長安城中。」

獨臂拐仙道：「好！咱們在長安城中再見。」鐵拐點地，突然一個轉身，躍出兩丈多遠。回頭說道：「老夫還有一件事問你。」

容哥兒道：「可是和那玉蛙有關嗎？」

獨臂拐仙道：「你這娃兒，倒是聰明得很。」

容哥兒一拍右肋，道：「現在身上。」

獨臂拐仙哈哈一笑，道：「老夫不但要保護你的人，而且也要保護那玉蛙的安全了。」言罷，縱聲大笑，笑聲中幾個飛躍而去。

黃十峰低聲說道：「你身上玉蛙，雖是僞品，但你要像真的一樣重視它。目下江湖上不但是情勢複雜，而且很多歸隱已久的武林高手，都紛紛重出，實叫人百思難解，回得長安之後，區區當傳出急諭，快馬兼程，召集我丐幫中幾位長老，和熟悉形勢之人，集會長安，研究一下武林形勢變化。」

容哥兒道：「家母只要在下助那王總鏢頭追回失鏢，卻不料事故牽纏，惹出這樣多事。」

黃十峰笑道：「江湖上事，互爲因果，沾上了手，再想擺脫，就不是容易的事了。」

容哥兒道：「回到長安之後，在下也該請示家母一聲，看將起來，那王總鏢頭的失鏢，也不是短期可以追回了。」

黃十峰回目望了容哥兒一眼，道：「容兄，區區有兩句話，如是問得不當，還望你多多原諒。」

容哥兒道：「什麼事？」

黃十峰道：「令尊早已故世了？」

容哥兒道：「家父過世很久。」

黃十峰道：「你這一身武功，可是投拜名師習成？」

容哥兒兩道目光盯往黃十峰的臉上，瞧了一陣，道：「幫主不是別人，在下不便相欺，我這一身武功，都是家母傳授……」

黃十峰凝目思索了一陣，道：「令堂可是姓陳嗎？」

容哥兒怔了一怔，道：「你怎麼知道？」

黃十峰道：「令尊可是容金堂大俠嗎？」

容哥兒臉色大變，道：「先父之名，晚輩不知，幫主最好別問了。」

黃十峰淡淡一笑，果然不再多問，放腿向前行去。

一路匆匆，這日中午時分，到了長安城中。

剛剛進了城門，迎面走過來一個三旬左右大漢，直向兩人身上撞了過來。

容哥兒正待讓避，那大漢已欠身說道：「閣下可是姓容嗎？」

容哥兒道：「不錯，兄弟貴姓？」

那大漢道：「在下奉師命而來，迎接容兄。」

容哥兒道：「令師何人？」

那大漢道：「家師獨臂拐仙，兩位由金鳳谷中而來是嗎？」

容哥兒道：「令師現在何處？」

那大漢道：「家師走在兩位前面，沿途之上，已爲容兄掃除很多準備攔劫的暗樁，容兄一路無阻，平安的行到長安城來，難道就不覺懷疑嗎？」

容哥兒想了一陣，道：「兄台貴姓？」

那大漢道：「在下戍大威。」

容哥兒道：「成兄迎接兄弟，可有什麼吩咐？」

成大威道：「家師已爲容兄安排好宿住之處，目下這長安城中，形勢十分複雜，家師既有保護容兄之責，不得不未雨綢繆，爲容兄設想了。」

目光一掠黃十峰，接道：「不過家師爲容兄準備的宿住之處，只能安排容兄一人。」

黃十峰微微一笑，道：「區區倒不致有勞成兄。」

拱手對容哥兒一禮，道：「容兄多珍重，在下就此別過了。」

容哥兒急道：「咱們明日如何見面？」

黃十峰略一沉吟，道：「明日中午時分，容兄請到連雲客棧，區區自會派人約你。」

容哥兒道：「就此一言爲定。」

黃十峰點頭一笑，轉身大步而去。

容哥兒緊隨在成大威的身後，轉過了幾條大街，突然折入了一條僻靜的巷子裏。

成大威行到一座高大的黑門前面，停了下來，說道：「容兄，就在此地了。」行向前去，扣動門環。

只聽呀然一聲，木門大開，一個身著灰色長衫的老人，擋在門口，上下打量了成大威一眼，道：「閣下是……」

成大威道：「兄弟成大威……」探手從懷中摸出了一塊鐵牌，托在手中。

那老人望了鐵牌一眼，閃身讓開，道：「兩位請進。」

容哥兒看那老人精神矍爍，雙目神光炯炯，暗道：「看來，這守門老人也是一位身懷武功

之人。」

二門內，快步行出來一個青衣童子，迎著成大威，道：「在下為二位帶路。」

容哥兒走在最後，穿過四重庭院，才到一座雅致的院落中。

那青衣童子指了一指緊閉的圓門，說道：「兩位請扣那門，門內自有接迎之人。」

成大威依言行了過去，舉手拍去，但聞嗡嗡之聲，傳了過來，敢情那門竟然是鋼鐵鑄成。

容哥兒心中暗道：「這是什麼所在？怎的造了這等牢固的一個鐵門？」

心念未完，鐵門大開，只見一條白石鋪成的石道，直向地下通去。

敢情那鐵門之內，不是院落、房屋，而是青石砌成的大堡，四面圍牆，植有花草，外面瞧去，很難看得出來。

成大威一側身，道：「容相公請！」

容哥兒一皺眉頭，道：「這是什麼地方？」

成大威道：「家師為容兄安排的宿住之處。」

容哥兒兩道目光，凝注在成大威的臉上，冷冷地說道：「令師何在？」

成大威微一怔道：「家師有事他往，現在在長安城中，容兄有什麼吩咐，對兄弟說，也是一樣。」

容哥兒道：「那就請成兄轉告令師，我容某乃是活蹦亂跳的人，並非是一件物品，用不著把我藏在地室之中。」

成大威微微一笑，道：「容兄弟不要誤會，這座石堡，乃是一座專供住人的隱秘之地，裏面佈置，十分豪華，並非如容兄所思。」

容哥兒道：「他如自知無能保護於我，我容某人還自信有自保之能，不用住在這等所在了。」言罷，也不待成大威答話，轉身而去。

成大威縱身一躍，回身攔住了容哥兒的去路，道：「容兄止步，聽我成某一言。」

容哥兒道：「好！什麼事？你說吧！」

成大威道：「家師差遣小弟，迎接容兄，如若容兄拂袖而去，小弟豈不是要受重責，如是容兒要走，還望見過家師之後再說。」

容哥兒道：「除非你改變了心意，別迫我住在地窖之中。」

成大威沉吟了一陣，道：「可否待家師到來之後，再作主意？」

容哥兒道：「不行，成兄一定要讓我住進地窖中，兄弟只有立刻告別一途。」

成大威尋思了一陣，道：「好，容兄請等片刻。」大步行入那圓門之中。

大約過有一盞熱茶工夫，成大威又匆匆行了出來，那鐵門也隨著關了起來。

成大威直行到容哥兒的身前，緩緩說道：「兄弟已向此地主人謝過了罪，容兄請移住對面福壽軒中。」

容哥兒道：「怎麼？此地的主人，就住在這石堡之中嗎？」

成大威道：「不錯，他就住在這石堡之中。」

一面轉身行去，接道：「容兄請隨兄弟來吧。」

容哥兒不再多說，隨在成大威的身後，進入了座精緻小院落中。

只見那繁茂的花樹林中，掩著一座雅室。

成大威帶著容哥兒，行入了雅室之中，但見窗明几淨，打掃得一塵不染。

容哥兒進門時轉眼一瞧，果見那房門一側，寫著福壽軒三個白字。

成大威道：「此地如何？」

容哥兒點點頭道：「此地很好。」

成大威道：「容兄一定不肯住那水火難侵，可拒千軍萬馬的石堡，兄弟也是沒有辦法，但兄弟有幾句話不得不告訴容兄了。」

容哥兒奇道：「什麼事啊？」

成大威道：「容兄身懷玉蛙至寶一事，如今已傳揚於江湖之上，適才容兄和那丐幫幫主，進入長安城時，已引起了甚多武林人物注意，目下這長安城中，正值風雲際會，高手很多，其中不乏出類拔萃之人，不是兄弟多心，此刻咱們的行蹤，只怕已落入了那些人的眼中，說不定今夜就會有夜行人，趕來此地。」

容哥兒道：「多謝成兄的告誡了。」

成大威道：「兄弟由衷之言，容兄不信，那也是沒有法子的事。」語聲微微一頓，接道：「萬一今宵有什麼風吹草動，容兄只管守在室中，一心保護玉蛙，室外之事自有兄弟應付。」

容哥兒看他說得十分認真，心中信了一半，說道：「多承成兄關顧，兄弟記在心中就是。」

成大威道：「這福壽軒，原是此地主人居住之處，後來那石堡砌成之後，主人遷入那石堡之中，此室就一直空了下來，卻從未用作招待過客人之用，在這福壽軒之外，原有很多拒敵佈置，內室之中另有一座密室、密道，通往別處，只是兄弟不知那機關如何開啓，請容兄等候片刻，兄弟去請一位了解內情之士來此，告訴容兄，以備不時之需。」

容哥兒一皺眉頭，道：「令師幾時可到？」

成大威沉吟了一陣，道：「家師亦是爲安排容兄的事，去會見兩位故友，來去之間，很難算得準確，但至遲不會超過三日。」

容哥兒道：「我要告訴令師，在下雖然受他保護，但並非受他支使，任何行動，都不聽受他的安排。」

成大威微微一笑道：「此刻長安情勢非常，兄弟身受師命，那是不得不小心從事了，容兄如有毫髮之傷，兄弟就得受上家師一頓重責。」

容哥兒望了成大威一眼，不再言語，成大威抱拳一禮，轉身而去，順手帶上室門。

片刻之後，室門呀然，被人推開，一個眉目清秀的青衣童子，手托茶盤而入，慢步行到容哥兒的身側道：「容爺用茶。」放下茶盤，欠身一禮而去。

容哥兒望著那送茶童子，來去之間，步履輕便無聲，分明亦是身懷武功之人，心中暗自奇道：「這是什麼人家？雖三尺之童，都是懷有武功，難道僕從傭人，都是自小買入府中，再行傳他武功不成？」

忖思之間，突然敲門之聲，傳了進來。

容哥兒一面提氣戒備，一面說道：「請進吧！」

只見室門被人推開，緩步行入一個全身綠衣的女婢。

那女婢直行到容哥兒身處兩尺左右，才停了下來，道：「小婢奉命而來，聽候相公差遣，相公有什麼事，只管吩咐小婢。」

容哥兒沉吟了一陣，道：「此刻無事，有事時在下當會呼喚姑娘。」

那綠衣女婢轉動了一下圓大的眼睛，茫然地望了容哥兒一眼，道：「相公可是要小婢退出此室？」

容哥兒道：「在下旅途疲累，很想借此機會休息片刻，姑娘先請退出去吧。」

綠衣女婢應了一聲，緩步退了出去，隨手帶上木門。

又過了片刻，成大威帶著一個面色蒼白的少年，一齊行了進來。那少年約十八歲，但神態卻倨傲異常，進得門來，望也未望容哥兒一眼，就大步直向裏間行走。

成大威舉手一招，道：「容兒，請到裏間來吧。」

容哥兒只好站起身子，隨在成大威的身後，行入內室。

只見那面色蒼白的少年，舉手揭開掛在木榻之後的一張山水畫，指著一形似鐵釘之物，緩緩說道：「這就是操縱機關的樞紐，一按之下，密室、密道，自會出現了。」言罷，放下山水畫，轉身出室而去。

容哥兒望著他的背影，遠去之後，緩緩說道：「這人是誰？」

成大威道：「此地的少主人。」

容哥兒道：「其人十分冷傲，似是對我等並不歡迎。」

成大威道：「人人性格不同，他不過不喜多言罷了。」

語聲微微一頓，又道：「容兒，記得那樞紐位置了？」

容哥兒緩緩說道：「記下了。」

成大威道：「據此地主人告訴在下，那機關佈置得十分巧妙，萬一有人衝入容兒室中，還

請按動樞紐。」

容哥兒接道：「什麼人？」

成大威道：「這個兄弟也不知道，不過在下當盡我之能，攔阻他們，不許他們進入容兄居住的福壽軒中。」

容哥兒淡淡一笑，道：「聽成兄的口氣，似乎今夜必然有人前來，是嗎？」

成大威道：「師命諄諄相囑，兄弟不得不防患未然。」

容哥兒淡淡說道：「好吧！成兄的好意，兄弟記下就是。」

成大威道：「還有一事，兄弟必得先說清楚。」

容哥兒道：「什麼事？」

成大威道：「今夜之中如若這福壽軒外有什麼風吹草動，容兄最好不要管它，如是來犯之人特別凶強，兄弟自會先行通知容兄。」

說完話，也不讓容哥兒答話，拱手一禮，退了出去。

容哥兒站起身子，成大威早已走得蹤影不見，只好隨手關上室門，盤膝而坐，運氣調息。半日匆匆，轉眼間夜色朦朧。

那綠衣女婢推門而入，左手端著一支火燭，右手燃起火摺子，點著燭火，轉身而去，片刻工夫捧上一碗麵和四盤小菜。

容哥兒腹中饑餓，匆匆食下。

那女婢也不問容哥兒是否已夠，收起碗筷，轉向而去，隨身帶上室門。

容哥兒望著那女婢背影，心中暗暗忖道：「此室的主人、僕婢，對客人似是都不很友

善。」但轉念想到此來，並非出於自己意願，也就不再想它。

這座福壽軒，除了一座客廳之外，還有一個臥房，及一個鎖起來的書房。

容哥兒對這堂中的一切，都動了懷疑之心，想到臥房有著機關佈設，自是不願去睡，熄去客廳燭火，就在廳中一張太師椅上，盤坐調息。

大約三更時分，福壽軒外，突然傳來一聲輕響。

容哥兒心中早已有備，警覺之心甚高，聞得動靜，悄然而起，順手抓起長劍，緩步行到窗前，向外望去。此際，月掛中天，光華如晝。

窗外風拂花影，不見一點人蹤。

容哥兒心中暗忖道：「適才那聲輕響，頗似夜行人投石問路之聲，何以不見一點人蹤？」

容哥兒目光一掠，發覺那人影身材嬌小，頗似那綠衣女婢。

但聞一聲呼喝傳了過來，道：「朋友，既來了，如不留下一些什麼，就想走，那未免便宜了。」

容哥兒一聞之下，已辨出正是那成大威的聲音，心中暗道：「這人倒是言而有信，果然在我這福壽軒外巡視。」

只聽一陣兵刃連續撞擊的聲音，傳了過來，想是成大威已和對方交手。

但只有數聲連綿的兵刃撞擊後，一切又恢復平靜。

似是，在那連續撞擊聲後已然分出了勝敗。

容哥兒緩緩鬆開握在劍把的右手，退回到木椅之上，心中卻在暗自忖道：「這麼看將起來，那成大威倒是真心在保護我了。」

忖思之間，突聞室外傳入了成大威的聲音，道：「容兄，睡熟了嗎？」

容哥兒輕輕咳了聲，道：「在下已爲適才的兵刃相擊的聲音驚醒，成兄要進來坐坐嗎？」

成大威道：「如是容兄不覺驚擾，兄弟倒是想和容兄談談！」

容哥兒打開木門，只見成大威一身勁裝，背上斜插著一柄厚背單刀，當門而立。

成大威拱手說道：「深夜驚擾，兄弟甚覺不安。」

容哥兒道：「不妨事，成兄請進屋裏坐吧。」

成大威側身而入，道：「適才兄弟發現了一個夜行人，在容兄這福壽軒外窺探……」

容哥兒道：「那人可是傷在成兄的手中了？」

成大威道：「沒有，他接了我連環三刀之後，破圍而去。」

容哥兒沉吟了一陣，道：「那人能接下成兄的連環三刀，定是高明人物了？」

成大威道：「如論輕功，恐猶在兄弟之上。」

容哥兒道：「在下在這長安城中，素無仇人，刺客此來用心不知何在？」

成大威道：「容兄可知匹夫無罪，懷璧其罪，那句話嗎？」

容哥兒心中一動，暗道：「他是指那玉蛙而言了，倒是得暗中考他一下。」

當下說道：「成兄見過那玉蛙沒有。」

成大威搖搖頭，道：「兄弟沒有見過。」

容哥兒微微一笑道：「令師可曾告訴過你？」

成大威道：「什麼事？」

容哥兒道：「令師沒有告訴你，那舉世高手視若珍寶的玉蛙，就由在下收管嗎？」

成大威道：「這個，不用家師相告，兄弟也可猜到，如若容兄未身懷至寶玉蛙，兄弟也不會這般費盡心機的保護你了。」

容哥兒搖頭道：「這就不對了。」

成大威道：「什麼不對？」

容哥兒道：「令師要你保護在下，那是因爲他許下了誓言，一年之內，不能讓在下爲人所傷。」

成大威淡淡一笑道：「所以，家師除了招來兄弟之外，還要另外去約請兩位高人，前來保護容兄。」

語聲微微一頓，又道：「兄弟想和容兄商量一事，不知是否賜允？」

容哥兒微微一笑道：「成兄是想見識那玉蛙一下嗎？」

成大威道：「不錯，容兄果然是聰明過人。」

容哥兒心中念轉，右手已從懷中摸出玉蛙，托在掌心之上，道：「成兄請看。」

成大威兩道目光，凝注在容哥兒手托的玉蛙之上，臉上神情，忽青忽白，顯然，內心中正在波起著無比激動。

容哥兒在暗中提氣戒備，如若成大威出手奪取，立時揮掌保護。

大約過了一盞熱茶時間，成大威站起身子道：「容兄請好好的收起玉蛙吧。」轉身向外行去。

容哥兒收好玉蛙，心中暗笑道：「看他痛苦之情，顯然是無法分辨出這玉蛙的真僞了。」

只聽一聲悶哼傳來，接著砰然一聲，似是有人摔在地上。

容哥兒吃了一驚，順手取過長劍，呼的一聲，吹熄了案上的火燭，大步行到室門口處，叫道：「成兄，可是遇上了敵人嗎？」

室門外響起了成大威的聲音，道：「不錯，兄弟雖然擊中了伏擊強敵，但亦受傷不輕。」只聽聲音漸進，到了室門口處。

容哥兒開門望去，月光下只見成大威左肩上鮮血淋漓而下，右手中，卻抱著一個黑衣勁裝大漢。

成大威一面緩步而行，一面說道：「容兄，快請燃起火燭，兄弟要拷問此人的來歷。」

容哥兒轉身疾行兩步，燃起火燭，燈光下看得更是清楚，只見成大威肩上傷勢極重，血水若湧泉而出，不禁一皺眉頭，道：「何物所傷，如此嚴重？」

成大威道：「是一柄鋼椎所傷。」

話未說完，瞥見銀芒一閃，兩枚飛鏢，破窗而入。

容哥兒右手一抬，長劍出鞘，寒芒一閃，噹噹兩聲輕響，擊落了兩枚飛鏢。

成大威道：「好快的劍法。」

容哥兒呼的一聲，吹熄室中火燭，道：「成兄只管運氣調息，來人由兄弟拒擋。」

但聞嗤嗤幾聲，又有幾點寒芒，破窗而入。

容哥兒長劍掄展，幽暗的雅室中，陡然間泛起了一片劍影。

但聞一陣叮叮咚咚聲，飛入室中的暗器，盡數爲長劍擊落。

容哥兒手揮長劍擊打暗器，心中卻暗自忖道：「這宅院之中，大都是會武之人，怎的這多

強敵入侵，絲毫不聞警兆。」疑念一動，更是留心。

只聞砰然一聲，室門被人撞開，一個冷冷的聲音傳了進來，道：「你已被四面圍困，數十高手，列陣以待，你武功再強一些，也是難以破圍而出了。」

容哥兒只顧留心窗外飛射而入的暗器，卻不料從後門外亦有強敵伺守。

這一瞬間，容哥兒忽然警覺自己中人之計，連那成大威，恐亦是假冒獨臂拐仙的弟子身分。

他習劍有成，心知處境越是險惡，越要保持鎮靜，回目一瞥，只見一個全身黑衣，頭上戴著鐵罩的大漢，堵在門口，當下左手一伸，取過放在案上的至尊劍，冷冷喝道：「閣下什麼人？」

那黑衣人緩緩說道：「不用問我的身分，你如想留住性命，只有一途，那就是乖乖獻出玉蛙。」

容哥兒暗中咬牙，高聲說道：「成兄，這是怎麼回事啊？」

目光轉動，哪裏還有成大威的影兒，竟然不知他躲往何處！

這剎那間，容哥兒感到自己孤獨地處在一種險惡的環境中，不但在這福壽軒外，佈滿著強敵，而且在這雅室中，身邊四周，也佈滿著死亡的陷阱。

但這突然的變化，也激起了他的豪情，長嘯一聲，大步向門口行去。

那全身黑衣，頭上戴著鐵罩的大漢，靜靜站在雅室門口，在冷月下像似一座木刻泥塑的神像。

容哥兒長劍揮起，冷冷地說道：「讓開路！」

那大漢緩緩舉起手中一柄奇形兵刃萬字梅花奪，沉聲說道：「在你的身後、左右，潛伏著兩大高手，福壽軒外，更是高手雲集，你有多大能耐，一人之力，敢和數十高手抗拒？」

容哥兒長長吸了一口氣，長劍平橫胸前，怒聲喝道：「卑劣手段，鬼蜮伎倆，在下已經領教了。」陡然一劍「分雲取月」，刺了過去。

那黑衣人手中萬字梅花奪，乃是一種奇形的外門兵刃，專以用來封鎖刀劍一類兵器，眼看容哥兒一劍刺來，立時疾快地向上一封，橫向劍上擋去。

容哥兒雖然未見過這等奇形的外門兵刃，但他卻聽母親說過，凡是奇形的兵刃，大都有鎖拿兵刃之用，當下腕勢一沉，劍勢忽變，疾向那黑衣人右腿之上削去。

那黑衣人似是未料到容哥兒劍勢變得如此迅速，不禁駭然後退了一步。

容哥兒一劍搶得先機，不容對方有緩氣還手之機，長劍運出，唰唰唰一連三劍。

這三劍勢道奇快，迫得那黑衣人，連連向後退避了四、五尺遠。

原來，他手中的梅花奪，在容哥兒快劍攻擊下，一直無法施展，完全沒有還手之能。

容哥兒目光一轉，掃掠了室外庭院一眼，正待舉步追出，突然一縷勁氣，襲向身後，匆忙反手一劍，削了過去。只聽噹的一聲脆響，被那快速的劍勢擊落。

容哥兒雖然目力過人，但他適才注視室外景物，月光明亮，陡然間回目望來，頓覺室中一片黑暗，自難見物。

正待運足目力，搜出室中強敵，尤以那假冒獨臂拐仙弟子成大威的人，更是可惡至極，縱然不能生擒於他，和那獨臂拐仙對質，亦必讓他吃些苦頭才是。

心念轉動之間，突覺手腕之上一疼，五指一鬆，長劍脫手落地。

凝目望去，只見手腕之上釘入了一枚子午釘，深入半寸有餘，不禁心頭一震，急快地閃入門後。

只聽室內暗影中傳來一聲冷笑，道：「那子午釘上，淬有劇毒，子不見午，午不見子，六個時辰之內，必死無疑，除了我獨門解藥之外，別無可救之法，閣下已是必死之人，留著那玉蛙何用？何不以玉蛙交換解藥？」

容哥兒暗中運氣相試，果然傷處有些麻木，暗中咬牙，拔出腕上的子午釘，握在左手，一語不發。

大約過了一盞茶工夫，耳際間響起了成大威的聲音道：「容兄，那子午釘確是經劇毒淬鍊的獨門暗器，未得獨門解藥，無法阻止那毒性發作，與其毒發而亡，何不以玉蛙交換解藥？」

容哥兒一面運氣，閉住右臂穴道，不使劇毒蔓延，一面說道：「閣下究竟是何身分？和獨臂拐仙有何淵源？」

成大威冷冷一笑，道：「容兄一定要知道嗎？」

容哥兒道：「在下如若不知內情，死難瞑目。」

成大威道：「好！容兄既如此說，兄弟只好據實相告了。」

語聲微微一頓，接道：「兄弟並不識那獨臂拐仙。」

容哥兒道：「那你是假冒的了。」

成大威道：「那獨臂拐仙確有一個弟子，名叫成大威，而且那人確也在長安城中，奉命接應容兄，只可惜他晚到一步，被兄弟搶了一個先著罷了，兄弟只不過是假冒那成大威了。」

哈哈大笑一陣，接道：「容兄很少在江湖上走動，難辨真僞，也還罷了，可笑那黃十峰，

乃一幫之主，竟然也被兄弟瞞過。」

容哥兒道：「那黃幫主乃堂堂正正的英雄人物，如何會想到爾等這鬼蜮伎倆。」

成大威笑道：「容兄錯了，江湖之上，鬥智鬥力，各憑手段，彼此爲敵，自不容慈善心腸，有道是兵不厭詐，愈詐愈好。」

容哥兒冷冷說道：「閣下小心了，來而不往非禮也，兄弟要把這枚子午針原物奉還。」

但聞那室門口處的黑衣人，冷冷說道：「既是勸他不醒，那也不必再費唇舌了。」身子一側，直向屋中行來。

容哥兒左手一招，子午釘脫手飛出，擊向成大威發話之處，緊隨著用左手拔出至尊劍，擊向那黑衣人。

只聽砰然一聲大震，正擊在那黑衣人頭罩之上。

這一聲力道甚重，那黑衣人雖有頭罩護身，但也震得向後退了兩步。

只聽那黑衣人大喝一聲，陡然一提萬字梅花奪，直點過來。

他忽然覺得手中的至尊劍輕了很多，心中暗自恨道：「本來是一塊鏽鐵，美其名爲至尊劍。」

這只是潛在的意識，陡然間泛上心頭，那念頭來得如電光一閃，眼下已然是奇變橫生。

只聽一陣金鐵交鳴的連響，那黑衣人手中的萬字梅花奪，突然間碎成數段，散落了一堆。

這意外的變化，反使容哥兒怔了一怔，還未來得及舉起手中至尊劍來瞧看，那頭戴鐵罩的黑衣人，突然一仰，向後倒去，砰然一聲，摔倒地上。

容哥兒緩緩舉起手中的至尊劍望去，只見那至尊劍，成了一個寬約二指，長不過一尺三寸

的短劍，仍然全身烏黑，瞧不出一點光亮，但卻有著森森逼人的寒氣。

但聞成大威的聲音，由暗影中傳了過來，道：「秦兄，傷得很重嗎？」

容哥兒警覺陡生，一伏身，竄出門外。

抬頭看去，只見十幾個勁裝大漢，環守三面，個個手執兵刃，蓄勢待敵。

容哥兒心中大怒道：「看來今夜非得大開殺戒不可。」

正待揮劍而上，心中突然一動，暗道：「我右手中了毒釘，毒性已然發作，如何能和人動手？」

當下一仰身，重又退返室中，一個大轉身隱入門後，來去之間，也只不過是一眨眼的工夫。

這是容哥兒有生以來，從未經歷的險惡之境，室外強敵環伺，不但有好多高手，房內暗影中，也隱著強敵，一室之間，數尺之隔，暗器施襲，更是防不勝防，再加上他腕上毒傷，逐漸發作，一條右臂已經整個麻木起來。

但那黑衣人之死，似是已使那假冒成大威的大漢受了很大的震動，竟然不敢再出手施襲。

容哥兒一面強行運氣，閉住右臂上的穴道，不讓毒氣內侵，一面忖思脫身對敵之策。

只聽一個冷漠蒼勁的聲音，由外傳來，道：「施放毒煙……」

語聲未落，那倒在地上的黑衣人，忽然挺身而起，取下頭上鐵罩，摔在地上，喝道：「不能施放毒……」一句話沒有說完，張嘴吐出了一大口鮮血，倒地而逝。

原來，容哥兒那揮手一擊，用出了生平之力，擊碎了鐵罩，傷了那人大腦，而不自知那黑衣人強行運氣，攻出一招，已然難再支撐，暈倒在地。

十八 女中諸葛

成大威似亦知那毒煙厲害，大聲叫道：「目下形勢，那玉蛙已似如我等囊中之物，很快就可取到手中，用不著施放毒煙了。」

容哥兒心中暗道：「此人最是可惡，必得給他一點苦頭吃吃才是。」運集功力，辨聲認位，由懷中摸出一錠銀子，正待運勁打出，鼻息間突然聞到一股異香，頓覺天旋地轉，一跤跌倒地上。

醒來，景物已然大變，自己正臥在一張褥榻之上，錦帳繡被，佈設得十分華麗。無法說出這是一間什麼樣的房子，四周不見天光，高燃火燭，照得滿室通明，靠壁間，陳列著一張木桌，放著一雙玉瓶，瓶中插滿奇花，散發著幽幽清香。

容哥兒長長吁一口氣，準備挺身而起，哪知一挺之間，竟然未能坐起，這才警覺到，早已爲人點了穴道，不禁暗歎：「想不到我容某竟然不明不白地被人困於此地。」忖思之間，突然門聲呀然，一個白衣少女緩步而入，直行榻前。

那白衣少女兩道秋波，凝注在容哥兒的臉上，緩緩問道：「你醒來很久了？」

容哥兒道：「剛剛醒來。」

語聲微微一頓，道：「這是什麼所在？」

那白衣少女淡淡一笑，道：「不管什麼所在，你不是休息得很舒服嗎？」

容哥兒冷笑一聲，道：「在下乃頂天立地的大丈夫……」

白衣少女嗤地一笑，接道：「夠了，好漢不提當年勇，此刻你已經爲我們階下之囚，生死都難得主意，還提什麼頂天立地大丈夫。」

容哥兒心頭火起，怒聲喝道：「你們施展陰謀詭計，毒香、暗襲，無所不用其極，擒得了我，也非英雄行徑。」

白衣女冷冷說道：「你如再這般倔強，那是自討苦頭吃了。」

容哥兒喝道：「臭丫頭……」

只見那白衣女一揚右手，玉腕揮動，左右開弓，啪、啪兩掌聲，打了容哥兒兩個耳光。她落手甚重，只打得容哥兒雙頰紅腫，嘴角間鮮血湧出。

那白衣少女，卻故作悠閒之態，舉手理一下鬢邊散髮，緩緩說道：「大英雄，大丈夫，也是一樣的吃耳光啊！」

容哥兒雙目暴射出忿怒的火焰，怒聲喝道：「我容某人這次如若不死，日後見著姑娘時……」

那白衣女嗤的一笑，接道：「你的生死之權，完全操諸我手，你哪裏還有死與不死的自由。」

只聽那白衣女子續道：「你身懷玉蛙，我們已經取去，傳說那玉蛙之中，藏有一冊武功秘錄，雖只有數招武功，但卻是奇奧無比，只要你能說出開啓那玉蛙之法，就可以放你一條生路了。否則，就砸碎玉蛙。」

容哥兒暗道：「此刻我停身之地，必然在那座石堡之下，就算黃十峰能夠趕來此地相援，只怕也無能攻入石堡，目下處境是只有自行設法，以謀自救之道了。」

容哥兒心中思忖，當下說道：「不錯，那玉蛙之中，確然藏有秘錄，但如不知啓開之法，也是枉然，但不能砸它。」

白衣女道：「你說爲何不能砸那玉蛙？」

容哥兒道：「那玉蛙如被砸壞，腹中機關自行發動，那秘錄亦將毀去。」

白衣女怒聲道：「哪有這等事，胡說八道。」

容哥兒道：「姑娘不肯相信，那就不用問我了。」言罷，轉過頭去，閉上雙目，不再理會那白衣少女。

一隻滑膩的玉手，緩緩伸了過來，摸過容哥兒的臉。

容哥兒睜開雙目，冷冷說道：「在下既是被擒，早已不把生死之事放在心上，殺剮任憑姑娘就是。」

那白衣女微微一笑，緩緩站起身子，冷肅地說道：「你現在只有兩條路走，一是生回，一是死此。」

語聲微頓，接道：「如是你肯告訴我那開啓玉蛙之法，立時可放你離此，家人團聚，母子再見；如是不肯講出那啓開玉蛙之法，諒那一只區區玉蛙，也難不住人，終將被我們尋得啓開之法，不過，朋友，你將遍歷人世間最悲苦的慘刑之後，步入死亡。」

容哥兒劍眉聳動，欲言又止。

那白衣女突的又展顏一笑，柔情萬種地說道：「現在，不用決定，你仔細地想想再說，一

個時辰之後，我再來瞧你。」言罷轉身而去。

只見她輕移蓮步，款擺柳腰，走得風俏至極。

容哥兒眼看那白衣女啓門而去，回手一拉，把門帶上。

幽暗的密室中，又剩下容哥兒一個人。他開始用心思索對付眼下處境之策。想了很久，仍是茫然無措，想不出一個辦法來。正自想得入神，突然呀然一聲，室門又開。

只見那白衣女手中捧著玉蛙，緩緩行了過來。

那白衣女行到木榻前，淡淡一笑，道：「容兄，這可是你的玉蛙嗎？」

容哥兒仔細瞧了那玉蛙一眼，搖搖頭道：「不是。」

那白衣女微微一笑，高聲說道：「他認得出來，還是把那真的玉蛙拿進來吧。」

只見室門復開，緩步走進來一個青袍道人，長髯垂胸，左手執著玉蛙，右手執著拂塵。

容哥兒呆了一呆，道：「金道長。」

那青袍道人拂髯一笑，道：「容相公的快劍，貧道早已有過見識了。」

原來，這道長正是萬上門行令堂主金道長。

只聽金道長輕輕咳了一聲，接道：「容相公，自那日水浮閣一見，貧道就懷疑到你的出身，幾經查證，果然不錯，目下令堂的安居之處，已爲貧道查出，但貧道不希望驚擾到她。」

容哥兒吃了一驚，但表面上卻故作鎮靜地道：「知道了又能怎樣？」

金道長望著手中玉蛙緩緩說道：「敝上不願在此時此地和人衝突，因此，已決定今夜子時，撤離長安，此刻已是太陽下山時分，距我等離開長安的時光，不過兩、三時辰左右，因此，貧道的時間無多，容相公也無太多的考慮時間。」

容哥兒道：「道長之意？」

金道長接道：「貧道之意是說，我等不能再拖延時刻了，因此，不得不鄭重相告，容相公如不肯說出開啓這玉蛙之秘，貧道爲勢所迫，不得不使用非常的手段了。」

容哥兒望了那玉蛙一眼，緩緩說道：「開啓這玉蛙，非常簡單，不過舉手之勞而已，不過在未開啓玉蛙前，在下心中有幾點不解之疑，想請教道長，不知肯否見告？」

金道長略一沉吟，道：「那要看你問的什麼事了。」

容哥兒道：「那假冒成大威，把在下誘入一座巨大的宅院，虛情假意，把我安排在這裏，可是你們萬上門做的嗎？」

金道長道：「如是萬上門，那也不用如此多費手腳了。」

容哥兒道：「在下如非你們設計所擒，何以會落在你們手中？」

金道長語聲微微一頓，道：「我瞧你不要問了，問也問不出個所以然了。」

緩緩把玉蛙遞了過去，道：「快些說明打開玉蛙之法。」

容哥兒心中暗道：「這玉蛙乃是江大姑娘的僞造之品，如何能夠打開！」

口中卻道：「在下雙手難動，如何打開玉蛙？」

金道長略一沉吟，伸出右手，解開了容哥兒雙臂上的穴道，緩緩說道：「記著，你此刻仍然無反抗之能，如生妄念，那是自討苦吃了。」

容哥兒舒展一下雙臂，果然已能夠伸縮自如，緩緩接過玉蛙，道：「道長請暫離此室。」

金道長雙目凝注容哥兒的臉上，道：「爲什麼？」

容哥兒道：「在下不願讓道長瞧到開啓玉蛙之秘。」

金道長淡淡一笑，竟然回身退出，順手帶上門戶。

容哥兒舉起玉蛙，呆呆望了一陣，暗道：「這玉蛙既是江大姑娘的僞製之品，如何能夠打開，此時此情，縱然肯實言相告，他們亦是不會相信，想不到爲這一只玉蛙，惹起如許的煩惱。」想到氣忿之處，隨手把玉蛙摔在木榻之上。

哪知這一摔，竟然摔出了奇蹟。只見那完整的玉蛙腹間，忽然裂開一個小洞。

容哥兒怔了一怔，暗道：「糟了，那江大姑娘記錯了玉蛙，竟把真的交給了我。」

撿起玉蛙望去，果然見蛙腹之中，塞著一張便箋。

取出便箋，只見上面寫道：「獨臂拐仙爲人十分自負，雖敗在賤妾之手，未必就肯心服口服，他雖和賤妾有約，不敢傷害容兄，但難免小施手段，迫容兄交出玉蛙，但賤妾料想他對玉蛙，愛護備至，不敢稍有毀損之行，只怕又要容兄開啓。賤妾估計容兄才慧，定然會遣命周圍之人，離開此地，容兄因知這玉蛙乃賤妾僞製，未必會心生珍惜，只要棄置於地，自可震破機關，如若不出賤妾預料，君此刻已有性命之憂了。」

容哥兒心中暗道：「這話倒是不錯，不論何人，如若發現這玉蛙是僞製之品，大失所望之下，大半要對我施下毒手，這江大姑娘，當真是料事如神了。」

繼續向下看，只見寫道：「如是此刻容兄四周無人，賤計得售，在這玉蛙腹中，藏有另一張硃砂錄寫的武功竅要，係賤妾親手筆著，內容是半真半假，深奧玄虛，諒那獨臂拐仙也難看出來，君持之，可以和他們討價還價了！切記此書。江煙霞。」

容哥兒一口氣讀完函箋，心中暗道：「不睹此函，實難知江大姑娘之才，這江煙霞，定然

是她的名字了。」

心中念轉，先把那封函箋吞入腹中，入口清甜，似是糖汁寫成，不禁心中一動，「好啊！她連處境都料想到了，我會把這函箋吞入口中。」右手食、中二指，探入蛙腹，果然挾出了硃砂寫成的一張黃箋。

容哥兒展開黃箋，只見上面寫道：「寶籍秘錄，珍重收藏。」

看了八個字，容哥兒已是忍不住，嗤的一笑，暗道：「好啊！只看這八個字，就叫不知內情的人，喜一個心花怒放。」

但聞呀然一聲，門戶突開，金道長面含微笑，緩步而來，說道：「打開了玉蛙嗎？」

容哥兒迅快地把手中黃箋，放入口中，淡淡說道：「打開了。」

金道長兩道目光，投注在容哥兒的口中，緩緩說道：「閣下口內何物？」

容哥兒道：「玉蛙腹中的寶典。」伸手取過玉蛙，托在掌心之上。

金道長目光一掠，玉蛙果然已經打開，不禁臉色一變，道：「閣下萬一失神，把那秘典吞入了腹中，在下豈不要砍去閣下的內腹，覓取寶典嗎？」

容哥兒道：「在下如是把寶典吞入腹中，定會先予嚼碎，縱然破我之腹，也難取得寶典。」他口中含物，說話不清，但那金道長卻能聽得明明白白。

金道長揮手一笑，道：「年輕人，如非我等相救，此刻你早已屍骨無存了，我要奉勸閣下幾句，遇事要三思而行，你要估量一下，死亡和寶典，孰重孰輕？」

容哥兒道：「在下縱然獻出寶典，只怕也是難保性命，既然難免一死，何苦留下這秘笈害人？」

金道長道：「貧道擔保閣下交出寶典之後，可以平安離此，隨身之物，一併交還。」

容哥兒道：「在下如何能信道長之言？」

金道長臉色肅然，道：「貧道一向是許諾千金，出口之言，絕無更改。」

容哥兒緩緩說道：「貴上可在此地？」

金道長道：「閣下要見敝上嗎？」

容哥兒道：「不錯，我要親見貴上，讓他親口許諾，放我平安離此，才肯交出寶典。」

金道長冷冷說道：「這麼說來，閣下是不肯信任貧道了？」

容哥兒道：「非是在下不肯信任道長，實因情勢變化難測，萬一道長做不了主，在下屆時抱怨道長，也是枉然了。」

金道長沉吟一陣，道：「好！貧道先去請教敝上，看他是否願意見你，再來答覆閣下。」

容哥兒道：「如若他希望得此寶典，萬無不見之理。」

金道長不再答話，轉身而去。

容哥兒直待金道長離開之後，才張口吐出黃箋，握在手中。心中盤算著應對之法和脫身之策。

足足等了半個時辰之久，金道長才轉回室中，道：「敝上此刻無暇接見閣下，但已授權貧道。」

容哥兒接道：「不要緊，在下可以等待。」

金道長冷冷說道：「那要明日午時之後，你要多等十個時辰。」

容哥兒道：「這倒不用道長操心了。」

金道長無可奈何地望了容哥兒一眼，再次退了出去。

也不知過了幾個時辰，兩個容色秀麗的青衣少女啟門而入。

容哥兒目光一掠二女，只見二女面目肅冷，嬌豔的粉頰之上，似是罩了一層寒霜，心中暗道：「這兩個丫頭年輕輕的，怎的神情之間，如此冰冷。」

只聽左面少女冷漠地說道：「你是容相公嗎？」

容哥兒道：「正是在下。」

「你請求金道長要見萬上？」

容哥兒道：「不錯。」

左面少女道：「現在，可以動身了。」

容哥兒緩緩說道：「兩位姑娘想是四燕中的人物了？」

二女相互望了一眼，齊聲應道：「不錯。」

容哥兒道：「不知兩位姑娘如何稱呼？」

左面少女道：「你這人不覺問得太多嗎？」

右面少女接道：「告訴他也不妨事，她叫金燕，我叫玉燕，行了吧！起來走啦！」

容哥兒搖搖頭，道：「不行，我全身除雙臂之外，都被點了穴道，難以行動。」

金燕回望了玉燕一眼，道：「過去解開他身上穴道。」

玉燕心中似甚不願，但卻又無可奈何，只好緩步行近木榻，掀開棉被，拍活容哥兒各處被點制的穴道。

容哥兒挺身而起，長長吁一口氣，笑道：「多謝姑娘了。」

玉燕冷笑一聲，道：「哼！不知死活，一個被擒捉的人，竟然還笑得出來。」

出得室外，是一道狹窄幽暗的走廊，二婢一前一後，把容哥兒夾在中間，行約三丈左右，突然向一側折去。一陣涼風迎面吹來，使人精神爲之一爽。

抬頭看去，天上星光隱隱，約有二更時分。

金燕緩步而行，進入了一座花園之中，但覺花氣芬芳，撲入鼻中，暗淡星光下，隱隱可見荷池正中的小亭下，端坐一人。

金燕行到荷池旁邊，停了下來，理了一下散髮，整整衣衫，屈下一膝，高聲說道：「小婢金燕，見過萬上。」

荷池小亭下，傳來一個低微得難以分辨男女的聲音，道：「那姓容的帶來了？」

金燕道：「帶來了，恭候萬上示下。」

那聲音又傳來，道：「好！你要他上來，給我答話。」

金燕應了一聲，回頭對容哥兒道：「你有什麼話，可以說來。」

容哥兒道：「就站在這裏說話。」

金燕道：「不錯，萬上耳目靈敏，你站在這裏說什麼都可以聽到。」

容哥兒心中暗道：「看來這個丫頭，也難以作得主意，倒不如直接對那萬上說了。」

當下高聲道：「容某有事求見，不知可否賜予接見。」

半晌之後，才聽那荷池中傳過來萬上門主的低沉聲音，道：「你可是想過荷池，到這座養心亭來？」

容哥兒道：「在下有幾樁請教之事，不便高聲呼叫。」

萬上門主道：「什麼事？先說給我聽聽，如是些微小事，那就不用談了。」

容哥兒道：「關於玉蛙腹中之秘，和那金鳳門，以及獨臂拐仙。」

萬上門主道：「好！你過來吧！」

容哥兒抬頭看去，只見自己停身之處，相距那養心亭至少有兩丈五、六的距離，四面又無可通之橋，估計自己輕功，只怕是很難一躍而過，不禁爲之一呆。

只見金燕手中舉起一塊木板，說道：「你武功恢復了嗎？」

容哥兒道：「恢復了。」

金燕道：「如若讓你在中間借一次力，是否能躍登亭上？」

容哥兒道：「那是綽有餘裕。」

金燕道：「好，你留心了。」

一抖玉腕，手中木板飛出，落飄在一丈開外的水面上。

容哥兒縱身而起，腳尖一點水面木板，借力躍登亭上。

抬頭看去，只見一個披黑色披風，頭戴連坡大草帽的人，背東面西，端坐在一張木椅上，自己正好落在他的背後。

容哥兒輕輕咳了一聲，還未來得及開口，那人已搶先說道：「先把那玉蛙腹中取出的秘錄交給我。」

容哥兒心中暗道：「反正那是江煙霞錄記的假本，交給他也不要緊。」

手握黃箋，說道：「好！不過，我要先了解你的身分，你可是萬上門主？」

萬上門主冷冷說道：「不錯，此時此情，你難道還不信我的身分？」

容哥兒道：「在下不得不慎重的多問一聲。」緩緩遞上黃箋。

萬上門主頭不回轉，只緩緩把手伸了過來，接過黃箋，但卻未展閱，說道：「你的膽子很大。」

容哥兒道：「什麼事？」

萬上門主道：「那玉蛙腹藏的寶典，是一本小冊子，你給我的卻是一張折疊的素箋。」

容哥兒道：「此物從玉蛙腹內取出，是真是假，在下也無法辨別。」

萬上門主森冷地輕笑一聲，道：「你騙得他們，但卻騙不過我，不過，諒你也沒有偷換玉蛙中秘典的本領，必是金鳳谷大小姐的傑作，我猜得對不對？」

容哥兒呆了一呆，半晌答不出話。

萬上門主道：「你可是覺得很驚奇吧？其實，是她少算了我，只想到對付獨臂拐仙，沒想到這玉蛙會落在我的手中。」

一隻手臂伸了過來，接道：「還給你吧！再裝回玉蛙腹中，也許還可以救你一次性命，騙騙那獨臂拐仙。」

容哥兒凝目望去，只見兩個纖細的手指，夾著那張黃箋。

這是個很尷尬的局面，沉吟了半晌，還是伸出手去，接過了黃箋，收入懷中，心中暗暗道：「這人之能，看來是不在那江大姑娘之下。」

但聞萬上門主冷冷問道：「我只要問你一句話，你要據實回答。」

容哥兒道：「什麼事？」

萬上門主道：「那江大姑娘是否已有爭霸江湖之心？」

容哥兒暗暗忖道：「這話她倒是說過，但容某是何等人物，豈可轉話。」

當下說道：「這個在下不知。」

萬上門主突然回過臉來，兩道森寒的目光，逼視在容哥兒的臉上，冷冷說道：「那江大姑娘的性格，我十分了然，她如對你毫不關心，絕不會費盡心機，為你造出這只假的玉蛙。」

容哥兒暗道：「好厲害的萬上門主！」口中卻緩緩接道：「江大姑娘是否有逐鹿江湖之心，在下實在不知。」

萬上門主冷笑一聲，道：「你要見我，就是想說這幾句不著邊際的話嗎？」

容哥兒道：「那金道長要我開啓玉蛙，交出寶典，在下信他不過，故而求見萬上。」

萬上門主冷冷說道：「見我用心何在？」

容哥兒呆了一呆，道：「這個，這個……」半天這不出個所以然來。

萬上門主冷然一笑，道：「你可是認為見我之後，交出這假的寶典，倉促之下，我無暇辨出真偽，就可以放你離此是嗎？」

容哥兒道：「萬上多心了，在下並無此心。」

凝目望去，只覺他臉上肌肉僵硬，一片冷漠，瞧不出一點表情，心中暗道：「這人怎生長了如此的一張怪臉。」

他的臉並不難看，只是怎麼看也不像一張活人的臉。

忖思之間，只聽萬上門主冷冷說道：「眼下有兩條路，任你選擇一條！」

容哥兒接道：「哪兩條路？」

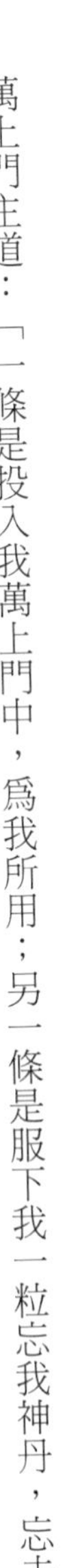

萬上門主道：「一條是投入我萬上門中，爲我所用；另一條是服下我一粒忘我神丹，忘去今日之事，放你離開。」

容哥兒心中暗道：「倒是從未聽過忘我神丹之名，不知是何等藥物？」

心中念轉，口中卻問道：「何謂忘我神丹？」

萬上門主微微一笑道：「忘我神丹，是一種很甜的丹丸，服用之後，不但對身骨無損，而且忘去了經歷之事，變得毫無煩惱，兼收了延年益壽之功。」

容哥兒只覺那怪臉笑容，看上去有股陰森之氣，但一笑之下，更是難看無比，似是整個一張臉上的肌肉，都在抽動，不禁心中微生寒意，暗道：「這人不知練的什麼武功，笑起來，牽動全臉。」他只管想心事，卻忘了回答那萬上之言。

只聽萬上門主說道：「你要快點決定了，我沒有時間等你。」

容哥兒心中暗道：「江煙霞僞造的武功寶典被他識破，看來是難免一戰了。」

心中在想，人卻霍然站起了身子，抱拳一禮，道：「萬上珍重，就此別過了。」轉身大步而去。

萬上門主怒聲喝道：「站住，你要到哪裏去？」

容哥兒道：「在下既不願選擇萬上限定的兩條路，只好先行別過了。」

萬上門主道：「你自信能夠走得了嗎？」

容哥兒道：「就算是走不了，也該試上一試。」

萬上門主冷冷說道：「你如此自信，試試也好，你現在可以走了！」

容哥兒暗中運氣，緩緩說道：「多謝萬上了。」一面凝神戒備，一面向前行去。

萬上門主突然一揚右手，一道寒光，疾飛而出，釘在那漂浮在水中的木板之上，緊接著一挫手腕，那木塊陡然飛了回來，落在亭子上。

容哥兒望了那木板一眼，心中暗暗忖道：「這荷池四周的水域，都在兩丈以上，如若沒有其中的木板借力，只怕是難以越渡，他用暗器，故意把那木板收在亭子之上，分明是有意和我為難了。」

這時，那萬上門主又緩緩轉過身去，望也不望容哥兒一眼。

這些時日之中，容哥兒歷經過甚多凶險，他心中明白，此刻正處在一種險惡無比的局勢之中，如是對付不了，立刻有殺身之禍。

他想了半刻，決心冒險一試，提聚真氣，陡然間飛身而起，直向對岸飛去。

就在他飛身躍起的同時，那背面而坐的萬上門主，突然一揚手腕，擊了過來。

一道紅索應手而出，正好纏在容哥兒足腕之上，容哥兒反應迅速，右手向下一探，抓住了紅索。

但他仍然晚了一步，萬上門主的內力，已經發出，一收一抖，容哥兒身難自主地連翻了兩個觔斗，又落回亭子之上。

萬上門主一抖手，收回紅索，冷冷說道：「閣下還沒有走嗎？」

容哥兒心中大是氣憤，暗道：「你武功高強，也就罷了，為什麼還要這樣譏笑於我。」當下冷冷說道：「萬上紅索纏足手法，十分精妙，在下佩服得很。」

萬上門主道：「你心中可是還不服氣嗎？」

容哥兒道：「但不知萬上拳掌上的武功如何？在下亦望能領教。」

萬上門主冷冷說道：「久聞你出劍快速，但不知是真是假，我坐在此地不動，試試你快劍如何？」

容哥兒道：「大概萬上知道在下身上無劍。」

萬上門主高聲說道：「替這位容大俠遞過一把劍來。」

只聽一個女子聲應道：「婢子遵命。」緊接著寒芒一閃，一把連鞘長劍，投了過來。

容哥兒伸手接過長劍，長長吁一口氣，道：「萬上請亮出兵刃吧！」

萬上門主道：「如用劍勝了你，你心中仍是不服，我瞧還是坐在這裏不動的好，你可以快手法劈我三劍，看看能不能傷了我。」

容哥兒手握劍把，長長吁一口氣，道：「如是在下失手傷了萬上呢？」

萬上門主道：「那是最好不過啊！你如能一劍把我殺死，不但你可以自由自在而去，而且萬上門也將從此瓦解了。」

容哥兒目光轉動，突然揮手一劍，削下木板上一節木塊，緩緩說道：「萬上想見識在下的劍法，在下是當得獻醜，不過就用這一節木塊代替。」

說罷，一震左腕，把木塊投擲甚高，然後，又把長劍還入鞘中。

直待那木塊下落至距水面四尺左右時，才迅快無比的拔出長劍。

只見寒光連閃，那落下木塊，應聲成四塊，跌落水中。

只聽萬上門主冷笑一聲，道：「快是夠快了，只可惜出劍太飄，斬劈木塊，勉強可以，如若那落下的是鐵石之物，只怕你就無法斬動了。」

要知那木塊由高空下墜，其勢是愈來愈快，容哥兒能一劍劈開木塊，再出一劍，把一片

木塊斬做四塊，飄落水中，劍勢不能算不快了，但那萬上門主，竟然視作無睹，仍然要以身試劍。

容哥兒臉色微微一變，道：「萬上當真要以身相試嗎？」

萬上門主道：「難道我和你說笑不成？」

容哥兒道：「既然如此，在下就恭敬不如從命。」

萬上門主道：「我以生死做爲賭注，那你的賭注是什麼呢？」

容哥兒心一沉吟，道：「萬上之意呢？」

萬上門主道：「你如斬我不中，就該棄劍就縛聽我發落。」

容哥兒暗道：「如是我傷你不了，就算我不肯棄劍，亦是有所不能。」

當下說道：「好吧！咱們就此一言爲定了。」

萬上門主道：「從此刻起，你隨時可以出手了。」

容哥兒長吁一口氣，勁貫右臂，道：「萬上小心了。」陡然一劍，刺向萬上門主的背後。

那寒芒閃動的劍尖，距萬上門主後背半尺左右時，仍然不見他縱身避開。

容哥兒只覺這等搏鬥，縱然傷了對方，亦非什麼光明磊落舉動，一挫腕，收住了長劍。

萬上門主冷笑一聲，道：「你怎麼不刺了？」

容哥兒道：「這等背後傷人的事，在下實不願爲之。」

萬上門主的聲音，突然間轉變得十分平和，緩緩說道：「你很君子。」

容哥兒歎道：「萬上如是一定要和在下動手，那就請亮出兵刃，咱們彼此一刀一劍的對面相搏，在下死而無憾。」

萬上門主緩緩轉過臉來，說道：「你相不相信因果報應？」

容哥兒微微一怔，暗道：「這當兒，怎會忽然談起因果報應來了。」

當下說道：「這個，在下有些相信。」

萬上門主微微一笑，道：「那很好，你如堅持不願留在此地，現在可以走了。」

容哥兒心中有些茫然不解，但他既然要自己走了，何苦再多停留，夜長夢多，也許等上片刻，他又改變了心意，正待飛身躍渡，突聞輕輕歎息一聲，傳了過來，道：「站住。」這一聲歎息，雖然輕微，但卻使容哥兒吃了一驚。

原來，那歎息聲嬌脆柔細，分明是女子聲音，和那萬上門主說話之聲，大不相同。

容哥兒回過頭去，目光轉動四下打量。

萬上門主嗤地一笑，道：「你看什麼？」

容哥兒道：「我要瞧瞧這亭上有幾個人？」

萬上門主道：「兩個人，你和我。」這一句話說得聲音清脆，和歎息聲如同一人。

容哥兒心中暗道，「這萬上門主也不知是男是女，忽而男子口音，忽而又若女子口音，既然是他一人，那也不用多問了。」

忖思之間，只見那萬上門主，緩緩伸出一隻手來，說道：「這裏有一枚玉牌，你拿去帶在身上。」

容哥兒心中大感奇怪道：「這人越來越怪了，不知為何要給我一枚玉牌。」心中念頭轉動，手卻緩緩伸了過來。

只見萬上門主右手一翻，把玉牌丟在容哥兒的手中，接道：「好好的保存它，對你會有很

大的用處。」

容哥兒托起手掌，就暗淡星光之下看去，隱隱可辨一塊白色的方玉上，雕刻著一個鳳凰。

但聞萬上門主說道：「不要輕易拿給人看，你現在可以走了。」

容哥兒暗道：「這人怪僻善變，常改主意，不能等了。」縱身一躍，疾飛而起。

容哥兒的輕功雖佳，但還無法一下子渡過這片水面，距湖岸還有一尺左右，力量用盡，陡然向下沉落。

容哥兒心中暗道：「要糟，這下子只怕要落往水中去了。」忖思之間，已落在水面上。

就在此刻，突聞撲的一聲，一塊木板，疾快飛來，恰巧落在容哥兒的雙足之上的水面上。借那木塊浮力，容哥兒一接腳，輕易地登上岸邊。

只見玉燕笑意盈盈，站在岸畔，說道：「相公要走了？」

容哥兒道：「不錯，姑娘……」

玉燕道：「婢子為相公帶路。」也不待容哥兒回答，轉身向前行去。

容哥兒隨在玉燕後，行到一座小圓門處，那圓門早已大開，似是已在等他。

容哥兒一低頭，行出圓門，只見金燕牽著一匹白馬，早已在門外等候。

只見金燕一欠身，道：「相公請查點一下，可曾缺短什麼？」

容哥兒凝目望去，只見那至尊短劍，掛在馬鞍之上，伸手取過，拔劍出鞘，只覺一股森寒之氣，逼了過來，那形如鏽鐵的劍身，已然脫去，現出了扁平的劍身，奇怪的仍是一片黑色。

金燕輕輕讚道：「相公這把劍很好！」

容哥兒還劍入鞘，道：「多謝姑娘為在下收管之情。」

金燕笑道：「相公多多保重，小婢不送了。」言罷，欠身一禮。

容哥兒只覺這些女婢突然客氣起來，心中大感奇怪，抱拳還了一禮，跨上馬背。

玉燕緊隨著追了出來，道：「此去長安，奔向西南。」

容哥兒道：「多謝兩位。」一抖韁繩，健馬如飛而去。

他心中一片茫然，對今夜中的經過，雖然記憶清晰，但卻是想不出何以會有如此一個結果，那萬上門主的神秘和怪癖，真使人愈想愈難了解……

容哥兒放轡一陣疾馳，只覺胯下馬兒，愈跑愈快，一口氣奔行二十餘里，仍無停駐之勢，心中暗暗忖道：「此馬如此善跑，萬上門主何以肯把此馬相送於我，倒是令人費解。」

健馬快速，到天色微明時分，已到了長安城中。

低頭看著健馬，昂首奮鬃，毫無一點倦意，身上亦不見一滴汗水，不禁心中油生惜愛之心，忖道：「此馬如此健行，當真是百年難遇的千里駒了。」

忖思之間，瞥見人影一閃，一個中年叫化攔在馬前，兩道眼神，不住在容哥兒臉上打量。

容哥兒心中忖道：「我身遭險難，誤了那黃十峰的約會，只怕他早已焦急異常，派遣丐幫弟子，到處找尋於我了。」

心念一轉，不待那人開口，搶先說道：「兄弟姓容，閣下可是丐幫中人？」

那中年叫化點頭，道：「敝幫主下令我幫弟子，出動百人之多，尋訪容相公的下落……」

容哥兒微微一笑，接道：「黃幫主現在何處？」

那中年叫化道：「要飯的前面帶路，容兄請隨在後面就是。」轉身向前行去。

容哥兒健馬緩進，遠遠地隨在那中年化子身後而行。

轉過兩條大街，進了一條僻靜的巷子，再看那中年叫化，竟已不知去向。

大約過了一盞熱茶工夫之久，仍然不見那中年叫化出現，正待帶轉馬頭而去，突聞門聲呀然，一座高大的黑漆木門，突然大開。

容哥兒轉目望去，只見黃十峰當門而立，舉手相招，神色間十分嚴肅。

容哥兒一提馬韁，健馬直衝入宅院之中，才翻身下了馬鞍。

只見兩個中年叫化，立刻關上了大開的黑門。

容哥兒口齒啓動，還未說出話來，黃十峰已搖手阻攔，大步直向一座大廳中行去，回目望去，只見那白馬已爲另一個叫化子牽入後院。

容哥兒略一沉吟，跟在黃十峰身後而行，進入了一座大廳之中。

目光轉動，只見大廳中，雲集著老叫化、中叫化、小叫化，不下三十餘人，正中一張木桌之上，正位空著，左右兩側，各坐一個叫化子。

黃十峰大步行到正位之上，坐了下來，指著對面的空位，說道：「容兄請坐。」

容哥兒微一欠身，道：「多謝幫主。」緩緩坐下去。

目光微轉，只見左面位子上，坐了一個髮髯皆白的老叫化子，左眼已瞎，只餘右面一隻眼睛。

右面一人，看上去，只不過三十餘歲，雖然也穿著打有補丁的衣服，但卻洗得一塵不染，神氣充沛，一臉精幹之色。

黃十峰指著那獨眼老丐，道：「這位是我丐幫中三長老之一的江尚元。」

容哥兒一抱拳，道：「江老前輩，晚輩慕名已久，今日有幸得晤。」

江尙元微微頷首道：「好說，好說。」

黃十峰目光轉到那年輕的身上，道：「這位是敝幫中神機堂主陳嵐風。」

容哥兒欠身，說道：「久仰大名。」

陳嵐風微微一笑，道：「幫主常談到容兄的快劍，兄弟心儀已久了。」

容哥兒道：「末學後進，還望陳兄指教。」

黃十峰接道：「這位就是容大俠了。」

語聲微微一頓，道：「容兄昨日失約，兄弟已知是爲人所誘，曾派我丐幫中弟子，四處尋訪，一直未曾查得一點頭緒。」

容哥兒道：「兄弟際遇，一言難盡，唉！江湖上的險詐，當真是防不勝防。」

陳嵐風接道：「容兄經過如何？還望能詳述一遍，也許有助我等了然敵情。」

容哥兒點點頭，把經過之情，很仔細地說了一遍。

陳嵐風聽得十分用心，在待容哥兒說完經過，才長吁一口氣，道：「聽容兄口氣，那初次遇難所在，就在這西門城內了。」

容哥兒道：「不錯，那也是一條僻靜的巷口，和這條巷子有些類似。」

陳嵐風道：「那些人自然亦非萬上門的人了。」

容哥兒道：「想來不會是了。」

陳嵐風道：「那萬上門主未見容兄之前，似是已知容兄的玉蛙不是真品了？」

容哥兒道：「他是當時知道，還是早已了然，兄弟無法斷言。」

陳嵐風道：「他明知那玉蛙是一件僞品，內中的秘笈亦是僞造，爲何竟放走容兄，而且還以一匹千里駒相贈？」

容哥兒道：「這個，亦是在下不解之處。」

陳嵐風道：「天下事出逾常情者，不能以常情度之。」

容哥兒早已從黃十峰的口中，聽到了這位神機堂主是一位滿腹才學的自負人物，聽他這兩句話，不禁暗暗點頭，忖道：「看來丐幫中這位堂主，果是位多謀善計的人物。」

那一直很少講話的獨眼老丐，突然立起身子，道：「此刻要緊的事，是如何去取回那藥物？那人的用心如何？至於萬上門和那容大俠的事，稍後再談不遲。」

黃十峰點點頭，道：「江長老說得是。」

陳嵐風道：「就在下之見，眼下有兩策可循，一是盡出我長安丐幫的精銳和他們決一死戰，二是依照那人函上所言，咱們丐幫暫時退出這場是非。」

黃十峰道：「我丐幫以忠義相傳，豈可遇難畏縮。」

陳嵐風道：「幫主既是決心一戰，那也不用再商量了，屬下立刻就選派人。」

黃十峰對獨目神丐，似是異常的敬重，回首望著那獨目神丐，道：「江長老之意呢？」

江尙元道：「老朽和幫主之見相同，寧可惡戰一場，也不能接受他們的要脅。」

黃十峰目光轉到陳嵐風的臉上，道：「覆函給他，說咱們按時赴約。」

陳嵐風站起身子，急步出廳而去。片刻工夫，重又走回廳中。

黃十峰道：「送走那人嗎？」

陳嵐風道：「一切悉聽幫主之意。」

黃十峰道：「傳諭下去，要我集聚於此的兄弟人人坐息，以備迎接今宵惡戰。」

陳嵐風應了一聲，環顧大廳中數十個丐幫弟子，道：「諸位可以退出廳外坐息，今夜之戰，關係我丐幫榮辱，還望諸位多多養息精神，動手之時，個個奮勇爭先。」

四周丐幫弟子齊齊應了一聲，魚貫步出大廳。

容哥兒雖然無法辨識這些人在丐幫中的身分，但看上去，都似是小頭目的樣子，心中暗暗忖道：「丐幫召集這多頭目，在此集會，此事定非小可。」

忖思之間，廳中群丐已走得不見蹤影，只餘下江尙元、黃十峰、陳嵐風等幾人。

黃十峰低聲說道：「陳堂主可曾瞧出一些眉目嗎？」

陳嵐風道：「此刻屬下亦難斷言，不過，就屬下料想，今夜三更之前，定可瞧出一點端倪來。」

黃十峰道：「此事體大，還望你善作安排。」

容哥兒低聲問道：「黃兄，貴幫中可是遇上什麼大事嗎？」

黃十峰道：「容兄不是外人，說明亦無妨，本座自和容兄分手之後，回到我丐幫分舵，但分舵早成了一片瓦礫，十餘具燒焦了的屍體，橫陳於中。」

容哥兒吃了一驚，道：「那王總鏢頭是否受到了傷害？」

黃十峰臉色沉重，緩緩說道：「王總鏢頭、趙堡主、田少堡主，都受了很重的傷，不過，都沒有性命危險，稍可告慰的是，除我丐幫弟子之外，尙無死亡之人。」

語音微微一頓，接道：「容兄那位隨來的僕從虎兒，在那場屠殺中奮勇當先，連斃強敵，但卻絲毫未曾受傷。」

容哥兒對那王總鏢頭的傷勢，似是十分掛懷，緩緩說道：「那王總鏢頭傷在何處？」

黃十峰道：「傷在肋間，雖不致命，但卻要很久時間療養。」

容哥兒道：「那王總鏢頭現在何處？在下是否可以瞧瞧？」

陳嵐風接口說：「幾位受傷之人，都已爲我家幫主暫時寄居在一處十分隱秘的所在，此刻敵暗我明，在下之意，還是不看的好，過了今晚這場大戰之後，明日再去瞧著不遲。」

容哥兒略一沉吟，道：「好吧！就依堂主之言。」

目光轉到黃十峰的臉上，緩緩說道：「貴幫中今宵似要和人決戰，不知和什麼人物？」

黃十峰苦笑一下，道：「不瞞容兄說，本座出道江湖以來，還是初次打這等糊塗之仗，對方派人下書挑戰，今夜三更，在城東荒崗中一決勝負，在下也答應了，而且今宵準備盡出我丐幫散佈長安城百里之內的精銳弟子，和強敵一決死戰，可是此刻，本座還不知對方是誰。」

陳嵐風道：「不論如何，咱們總要設法生擒他們兩個人，或可問出一點頭緒。」

黃十峰道：「但願如此，容兄長途跋涉，也須早些休息了。」

容哥兒覺那黃十峰言未盡意，似是還有話未曾說完，但對方既是不願多言，自是不好多問下去，略一沉吟，說道：「幫主這些時日之中，對在下照顧甚多，在下願能有一報，今夜隨同赴約，也好略盡綿力。」

黃十峰沉吟一陣，道：「容兄的盛情，區區是十分感激，只是目下已有甚多丐幫高手，都集於斯，論實力已不用邀人助拳。」

容哥兒道：「這個在下知道，但在下既然遇上了這件事，豈有坐視之理。」

黃十峰沉吟一陣，道：「好吧！屆時區區派人邀請就是。」

目光一抬，高聲說道：「來人，帶容大俠去休息。」

只聽廳門呀然，一個十八、九歲的小叫化子走了進來。

十九　衆叛親離

黃十峰那幾句話，無疑是逐客之令，容哥兒只好站了起來，隨在那小叫化子身後出了大廳。

只見那小叫化子左彎右轉，帶著容哥兒行到一座跨院中，說道：「容大俠請。」

容哥兒舉步而入，只見庭院中花木繁盛，一座雅室窗子大開。

那小叫化子欠身說道：「那座窗子大開的雅室，就是容大俠的住處。」抱拳一禮，轉身而去。

容哥兒心中奇道：「他既送我到此，何以竟吝惜這數步之勞，不肯把我送到雅室之中。」心中念轉，人卻行到雅室前。

房門虛掩，容哥兒舉手一推，房門呀然大開。只見靠窗的木案上，抹擦得十分乾淨，靠後壁放著一張木榻，羅帳高掛，雖只是一間臥室，但卻佈設得十分精緻。

容哥兒緩步走入房中，心中暗道：「這座跨院之中，除了我住這一座雅室之外，還有幾座門窗緊閉的房間，不知是否有人，那黃十峰的爲人，一向光明磊落，這次怎麼的竟也故作神秘起來。」

再回想到這幾日的經歷之事，有如做了場夢般，不禁暗暗歎道：「江湖上的事情，當真是

複雜得很。」

緩緩行近木榻和衣躺了下去，但覺心潮起伏，難以靜下心來。

迷茫之中，不知過去了多少時間，忽聽一聲輕咳傳了過來，道：「容兄睡熟了嗎？」

容哥兒抬頭看去，只見黃十峰面色嚴肅地站在門口，急急挺身而起，道：「幫主請進。」

黃十峰一笑，道：「幾日不見，你我好像生疏了很多。」

容哥兒道：「在下心中正有甚多不解之處，要請問黃兄。」

黃十峰道：「我知道你心中定然有很多懷疑，因此匆匆趕來，你有什麼不解之處，儘管問吧！」

容哥兒只覺千頭萬緒，問也無從問起，沉吟了一陣，才道：「貴幫今夜和人相約決戰，卻又不知對方是誰？」

黃十峰道：「不錯啊！區區不是早已告訴容兄了嗎？」

容哥兒道：「在下之意，是說幫主今日神情不若往日那般豪氣干雲。」

黃十峰神色肅然地說道：「我丐幫近年來，外形上聲譽稍復，卻不料內部早腐……」

容哥訝然道：「黃兄之意，可是說……」

黃十峰臉上是一片沉痛之色，緩緩說道：「不知那人用的什麼方法，竟然能使我丐幫弟子甚多爲其所用。」

容哥兒吃了一驚，道：「有這等事？」

黃十峰道：「不錯，對方在那挑戰書中，說明了我們丐幫中所有的隱秘，連我幫中各袋弟子的人數，都說得一點不錯。」

容哥兒道：「這麼說來，貴幫中確是有臥底的人了？」

黃十峰苦笑一下，道：「照那函件所言，對方對我丐幫的了解，就是區區也是難以及得，如若有臥底之人，我幫各職要，盡是爲他所用的人了。」

容哥兒心中一動，道：「包括那神機堂主？」

黃十峰點點頭道：「不錯，整個丐幫我感覺找不出一個可以信託的人了。」

容哥兒心中暗道：「果真如此，那真是比死亡更爲痛苦了。」口中卻勸道：「黃兄不要想得太嚴重，也許是貴幫少數弟子所爲。」

黃十峰微微一歎，道：「除了我幫中幾個重要人物之外，縱然是紅袋弟子，也不可能知道其中之秘。」

容哥兒心中暗道：「處在這等毫不知內情的茫然之中，任何人也難負擔起這等痛苦，那是毋怪他神色如此的凝重了。」

但見黃十峰仰起臉來，長長吁一口氣，接道：「今夜會到來人，當可知我丐幫中情勢變化，也許我帶去的底下弟子，都已爲別人收用，唉！是以今夜之戰，實是我丐幫存亡絕續之戰，說不定丐幫之稱，過了今夜之後，將成了一個爲人憑弔的名詞了。」這幾句話說得雖甚平靜，但聽來卻有無與倫比的悲傷，一種英雄末路的痛苦。

容哥兒心想說句安慰之言，又不知道從何說起。

黃十峰輕輕咳了一聲，臉上流現出痛苦的微笑，道：「因此，容兄請在內情尚未揭穿，早些離開此地吧！」

容哥兒輕輕歎息一聲，道：「黃兄處此逆境，容某人理應在此相陪才是。」

黃十峰道：「九死一生的機會，你又何苦參與？」

容哥兒道：「在下決心已定，黃兄縱然不肯要在下這位兄弟，我也一定要見識這場熱鬧。」

黃十峰臉色嚴肅，沉吟了一陣，道：「容兄如是一定要去，必得先答應在下一件事情。」

容哥兒道：「什麼事？」

黃十峰輕輕歎息一聲，道：「如若你肯答應我，我才能夠說出。」

容哥兒道：「黃兄請說吧。」

黃十峰道：「如若今宵之會，情勢不對，你必得答應我先行離開，我要神鷹五子，護身而行，也好為我丐幫留下點日後翻身的本錢。」

容哥兒略一沉吟，道：「好吧！這可答應。」

黃十峰站起身子，道：「這座跨院之中，小兄布下了八個心腹弟子，如若有什麼風吹草動，他們必然會先行傳警，容兄儘管好好運氣坐息一陣，夜晚時分，小兄自會派人來請。」

容哥兒道：「好吧！小弟這裏恭候台命了。」

黃十峰一拱手，道：「小兄不打擾了。」緩步出門而去。

容哥兒起身送到室門口處，正容說道：「小弟相信黃兄之言，在此恭候通知。」

黃十峰點點頭，邁開門大步而去。

容哥兒掩上室門，坐在床榻之上，心中思潮起伏，想到黃十峰目下處境，亦不禁為之黯然。

時光匆匆，不知不覺間，已到了掌燈時分。

一個身著灰衣，滿臉精明的小叫化子，送上了一頓簡單精美的晚飯。容哥兒想到今夜可能要有著一場激烈的惡鬥，盡量飽餐了一頓，盤坐調息。

天到二更時光，黃十峰果然是如約而至。

高燃的火炬，只見黃十峰身著天藍補丁大褂，腰間繫著一個黃色錦囊，背上斜插伏魔劍，緩步而來，低聲說道：「容兄，準備好了嗎？」

容哥兒一躍而起，道：「好了，咱們可以走啦！」站起身子，抓起至尊劍，大步向外走去。

黃十峰低聲說道：「容兄儘管隨在身後，如是我丐幫中內部有所爭執，最好不要多管。」

容哥兒點點頭，道：「記下了。」

黃十峰當先而行，直奔前庭。

只見老、小叫化，足足有四、五十人，整齊地排列在庭院之中。

黃十峰緩緩掃掠群丐一眼，道：「我丐幫忠義相傳，數百年來，一直屹立江湖之上，受盡武林同道的尊仰，本座無能，自接幫主以來，不能使我丐幫蒸蒸日上，實有負諸位厚望，愧對我歷代幫主在天之靈。」

這幾句話說得是沉痛無比，但沉痛中卻有著凌雲豪氣。

丐幫弟子一個個肅然而立，不發一語。

黃十峰目光環掃了全場一眼，道：「咱們可以走了。」當先行去。

容哥兒緊行一步，追在黃十峰的身後，緊接著是獨眼神丐江尙元和神機堂主陳嵐風，和身負各色袋子的叫化子。

趁夜闌人靜，群丐放腿疾奔，足足走了半個時辰之後，到了一座土崗之上。

容哥兒目光轉動，發覺土崗十分荒涼，幾株雜樹，一片亂墳。

黃十峰四顧一眼，點點頭自言自語地說道：「就是此地了。」

陳嵐風舉手一揮，道：「散開！」隨來的丐幫弟子，應聲散佈開去。

容哥兒看那丐幫弟子擺成的陣勢，甚是奇怪，三五一群，各站一點，散佈約五丈方圓。

黃十峰站在亂石堆旁，默然不語，江尙元、陳嵐風，卻在低聲私語，不知在商談些什麼。

容哥兒低聲說道：「黃兄，那人還沒有來嗎？」

黃十峰道：「應該來了。」

話剛落口，瞥見遙遠處，亮起了兩盞紅燈，疾向幾人停身地方奔來。

容哥兒運足目力望去，只見那兩盞紅燈，有四個黑衣人，似抬著一座轎子，再無其他人。因那燈外糊繞的紅綾，顏色過深，反而使燈光暗淡了很多，除了那鮮血般的豔紅，很遠就可以瞧見之外，照出的景物，卻是十分模糊。

黃十峰原想今宵形勢，對方必將是盡出精銳而來，卻不料竟是這麼幾人。

他久經歷練，見識廣博，見對方這等氣魄，心中更是小心。

陳嵐風回顧了黃十峰一眼，低聲說道：「屬下去問他們一聲。」

黃十峰道：「本座親去問他。」舉步向前行去。

容哥兒、陳嵐風左右跟在黃十峰的身後，大步向前行去。

黃十峰直行到那燈前五尺左右，才停了下來，說道：「丐幫人員，如約而來。」

這時，雙方相距甚近，已可清楚地瞧到了對方情形，只見兩個執燈大漢，穿一身黑衣，臉上一片冷漠，木然舉燈而立，瞧不出一點表情，似是根本沒有聽得黃十峰的問話，望也不望幾人一眼，心中暗道：「這兩人倒是沉得住氣。」

再瞧那四個抬轎之人，一樣的穿黑衣，分站在四個轎角，也是一片木然。

只聽那軟簾下垂的轎中，傳出一個低沉的聲音，道：「黃十峰，你一定要捲入這場是非中嗎？」

黃十峰心頭一震，道：「閣下什麼人，怎知黃某之名？」

轎中人哈哈一笑，道：「大名鼎鼎的丐幫幫主，天下有誰不知。」

黃十峰道：「我丐幫和閣下井水不犯河水，捲入哪一場是非之中，黃某是百思不解。」

那轎中人沉吟了一陣，道：「目下江湖上正有著一個很大的變遷，貴幫在江湖一向是愛管閒事，這一次我希望貴幫能放手不管。」

黃十峰道：「怎麼不管之法？」

轎中人道：「下令貴幫弟子，撤離陝西、河南兩省。」

黃十峰回顧了陳嵐風一眼，向轎中人道：「閣下身分，黃某還不了然，難道就憑這一句話，就要敝幫撤離兩省嗎？」

轎中人冷笑一聲，道：「我是一番好意，聽與不聽，全憑你黃幫主了。」

黃十峰道：「區區聽了如何？不聽又將如何？」

轎中人道：「如是聽我良言，你這幫主，尚可幹幾年。如是不聽，今宵我就使你失去丐幫

幫主之位。」

容哥兒心中暗道：「好大的口氣。」

黃十峰回顧了神機堂主和獨目神丐一眼，緩緩說道：「區區自接掌丐幫之後，經歷了無數的風險波濤，但是還未遇到過似閣下這般狂妄的人。」

黑色軟轎中，傳出一陣大笑，道：「狂妄嗎？」

黃十峰冷冷接道：「不錯，閣下既是如此自負的人物，何以還這般藏頭露尾。」

轎中人冷冷一笑，道：「在你毫無反抗之能，或是決意投效於我時，自然會讓你見到廬山真貌了。」

黃十峰心中一動，回目對陳嵐風道：「陳堂主。」

陳嵐風一抱拳，道：「幫主有何吩咐？」

黃十峰雙目在陳嵐風的臉上轉了一周，看不出絲毫異常之處，才緩緩說道：「去把那軟轎中人給我拿下！」

陳嵐風微微一怔道：「屬下領命。」大步直向那黑色軟轎行去。

容哥兒生恐那轎中之人，施用暗器，大替那陳嵐風擔心，口中喝道：「陳堂主小心暗器！」

只見陳嵐風行到小轎之前，恭恭敬敬的抱拳一禮，站在一旁。

這變化，大大的出了容哥兒意外，只瞧得呆在當地，半晌說不出話。

黃十峰苦笑一下，道：「陳嵐風，本幫中無數機密外洩，本座早就懷疑到你，竟然被我不幸猜中了。」

只聽那黑色軟轎中，傳出一陣奇異的笑聲，道：「黃十峰，目下江湖亂象已萌，你那一點才氣，實難爲中流砥柱，不如歸依於我，還可保下丐幫幫主之位。」

黃十峰神色肅然，回顧了江尙元一眼，道：「江長老，本座識人不明，竟然重用了一個奸細，無怪我丐幫中機密難保了。」

江尙元道：「幫主說得是。」

黃十峰一皺眉頭，道：「有勞長老出手，擒回陳嵐風，依我幫中戒律治罪。」

江尙元應了一聲，直向那黑色軟轎行去。

容哥兒雙目圓睜，看著江尙元的舉動。

只見江長老行近那黑色軟轎之後，竟然也是恭恭敬敬的對黑色軟轎行了一禮，站在軟轎一側。

軟轎又傳來一聲冷笑，道：「黃十峰，你覺悟了嗎？」

這種出人意外的變化，不但使容哥兒大感意外，驚奇的說不出話，就連黃十峰也是愕然地呆在當地。

丐幫中機密外洩，已使黃十峰心中生疑，想不到陳嵐風可能會背叛丐幫，涉嫌通敵，但獨目神丐江尙元在丐幫中地位清高，既不貪戀權勢，又受丐幫弟子敬重，不知何故竟也背叛丐幫？

這情景，使黃十峰大感困惑，呆呆地站在當地，根本未聽到轎中人語。

大約過了有一盞熱茶工夫，那轎中又傳出一個冷漠的聲音，道：「黃十峰，今宵你帶來的幫中弟子，大都已被我用，只要我一聲令下，整個丐幫，立刻將土崩瓦解，那時不但你這幫主之位，難以保全，而且相傳數百年，威震江湖的丐幫，也將從此消失於江湖之上，個中得失，一目了然，還望閣下三思。」

黃十峰雙目圓睜，眼角裂開，緩緩流出血來，回顧了容哥兒一眼，低聲說道：「容兄，你現在可以走了，我要神鷹五子送你。」

容哥兒略一沉吟，道：「黃兄呢？」

黃十峰縱聲長笑，其聲悲壯，動人心弦，良久之後，收住大笑之聲，道：「小兄要留在此地，懲治叛徒。」

容哥兒道：「此時此情，黃兄甚需小弟相助。」

黃十峰道：「咱們相約有言，你豈可言而無信。」

容哥兒微微一笑，道：「此刻形勢有變，還望黃兄原諒……」

黃十峰道：「如是那軟轎中人，所言不虛，容兄此刻不走，只怕難有再走的機會了。」

容哥兒高聲說道：「小弟在江湖之時日雖短，但卻素知丐幫向多忠義之士，一、二人利欲迷心，或有叛幫之事，如說丐幫弟子，大部要捨棄數百年相傳的丐幫，在下雖然局外人，也有些不信。」

但聞那黑色軟轎中人冷笑說道：「這人是誰？竟敢信口開河。」

容哥兒高聲應道：「在下姓容，閣下何人？」

軟轎中人怒聲說道：「你還不配問我姓名。」

容哥兒哈哈一笑，道：「問了又能怎樣？」

轎中人冷哼一聲，道：「你既非丐幫中人，卻要自蹈混水。」

黃十峰急急接道：「既是丐幫中事，自有黃某人出面了斷，與別人無干無涉。」

右手一抬，拔出伏魔劍，厲聲接道：「陳嵐風。」

陳嵐風緩緩應道：「什麼事？」

黃十峰道：「你身爲神機堂主，掌理我幫中機密，竟然勾結外人，背叛本幫，可知道該當何罪嗎？」

陳嵐風道：「目下大勢已去，幫主一人本領再大，也難和眾多高手抗衡。」

黃十峰目光轉動，四顧了一眼，目光轉注到獨目神丐臉上，冷肅地問道：「你身爲丐幫長老，極受幫中弟子尊敬，本座縱有不對之處，長老會亦可提出糾正，何以竟然背叛本幫，你大半生歲月中爲丐幫建下了不朽功績，如今年近古稀，卻甘心做爲叛徒，實叫本座想不明白。」

江尚元口齒啓動，欲言又止。

容哥兒仔細觀察，發覺那江尚元的心中，似有甚多苦衷，只是無法說出口來。

陳嵐風卻黯然歎息一聲，接道：「識時務者爲俊傑，江長老在丐幫時日之久，豈是幫主所能比擬，他既然要背叛丐幫，自有不得已的苦衷了。幫主如肯聽在下良言相勸，不但可保幫主之位，我丐幫弟子也可免去一場大劫，此乃一舉兩得。」

黃十峰厲聲喝道：「住口，本座待你不薄，想不到你竟是一個叛徒。」

陳嵐風輕輕歎息一聲，道：「幫主今宵帶來此地之人，大部都已背叛丐幫，幫主如是不信，不妨下令一試。」

黃十峰道：「縱然全體背叛丐幫，本座也不能受你們的要脅。」

但聞那黑色軟轎之中，傳出一聲冷笑，道：「他既然執迷不悟，你們也不用多勸他了。」

黃十峰喝道：「閣下能使本幫中的堂主、長老叛我丐幫，自非等閒人物，何以不肯以真正面目見人，躲在軟轎之中，是何用心？」

轎中人冷冷說道：「黃十峰，你是不見棺材不掉淚。」語聲微微一頓，接道：「陳嵐風，讓他見識一下，如是仍不肯改變心意，就由你取代丐幫幫主之位。」

陳嵐風目注散佈四周的丐幫弟子，高聲說道：「願隨本座之人，請到小轎之後，列隊候命。」

黃十峰道：「任憑爾等手段如何，本座也不能屈膝事敵。」

只見人影閃動，散佈於四周的丐幫弟子，很多奔向那小轎之後。

黃十峰凝目望去，只見隨來弟子，大半奔向那小轎之後，只餘下八個，仍然站在原地未動。

不禁暗暗歎息一聲，翻腕抽出了背上的伏魔寶劍說道：「陳嵐風，你想謀奪幫主之位，未免太過躁急了。」

陳嵐風道：「此時此情，難道幫主還不肯改變心意嗎？」

黃十峰仰天一陣縱聲大笑道：「本座主持丐幫以來，自問無半點私心，今宵我丐幫面臨從未有過的危惡之境，那也只能怪我才能不夠，認人不明，本座縱不能扭轉大局，復我丐幫聲譽，但亦當以身相殉，以謝罪我歷代幫主。」

話至此處，微微一頓，回顧了身後的八名丐幫弟子一眼，接道：「本座身爲一幫之主，丐幫發生大變之時，自應以身相死，爾等留此，也無能挽回大局，早些離開此地吧！也好替我丐幫留一點復興之機。」

容哥兒轉眼望去，發覺留下的八人中，神鷹五子就占了五個，餘下的只有三人，亦不禁爲之暗生震駭，忖道：「江湖之上，盛傳黃幫主的能耐，但丐幫發生如此大變，他事先竟未能偵得一點消息。」

忖思之間，黃十峰已轉過目光，說道：「容兒，你和丐幫毫無淵源，那是更不能蹚這一次混水了，請同我丐幫中幾位弟子，早些離開這是非之地。」

容哥兒只覺一股豪壯之氣，由心底直衝上來，暗道：「黃十峰待我不薄，在他這等危急之中，我如棄他，豈是男子漢的行徑，不論情勢如何險惡，也該留此助他一臂之力才是。」

念轉志決，故作輕鬆的淡然一笑，道：「貴幫的事，在下自然不管，不過區區很想見識一下這位黑色軟轎中的人物。」

黃十峰急道：「容兒不可造次……」伸手去抓容哥兒的衣袖。

容哥兒身子一側，避開了黃十峰的五指，直向黑色軟轎衝去。

陳嵐風急行一步，攔在黑轎之前，揮手一掌，道：「站住。」

容哥兒心中恨他背叛丐幫的卑劣行爲，右手運起十成勁力，推出一掌。

但聞砰然一聲，雙掌接實，陳嵐風未料到容哥兒竟然全力出手，被震得向後退了一步。

容哥兒一掌震退了陳嵐風，左腳踏前一步，右手已然拔出至尊劍，目注那黑色軟轎，冷冷說道：「你可是無極老人？」

轎中人冷笑一聲，道：「你在哪裏聽到了這個名字？」

容哥兒厲聲喝道：「你究竟是什麼人？這般故作神秘，鬼鬼祟祟，唬得別人，卻是難以唬住在下。」

那轎中人似是已被容哥兒所激怒，怒聲喝道：「你們都給我閃開。」

陳嵐風、江尙元和那護轎大漢，齊齊向後退了兩步。

一陣夜風吹來，黑轎垂簾飄動，容哥兒藉機向轎內探望，隱隱約約的發現了一個人影。

黃十峰身子一側，搶到了容哥兒的前面，冷冷說道：「這是我們丐幫的事，和你姓容的無關。」

容哥兒道：「在下並未過問丐幫的事，找的是無極老人。」

黃十峰右腕一揮，伏魔劍寒芒閃動，直向黑色軟轎掃去。

此劍鋒利無比，寒芒過處，那轎上軟簾應手而落，整個轎裏景物完全暴現出來。

容哥兒心中暗暗奇怪道：「這人來勢洶洶，怎的轎簾被人斬落，仍是不見有何反應。」心中念轉，雙目卻凝注在那轎中人的身上。

暗淡的夜色，容哥兒仗憑著過人的目光，只見那轎中人似是穿著一種黑衣，頭上似是戴著一頂帽子，端坐轎中不動，回目望了黃十峰一眼，只見他仗劍而立，距那黑色軟轎大約六、七尺遠，橫劍而立，全神戒備。

原來，黃十峰想到這轎中之人，能夠使那江長老和陳嵐風服服貼貼，想他定然有著驚世駭俗的武功，是以揮劍斬斷轎簾之後，立時向後躍退數尺，準備拒敵。

哪知轎中人，渾似入定一般，竟然久久不聞聲息。

意外的沉默，使人有著一種莫名恐怖之感。

黃十峰忍了又忍，仍是忍耐不住，重重咳了一聲，道：「閣下怎不出手，黃十峰敬候教

益。」

只見軟簾中端坐之人，仍是不發一語，似是根本沒有聽到黃十峰說些什麼。

容哥兒亦覺得事情有些奇怪，藉機會打量了陳嵐風和江尙元一眼，只見兩人亦是滿臉茫然之色。

黃十峰不聞那人相應之聲，心中亦是大感奇怪，緩步向那軟轎逼去。

伏魔寶劍在黑暗中，閃爍生光。

容哥兒突然說道：「黃幫主，不可造次。」

黃十峰怔了怔，停下腳步。

容哥兒探手從懷中摸出一枚銅錢，暗運腕勁打了出去。

一片輕嘯風聲，直飛入軟轎之中，那飛入轎中的銅錢，有如投在海中沙石一般，既不聞轎中人呼叫之聲，亦不聞那銅錢擊打在物件上的聲息。

容哥兒吃了一驚，暗道：「這人當真是沉得住氣。」

黃十峰突然一振手腕，道：「留心了，黃某人寶刃鋒利。」

伏魔劍有如一道銀虹，迎著小轎劈了下去。

容哥兒心中暗道：「就算你再沉得住氣，也該設法避開這一劍了。」

只聽嗤的一聲輕響，黑色軟轎，被黃十峰斷金切玉的伏魔劍，劈成了兩半。

容哥兒凝目望去，只見那黑衣人，仍然好好的坐在轎中，只是身子略向一側偏過，想是躲避黃十峰劍勢時，移動了身體。

容哥兒心中暗道：「這人當真夠沉著。」

黃十峰想不到他在劍勢劈落時，對方竟是一副若無其事的神情，不禁爲之一呆。

只聽那轎中的黑衣人冷笑一聲道：「黃十峰，你服不服氣？」

黃十峰平劍胸前暗做戒備，道：「服氣什麼？」

轎中人道：「如若把你放在轎中，這一劍你還不還手？」

黃十峰心中暗道：「這一劍劈落，我縱不還手，亦必要破轎而出。」

當下說道：「不錯，閣下的鎮靜本領，實叫區區佩服。」

黑衣人道：「你可知道，我爲什麼能夠這樣沉著嗎？」

容哥兒道：「這可是難猜得很了，也許你看準了那劍勢傷你不到，也許你僥倖的度過此危……」

只聽黃十峰道：「一個人的鎮靜功夫，不能算他武功高強。」

轎中黑衣人冷笑一聲，道：「不論何人，都不會拿他的生死做爲玩笑，如是我沒有把握料定你這一劍難以傷我，豈有不避之理。」

語聲微微一頓，又道：「須知鎮靜，全從禪定、信心之中得來，如非有過人的武功，豈能辦到？」

黃十峰心中暗忖道：「這話倒是不錯。」

儘管心中承認，口裏卻淡淡一笑，道：「閣下如若有信心，勝得過我黃某，何以不肯出手？」

轎中黑衣人怒聲喝道：「一個人執迷不悟到如此程度，那也算死有餘辜了。」

黃十峰橫身攔在轎前，道：「閣下如是憑武功，把我黃某人制服，區區才能心服。」

轎中黑衣人突然站了起來，緩步向黃十峰行了過來。

容哥兒暗道：「這人大模大樣，若有所恃，如是一劍能夠把他殺死，今日我等還有逃走之望。」

黃十峰雖處在悲痛、險惡的情勢之下，仍然不失幫主風度，手中伏魔劍微微向前一推，道：「閣下何以不亮兵刃？」

黑衣人道：「和你黃十峰動手，那也用不著亮兵刃了。」

黃十峰心中大怒道：「好大的口氣！」長劍一揮，橫裏掃去。

容哥兒心中暗道：「他適才能在轎中不動聲色的避開了一劍，想他身法，必然有特異之處，倒是要用心瞧瞧。」

只見那黑衣人身子隨著黃十峰掃來的劍勢，突然向右倒去。

黃十峰掃出的長劍掠頂而過，那黑衣人卻在黃十峰長劍掠過之後，迅快無比的挺身而立。

容哥兒心中暗道：「一般鐵板橋的功夫，大都是向後仰臥，從未聽說過能向兩側倒臥的事，此人能向側臥避劍，而且如此之快，實是非同小可。」

黑衣人挺身而起之後，本有出手還擊的機會，冷冷喝道：「住手！」

黃十峰停下手，說道：「閣下還有什麼話說？」

黑衣人道：「剛才那一招不算，我再讓你五劍，如是你在這五劍之中，把我殺死，我也決不還手，一還手就算我輸了，你可以帶著你丐幫弟子，平平安安的離開此地。」

容哥兒心中暗道：「這人雖然有些神秘，但行徑倒不失大丈夫的氣概。」

黃十峰接道：「在下之意，咱們還是不用定下什麼賭約。」

黑衣人接道：「我如出手，你沒有還手的機會。」
容哥兒心中不服，接道：「如是五劍不能傷你，應該如何？」
黑衣人道：「簡單得很，我只要他聽我一句話，做一件事。」
容哥兒有些不信，問道：「以後呢？」
那黑衣人道：「做完之後，就算沒有事，心中如是不服，咱們就再來賭過。」
容哥兒心中暗自盤算道：「這事很便宜呀，如若依照自己的劍法算計，天下第一流的武功，也無法避開自己的五劍。」
忖思之間，只聽那黑衣人連聲催道：「幫主快請出手啊！」
黃十峰無可奈何，緩緩舉起手中長劍，唰的一劍，迎面劈去。
那黑衣人身子微微一側，險險地把一劍避過。
黃十峰好強之心突起，長劍疾起，縱劈一劍，橫擊兩招。
對方言明了不還手，黃十峰攻出劍勢，別無顧慮，攻出之劍勢道之快，有如一氣呵成，奇的是那黑衣人竟能巧妙異常地避開了三劍快攻，而且，每一劍都是在間不容髮中避開。
容哥兒冷眼旁觀，看得十分明白，黃十峰劈出了第一劍之後，劍勢已爲那黑衣人所誘，正想暗中指點他兩句，卻不料他忽逞豪強，連攻三劍，致盡失取勝之機，如是只餘下一劍，那是萬萬不能傷到對方了。
但聞那黑衣人道：「黃幫主，留心了，還有最後一劍。」
黃十峰臉上一片沉重之色，右手長劍斜斜推出。
容哥兒暗暗忖道：「你如能早些這般運劍，五劍縱然傷他不了，亦可迫得他閃避開去。」

下。

黃十峰劍勢推出一半，突然一振右腕，伏魔劍打了一個旋轉，閃起了兩朵劍花，斜裏斬

黑衣人身子一個翻轉，又是間不容髮地避開了劍勢，哈哈一笑道：「閣下乃名震江湖之人，說出之言，總不會不算吧！」

黃十峰想不到連劈五劍，竟然沒有傷到對方，頓感英雄氣短，緩緩垂下長劍道：「我說過，咱們賭的是我黃某一人，不能牽扯上整個丐幫。」

黑衣人道：「那是自然……」

伸手一指容哥兒道：「他不是你們丐幫中人。」

黃十峰道：「不錯，他不是我丐幫中人。」

黑衣人道：「好！那你就去把他殺掉。」

黃十峰怔了一怔，道：「爲什麼？」

黑衣人道：「不爲什麼，只因你輸了，要爲我做一件事，此人既非你們丐幫中人，自然是牽扯不上丐幫，那就不能算有違約言了。」

黃十峰想了一想，實想不出駁人之言。

正感爲難間，容哥兒卻對黑衣人道：「閣下和我有何仇恨？」

黑衣人道：「沒有啊！」

容哥兒道：「那你爲何要那黃幫主取我之命？」

黑衣人道：「你手拿的什麼？」

容哥兒道：「一把短劍。」

黑衣人道：「要它何用？」

容哥兒道：「防身拒敵之用。」

黑衣人道：「是啊！既是防身拒敵之用，那黃十峰可以殺你，你爲何不能以牙還牙？」

容哥兒道：「是了，閣下要我和黃大哥拚個死活出來嗎？」

黑衣人哈哈一笑，道：「不錯，丐幫弟子遍佈天下，我如殺了丐幫幫主，弟子聞知，必將和我拚命，這一場風波，很難平息下來，如是黃十峰被你殺死，有丐幫甚多弟子在一起見證，日後他們自然不會找我報仇。」

容哥兒心中暗自罵道：「好惡毒的陰謀。」

但聞黑衣人高聲說道：「黃十峰，你是一幫之主的身分，今夜在你眾多丐幫子弟的注視之下，你如是說了，心生悔意，也不要緊，只要當我之面說出三句我黃十峰稚子黃口，說話不算，那就算你勝了。」

這幾句話是字字如刀如劍，刺入了黃十峰的心中，緩緩轉動兩目，投注在容哥兒的臉上，說道：「容兄，小兄實未想到，他竟出這樣一個難題。」

輕輕歎息一聲，接道：「今日形勢，我已必敗，小兄一世英名，豈能自毀令譽，但此事與你無涉，你快些離開此地吧。」

容哥兒縱聲大笑，道：「他如存心殺我，我還能走得了嗎？」

突然踏前一步，對黑衣人說道：「閣下把在下視作眼中釘，必欲除去而後快，不知是否敢和在下賭上一賭。」

黑衣人冷冷地說道：「如何一個賭法？」

容哥兒道：「自然是師襲老法。在下也劈你五劍，如若能躲開，那也不用閣下開口，在下就橫劍自絕。」

黃十峰心中暗道：「這娃兒未免太輕視我了，難道你的劍術，當真能強過我黃某甚多不成。」

但聞那黑衣人冷笑一聲道：「這辦法不成，你如想賭，咱們就重來訂個辦法。」

容哥兒心中知道，不論何等武功之人，也無能站在原地不動，連讓自己家傳劍法五招，想那黑衣人妄自尊大，絕然不會拒絕，哪知黑衣人竟是不肯上當。

正待出言相激，突聞一陣得得之聲，傳了過來。

這聲音容哥兒十分熟悉，聽聞之下，已知獨臂拐仙到來。

轉頭望去，只見獨臂拐仙架著鐵拐急急趕來。

他雖是一條獨腿，但行動迅快，就是雙腿齊全之人，也是難以及得，只聽鐵拐著地的得得之聲，眨眼之間，已到幾人身前。

這時的丐幫弟子，除神鷹五子和三個藍帶弟子之外，都已背叛丐幫，是以也無人阻攔於他。

獨臂拐仙一口氣衝到幾人身前，打量容哥兒一眼，道：「還好，你如是有了三長兩短，老夫如何向那女娃兒交代。」

目光轉到神丐江尙元的臉上，笑道：「瞎叫化子，你也來了嗎？」

獨眼神丐江尙元淡淡一笑，道：「缺腿斷臂的瘸子，那也強不過瞎叫化子多少。」

容哥兒心中暗道：「獨眼神丐和他相識，證明了江尙元不但在丐幫中地位崇高，在整個武林中，都算一流人物。以此等身分的高人，不知何以竟然甘心爲人不恥，背叛丐幫。」心念及此，也更覺出那黑衣人的可怕。

獨臂拐仙目光轉到那黑衣人的臉上，瞧了一陣，道：「閣下可否掀起臉上的黑紗？」

黑衣人道：「爲什麼？」

獨臂拐仙道：「老夫要瞧瞧你是哪一方的人物。」

黑衣人冷笑一聲，道：「不用瞧了，你也難識得。」

獨臂拐仙突然一抬拐杖，電光石火一般，直向面紗之上挑去。

黑衣人右手突然一提，竟然把那挑向面紗的鐵拐給抓在手中。

獨臂拐仙怔了一怔，道：「好一招『雲裏擒鷹手』。」

黑衣人冷笑一聲，道：「獨臂拐仙，今日你開開眼界了。」左手一掌，拍在鐵拐之上。

獨臂拐仙但覺右手一麻，幾乎脫手而落，不禁吃了一驚，叫道：「好厲害的金沙掌力！」

那黑衣人冷冷地說道：「你倒是很有見識。」

左手一揮，迎面而去，接道：「再接這一拳試試。」

獨臂拐仙身子一閃避了開去，口中喝道：「辰州言家拳的『金雞搶粟』。」

黑衣人又被他呼叫出拳勢來路，心中亦是震驚，忖道：「這人見識當真是可以稱得上廣博兩字。」

他爲人冷傲，被對方叫出拳勢來路，立時左腕一挫，收了回去，竟是不願再用此招過手。拳勢收回，陡然又擊了出來，直撞向獨臂拐仙的前胸。

兩人右手各自抓住手中拐杖，自是不能大縱大躍，退避很遠。眼看那黑衣人一拳擊來，只好一吸小腹，向後退去。哪知黑衣人右手一伸，陡然間長了數寸。

獨臂拐仙心中一震，道：「關外長白通臂神拳。」

黑衣人這二拳，本可擊中獨臂拐仙，但他聽那獨臂拐仙又呼出通臂神拳，竟是不屑再用此招傷敵，冷笑一聲，變拳爲掌，橫裏拍去，掌勢強猛，帶著輕微的嘯風之聲。

獨臂拐仙一皺眉頭，道：「閣下的武功，果然是廣博得很，這一招可是大同府的關家拳？」顯然，他已無法肯定這一掌來路。

那黑衣人一挫腕，又把掌勢收了回去，自然這一掌又被那獨臂拐仙說中。

容哥兒從未見過此等情勢，一個人出手攻敵，每一招，都用出一個門派的招術，而且對方卻又是見多識廣，無所不知的人，每招都能叫出出處門派，不禁聽得神往。

那黑衣人停下手來，道：「你如能再猜得這一招拳勢來路，在下就立刻放了你手中鐵拐。」

獨臂拐仙冷冷說道，「你縱然不放，老夫也能逼你放手。」

黑衣人道：「試試再誇口不遲。」左手一揮，五指半屈半伸，斜斜攻來一招。

這一招來勢詭奇，獨臂拐仙竟是認它不出，閃身讓過掌勢，口中卻是叫不出一個名堂。

那黑衣人哈哈一陣大笑道：「我道你當真能博知天下武學，哪知竟也不過如此，所知有限。」左掌一起，閃電一般拍了過去。

獨臂拐仙只有一條臂膀，抓住了鐵拐，胸中縱有奇學，也是無法還擊，但他卻有著克敵妙法，右手一帶，發出內力，借勢移動獨腿，橫移兩尺。

他神力驚人，那黑衣人吃獨臂拐仙帶動鐵拐之力，霍的身軀一轉，手中招術斜了一斜，拳

勢又行落空。

兩人動作迅快，轉眼之間，那黑衣人又攻了十餘招。

容哥兒看那人攻出的招術，愈來愈是凌厲，獨臂拐仙雖然招招避開，未爲所傷，但他只能挨打，無法還手，不禁暗替獨臂拐仙著急，忖道：「一個人永遠無法還手，武功再強，也是難以撐久下去，如若這獨臂拐仙一傷，我方更顯得人單勢孤了。」

心念一轉，高聲說道：「住手！這打法不公平。」

那黑衣人停了下來，冷冷說道：「你這娃兒，意見很多，什麼事？」

容哥兒道：「這位老前輩，只有一腿一手，那一手又抓住了鐵拐，無法還擊，一味挨打，那是有敗無勝的了。」

黑衣人道：「他生來一腿一臂，難道要在下替他加上一隻臂膀不成。」

獨臂拐仙望了容哥兒一眼，道：「老夫和人相搏，於你何干？」

容哥兒心中暗道：「這人不知好歹，我幫他說話，反招來一頓沒趣。」當下不再言語。

但聞獨臂拐仙冷笑一聲，說道：「老夫一生之中，甚少遇到像閣下這般強敵，今日咱們必得鬥個勝敗出來。」

容哥兒暗道：「你武功再強，但你無法還手，看你如何勝人？」

那黑衣人冷冷說道：「那娃兒說得不錯，你既是無法還手，我勝了你，只怕你心中不服氣。」

獨臂拐仙哈哈一笑，道：「勝了再說不遲。」

語聲微微一頓，又道：「你既有一念之善，老夫也不願施用其他手段傷你，快些放開鐵

拐，咱們各以武功相搏。」

黑衣人冷笑一聲道：「如是在下不放這鐵拐呢？」

獨臂拐仙縱聲大笑，道：「老夫已經勸告於你，不肯放手，那就不關老夫的事了。」

陡然一躍而起，一腳踢向那黑衣人的前胸。

兩人搏鬥甚久，除了第一招外，這是獨臂拐仙的初次還擊。

黑衣人冷笑一聲，側身避過，左手一翻，駢指如戟，點向獨臂拐仙的「築賓」穴。

獨臂拐仙一提真氣，身子又陡然升起五尺，口中喝道：「放手。」

那冷傲不可一世的黑衣人，此刻倒是聽話得很，陡然鬆開握住鐵拐的右手，轉身一跌，飛奔而去。

幾個轎夫和隨來之人，一語不發地隨那黑衣人轉身而去，奔行如飛。

待那獨臂拐仙落著實地，那黑衣人已奔出兩、三丈遠。

這一下事出意外，不但黃十峰、容哥兒等看得茫然不解，就是那江尙元和陳嵐風，也看得莫名所以。

只見獨臂拐仙瞧了手中鐵拐一眼，道：「哼！老夫已經先行警告過你，那也不能算不教而殺了。」

容哥兒心中暗道：「難道他這鐵拐之中，有什麼古怪不成？」

留神瞧去，竟是看不出有何異樣。

這時，空曠的郊野中，只餘下丐幫幫主和容哥兒及那獨臂拐仙。

黃十峰轉身望了獨臂拐仙一眼，道：「區區解決了我丐幫中事，再向閣下致謝。」

目光轉注到陳嵐風的臉上，道：「陳堂主，這變化很意外，是嗎？」

陳嵐風道：「不錯，很意外。」

黃十峰冷笑一聲，道：「你縱想謀得幫主之位，盡有他途，這等出賣丐幫的卑下行徑，你也做得出來。」

語聲微微一頓，聲音突轉凌厲，道：「本座親目所見，你還有何話說？」

陳嵐風回顧了獨眼神丐江尙元一眼，道：「幫主之意呢？」

黃十峰道：「本座既爲丐幫之主，豈容我幫弟子背叛丐幫，自然要按幫中規戒治罪。」

陳嵐風搖搖頭道：「幫主此刻，只怕難有制服屬下的實力。」

容哥兒心中一動，暗道：「這人雖然背叛丐幫，但始終未對那黃十峰出過一句惡言，這一點倒是有些奇怪。」

但見黃十峰一舉手中伏魔劍，道：「好！你亮兵刃吧！」

陳嵐風道：「屬下自知難是幫主之敵，那不用打了。」

黃十峰手腕一抖，伏魔劍幻出兩朵劍花，分向陳嵐風胸前兩處大穴刺去。

陳嵐風一躍避開劍勢，道：「幫主息怒，屬下還有下情……」

黃十峰怒火攻心，哪裏肯聽，伏魔劍快斬，悠忽之間縱劈三劍，橫攻四招。

這七劍快速凌厲，只鬧得那陳嵐風手忙腳亂，連封帶避的才算把七劍避開。

容哥兒心中又是一動，暗道：「奇怪呀！這人連遇險招，怎的還是不肯還手，這其間只怕是有點問題。」

心念一轉，急急說道：「黃兄住手。」

要知那黃十峰能夠統率丐幫，豈是等閒人物，連劈數劍，仍然不見那陳嵐風還手，心中亦不禁動了懷疑，再聽容哥兒一叫，立時停下了手，目注陳嵐風，道：「你為何不亮兵刃動手，你既然已經背叛了丐幫，那也不用和我客氣了。」

陳嵐風輕輕歎息一聲，道：「個中原因複雜，屬下一時也難說明清楚。唉！陳某得幫主賞……」回顧了身後的弟子一眼，忽又住口不語。

容哥兒茫然了。

黃十峰也有些不明所以，一皺眉，道：「究竟怎麼回事？」

陳嵐風道：「幫主請相信屬下……」

黃十峰冷冷說道：「你不說明白，要我如何能夠信得過你。」

陳嵐風道：「此刻屬下實無暇和幫主說明，就此別過。」欠身一禮，轉身而去。

獨眼神丐和數十個丐幫弟子，齊齊轉身而去，緊隨在陳嵐風的身後，片刻間走得蹤影全無，幾人去如飄風，黃十峰待要攔住，已是不及。

容哥兒茫然地看了黃十峰一眼，道：「黃兄，今宵的經歷，直如做了一場夢般，究竟是怎麼回事？」

黃十峰苦笑一下，道：「我也有些鬧不清楚。」

容哥兒道：「咱們問問拐老前輩，他也許知道一些內情。」

轉眼望去，哪裏還有獨臂拐仙的蹤影，竟然不知何時走去。

荒涼的原野上，只餘下八個丐幫弟子，和容哥兒及黃十峰。

黃十峰目光一轉，投注到容哥兒的身上，道：「容兒，聽兄弟相勸，早些帶著虎兒回家去

吧！兄弟要趕往丐幫總舵，不能奉陪了。」

黃十峰也不待容哥兒答話，拱拱手接道：「如是丐幫中總舵無恙，黃十峰必當集我丐幫精銳，捉那兩個叛徒，咱們就此別過了。」

說畢，帶著神鷹五子和僅餘的三個藍袋弟子，轉身而去。

容哥兒感著一股別愁離緒，湧塞心頭，想說幾句慰藉之言，又不知從何開口，呆呆地望著黃十峰的背景，消失在夜暗之中。

直待黃十峰的蹤影不見，容哥兒才陡然想走來，忘了問岑大虎、田文秀等的安身之處，心中大是急慮，一手拍在腦袋之上，暗道：「我怎的如此糊塗，如今那黃十峰已經去遠，我要到哪裏去問那些人的存身之處？」心中暗自責怪自己，人卻信步向前走去。

他心有所思，低頭而行，也不知走了多長時間，突聞一聲輕呼，傳了過來，道：「容大俠。」

容哥兒怔了一怔，抬頭看去，只見兩個丐幫弟子，迎面攔住了去路。

丐幫弟子眾多，他也無法認出兩人，但隱隱間感覺似曾見過。不過，從兩人身上佩帶的藍色袋子，可瞧出兩人身分不低。

容哥兒鎮定了一下心神，緩緩說道：「兩位有何見教？」

他眼看黃十峰帶著八名弟子而去，這兩個八成是叛離丐幫之人，暗暗運氣戒備。

只見兩個丐幫弟子，齊齊欠身一禮，道：「我等奉命，來請容大俠。」

容哥兒道：「誰人之命？」

左首一個丐幫弟子答道：「江長老和陳堂主。」

容哥兒冷哼一聲，暗道：「兩個叛徒，找我容某作啥？」

正待出口拒絕，忽然心中一動，暗道：「他們既來請我，我跟他們去瞧瞧，看兩個叛徒有何陰謀？也好設法通知那黃大哥一聲……」

二十　混沌江湖

容哥兒不自覺的摸了一下腰中至尊劍把，隨在兩個丐幫弟子之後，大步向前行去。

行不多時，果然到了一座破廟之中，只見廟門大開，燈光透了出來。

兩個丐幫弟子，站在廟門口處，停了下來，道：「江長老、陳堂主都在大殿候駕，容大俠請吧！」

容哥兒緩步進入廟門，只見大殿上燒著一支紅燭，靠西側壁處，放著一張破爛的桌子、三張竹椅，那桌子一面靠壁，江長老、陳堂主各自坐了一面，空下的一面，似是留給容哥兒的。

陳嵐風站起身子，一抱拳說道：「容大俠請坐。」

容哥兒想到兩人背叛丐幫之事，心中大為不恥，冷笑一聲，道：「不用了，兩位請我容某到此，不知有何見教？」

江長老獨目一閃，似要發作，但卻不知何故又忍下去。

陳嵐風微微一歎，道：「也許是容大俠眼見我等叛離丐幫，心中不恥我等所為，故而不願和我等交談了。」

容哥兒道：「武林中人，首重師道，這叛離門戶之事，素為人所不齒，那也不是我容某一人如此。」

陳嵐風搖搖頭，道：「我等如是真的背叛丐幫，那也不用找你容大俠來此了。」

容哥兒心中一動，暗道：「那黃十峰用劍劈他，他卻一直閃避，不肯還手，難道這中間確還有什麼隱秘不成？」

當下說道：「兩位如是爲形勢所迫，確有苦衷，不得不爾，此刻又誠心悔過，在下倒願代兩位向那黃幫主求一個情，既往不咎。」

陳嵐風道：「如是違犯了丐幫幫規，那也不用容大俠你來求情，三刀六洞，我等甘受幫中規戒制裁。」

容哥兒道：「兩位既無重返丐幫之心，召來容某，不知爲了何故？」

陳嵐風望了那獨眼神丐一眼，道：「這位容大俠英雄肝膽，想來不會洩露其中之秘，不如坦誠相告如何？」

江尙元點點頭，道：「咱們請他來此，如不據實相告，只怕反將引起他更大的誤會。」

陳嵐風輕輕咳了一聲，道：「說來令人難信，如非在下和江長老親眼所見，就是別人說給我等聽，我等亦是難信。」

容哥兒聽得一怔，道：「什麼事?這等嚴重。」

陳嵐風道：「敝幫的黃幫主，恐已遇害……」

容哥兒接道：「他不是好好的活著嗎?」

陳嵐風道：「活著的只怕是假冒之人。」

仰起臉來，長長吁一口氣，道：「丐幫以忠義二字，做爲我立幫教言，不論遇到何等強敵，都難使丐幫弟子臣伏。欲想統治丐幫，最簡單的方法，就是找一個人來，充任我丐幫幫

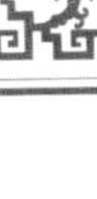

主，整個丐幫龐大的實力，都將為他所有了。」

這幾句話，字字都如巨錘下去一般，聽得容哥兒呆了半晌。

陳嵐風道：「此事說來簡直是匪夷所思，事實總是事實，區區實不忍眼看我丐幫基業就此斷送，不得不挺身而起，謀籌對策，幸好有那江長老為我作證，否則，陳某必被我丐幫弟子指作憑空捏造誣陷我幫主，那是千刀萬剮之罪。」

容哥兒細想那黃十峰的行為，豪邁義氣，不似奸詐之徒，不禁搖頭說道：「在下和那黃十峰相識以來，只覺他為人豪俠，大義凜然，真是一個可敬的長者。」

陳嵐風道：「他不但惟妙惟肖地學去我丐幫幫主的習性，而且言談、氣度，都學得十分神似，否則也不能瞞過我丐幫眾多的耳目了。」

容哥兒道：「當真是叫人難信。」

語聲微微一頓，道：「在下有一件不解之事，請教兩位。」

陳嵐風道：「容大俠請說。」

容哥兒道：「一人去冒充另一人，豈是容易的事，據在下和那黃幫主相處經過，並無發覺他戴有面具。」

陳嵐風道：「他如戴有面具，不論那面具製作如何精巧，他早已為我發現了。」

容哥兒道：「這就是了，他既未戴面具，難道他當真生得和那黃幫主一模一樣，難辨真假不成？」

陳嵐風道：「目下區區感到不解的，也就在此，兩個人能生得如此相像，實是不可思議。」

容哥兒道：「只此一點，那就無法推翻了。」

陳嵐風歎道：「因此，在下和江長老相商，想在武功方面，測驗一下看他是否會我丐幫中歷代幫主相傳相接的絕技，只可惜功虧一簣，被那獨臂拐仙橫裏插手，破壞了我們的計畫。」

容哥兒怔了一怔，道：「怎麼？今日之事，是你們預先安排好的計畫？」

陳嵐風道：「不錯。」

容哥兒沉吟了一陣，突然縱聲而笑，道：「如是那黃幫主人單勢弱，不幸落敗，你也可藉機把他殺死，以謀占那幫主之位。」

陳嵐風道：「我幫主武功高強，歷代幫主一脈相授的十二散手，博大精深，十幾招打狗棒法，更是武學中奇技，如若那人真是我丐幫幫主，必然會此兩種武功，此乃我丐幫中非幫主位不傳的武學，我丐幫長老，雖有兩位略知梗概，但亦難窺堂奧。」

容哥兒心中暗道：「不知是何人物，扮那黑衣人坐轎而來，武功倒是高強得很。」口中卻不覺問了出來，道：「那假扮黑衣人的，也是你們丐幫中人了？」

陳嵐風搖搖頭，道：「那倒不是。」

容哥兒心中暗道：「越說越奇怪了，那人既非丐幫中人，如何肯受你們擺佈？」

陳嵐風似是已瞧出了容哥兒心中之疑，當下說道：「那人身分，在未得他同意之前，陳某不能洩露，不過，在下可以告訴容大俠的是，那人更是我幫主好友，唉！他們相交莫逆，竟是相見不相識，實難免令人生疑。」

容哥兒道：「他如經過易容，自然很難辨識出來了。」

陳嵐風道：「就算經過易容，但那氣度語氣，聲音神情，難道就一點也瞧不出來嗎？」

容哥兒看那陳嵐風的神態，誠摯中肯，不似虛言，但那黃十峰留給他的印象，又明明是一位豪邁的英雄人物，如說他是虛僞裝作，實難做得那等自然，叫人瞧不出一點破綻，只覺心中一片混亂，茫茫然不知所以。

那久久不發一言的江尙元突然接口說道：「咱們丐幫中事，本也不用這等詳細的告訴你容大俠。」

容哥兒道：「是啊！那你們爲何又找我來此，告訴了我？」

江尙元道：「咱們找你來此，說明此事，是怕你容大俠糊糊塗塗的捲入了這次漩渦之中。」

陳嵐風急急接道：「最重要的還是咱們想借重容大俠。」

容哥兒茫然接道：「借重我？」

陳嵐風道：「不錯，我丐幫忠義相傳，我等這次背叛丐幫的事，經那假充我幫幫主的人，回到總舵大肆渲染之後，必將激起我全幫激怒之心，並將傾盡全幫精銳而出，捉拿區區和江長老，屆時，情勢所逼，區區自是難再隱瞞，只有說出此事，我丐幫中人知悉此情之後，陳某是死而無憾，萬一他佈置周密，不容我陳某有置辯餘地，陳某心爲丐幫，死得瞑目，但此事，恐怕是永成秘密，你容大俠也許就是這世間，唯一知道此秘密的人了。」

容哥兒心中一片迷惑，無法分辨真假，一皺眉頭，道：「就算閣下所說之言，一字不假，容某人知道了，又能如何？」

陳嵐風道：「在下此刻，縱然說得舌焦唇爛，只怕你也難相信，但我們亦無非分之求，請你心記此事，等到日後你心中動了懷疑之後，再爲我等申訴此冤不遲。」

容哥兒心中暗道：「此人果然厲害，在此等情形之下，竟能想到數年以後的事，這等深謀遠慮、謹慎細心之處，實是常人難及。」

心中念轉，口裏卻問道：「如是那黃十峰如閣下所言，在下又有何能相助？」

陳嵐風探手從懷中摸出一支短箭道：「此箭名為蛇頭箭，乃我陳某人的獨門暗器，箭頭分有毒和無毒兩種，在下平日很少用作傷敵。」

兩手用力，折斷了蛇頭箭頭，道：「閣下好好的保存此箭，日後我和江長老如有不測，容大俠又心有所疑，就請把此箭送往南嶽恒山盤虎坪撐天古松之下，大喊三聲，丐幫有難，自有人會引你去找我丐幫中人。」

獨眼神丐江尚元，也從懷中摸出一枚制錢，手指如刀，由中間折為兩半，道：「老叫化不用暗器，就以這枚制錢為憑，你好好收著吧！」

容哥兒接過斷箭半錢，道：「如是在下覺不出丐幫中有何可疑呢？」

陳嵐風道：「在下相信容大俠劍膽仁心，一諾千金，既然答應了，絕不會坐視我丐幫沉淪，而不相顧。」

容哥兒心中暗道：「不論兩人說的是真是假，收下這半錢斷箭無妨。」

緩緩把半錢斷箭收入袋中，道：「兩位還有什麼指教嗎？」

陳嵐風道：「此事還望容大俠能嚴守秘密，不能讓那黃十峰知道內情。」

容哥兒點點頭，道：「好！在下記在心中，兩位如無他事，容某就此別過。」

且說容哥兒放腿而行，一口氣行約二里才停下來，搖搖頭，自言自語地說道：「江湖上的

事，當真是叫人難分真假。」

不遠處，傳過來一聲冷冷的聲音，道：「不知是否可以告訴老夫，也好讓我老人家爲你借箸代籌。」

只見人影一閃，鐵拐著地，獨臂拐仙已然落到了容哥兒的身前，緩緩說道：「那幾個老叫化，帶你去說些什麼？」

容哥兒暗道：「此事真相萬不能告訴他。」

當下說道：「談談他們丐幫中事。」

獨臂拐仙冷冷道：「老朽敗了賭約，言明保護於你，但你如處處往危險中去，老夫如何能夠跟著你寸步不離。」

容哥兒忖道：「你志在玉蛙，哪裏是保護我了。」

輕輕咳了一聲，道：「如是老前輩有礙難之處，那就不敢有勞了。」

獨臂拐仙道：「你的生死，和老夫何干？但老夫是何等身分，豈能言而無信，你如死了，那女娃兒問起我來，要我何言相對？」

容哥兒道：「老前輩之意呢？」

獨臂拐仙冷冷說道：「最好的辦法，是由老夫把你關在一處隱秘所在，一年期滿，帶你去見那女娃兒，老夫既可少去很多麻煩，又可不失信於她。」

容哥兒怔了一怔，道：「這手段也叫保護嗎？」

獨臂拐仙道：「不論什麼手段，只要你一年不死就是，一年約滿，你怎麼死，老夫也不過問。」

容哥兒忖道：「不論他是否賭約失敗，但這份為我拚命的盛情，我總該感激於他才是。但他這番話，卻是把幫助我的一番心意，盡化烏有了。」

但聞那獨臂拐仙道：「有道是匹夫無罪，懷璧其罪，你身懷武林奇寶，在江湖之上走動，那更是危險十分了。」

容哥兒聽他又扯到玉蛙身上，心中更是怒惱，暗道：「這人老而無當，如此貪心。」當下冷笑一聲，道：「老前輩和那江姑娘的賭約，和在下並無太大的牽扯，至於老前輩一番保護在下的盛情，晚輩心領了。」抱拳一揖，轉身而去。

獨臂拐仙冷冷說道：「站住！」

容哥兒霍然回過身來，道：「老前輩還有什麼話說？」

獨臂拐仙道：「老夫要帶你走！」

容哥兒手握劍把，搖搖頭，道：「在下如是不去呢？」

獨臂拐仙道：「去也得去，不去也得去！」

容哥兒長吸一口氣，道：「老前輩如是想動武，那就只管出手。」

獨臂拐仙臉色一變，道：「娃兒，你當真想和老夫打一架嗎？」

容哥兒道：「如是老前輩迫逼過緊，晚輩無可奈何，只好領教一下了。」

獨臂拐仙道：「你迫老夫動手，那女娃兒知道了，也定怪不得我。」鐵拐一揚，陡然向前胸之上點去。

容哥兒立即出劍封擋，他出劍之快，劍勢之急，連那獨臂拐仙也為之一怔。

就在他一怔之間，劍拐已然相觸，只聽嗆的一聲，那獨臂拐仙手中鐵拐，已然斷去了兩寸

多長。

獨臂拐仙一跺腳，道：「你的寶刀很利。」轉身一拐一拐地而去。

容哥兒望著那獨臂拐仙的背影，心中暗暗忖道：「這人雖然怪僻，但卻不失英雄性格，兵刃被利劍削斷，盡可再戰，但他卻掉頭不戰而去。」

容哥兒望著那老人的背影消失之後，才默默歎息一聲，信步向前走去，一面暗忖道：「那黃十峰臨去匆匆，也未說清楚，虎兒和那王總鏢頭現在何處，此時此情，只有先到趙家堡中瞧瞧了。」

他地勢不熟，一直走到了天色將明，才找到了趙家堡。

容哥兒行到堡門口處，趙天霄、王子方、田文秀已經聯袂迎了出來。

容哥兒急急搶前一步，對著王子方抱拳一揖，道：「見過老前輩。」

王子方搶前一步，握住了容哥兒一雙手，道：「容兄弟，不用多禮了，那黃幫主可曾見到你？」

容哥兒道：「見過了。」

趙天霄道：「此地不是講話之處，請到莊中坐吧。」長揖肅客，把容哥兒讓入了大廳之中。

群豪落座之後，兩個青衣小婢，獻上茶來。容哥兒目光轉動，四下流顧。

趙天霄道：「容相公可是要找那岑兄嗎？」

容哥兒道：「他在何處？」

趙天霄道：「現在客室休息。」

容哥兒道：「他在此就好，不用找他了。」

王子方輕輕咳了一聲，道：「那丐幫的黃幫主未和容相公一起來嗎？」

容哥兒以丐幫中大變之事，不能隨便講出口來，搖搖頭道：「黃幫主另有要事，趕回了丐幫總舵。」

趙天霄一皺眉頭：道：「這就麻煩了。」

容哥兒道：「什麼事？不知是否可以告訴在下？」

趙天霄道：「長安古城風暴迭起，已然引起各方豪雄注意，因此在太白山中，召開大會共商拒敵之策，其中有幾位很少在江湖走動的人，這次也破例出山了，丐幫的黃幫主是這次大會中貴賓。」

容哥兒心中暗道：「丐幫中此刻鬧得天翻地覆，黃十峰哪還有這份閒情，去參加這一場英雄大會呢？」

心中念轉，口中卻又不便說出，沉吟了一陣，道：「只怕那丐幫黃幫主難以趕來參與此會了。」

王子方道：「容相公呢？」

容哥兒道：「晚輩奉母親之命，來此相助王老前輩奪鏢，想不到波起浪湧，竟然捲入了這場是非之中，如今事情未辦妥，在下多留幾日，自是無妨。」

田文秀望了趙天霄一眼道：「黃幫主既是不能趕來，有容相公參與，那也足使大會增光不少了。」

趙天霄道：「目下也只好如此了。」

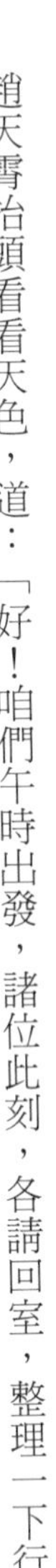

趙天霄抬頭看看天色，道：「好！咱們午時出發，諸位此刻，各請回室，整理一下行裝，藉機坐息一陣。」

田文秀一把拉住容哥兒道：「容兄請到小弟房中坐坐如何？」

容哥兒道：「此刻怎好打擾？」

田文秀道：「不妨事。」當先帶路而行。容哥兒緊隨行入了一座靜室之中。

田文秀欠身讓客，低聲道：「容兄今宵可和那黃幫主在一起？」

容哥兒道：「不錯，黃幫主有事，匆匆趕回了丐幫總舵。」

田文秀道：「兄弟所得消息，丐幫中一位長老獨眼神丐，和他們神機堂主，都已趕到了長安古城，不知容兄見過沒有？」

容哥兒道：「見過了。」

田文秀道：「那是說這傳言是真的了？」

容哥兒道：「什麼傳言？」

田文秀道：「在下聽得一點消息，說是丐幫中有了大變，不知是真是假？」

容哥兒暗暗忖道：「此人耳目如此靈敏，實是一位非常人物。」

當下說道：「丐幫如無大變，那黃十峰既然答應了你們的邀約，如何能失約不來，匆匆趕回丐幫總舵。」

田文秀道：「那獨眼神丐和那位神機堂主，可是和黃幫主一起回去了嗎？」

容哥兒沉吟了一陣，道：「這個，在下就不清楚了。」

田文秀似是已瞧出了容哥兒的為難之狀，也不再多問，微微一笑，道：「容兄可知道此次大會之意嗎？」
容哥兒道：「兄弟不知，正想向田兄請教，如有不便之處，兄弟就不用去了。」
田文秀道：「萬上和一位化身莫測的無極老人，鬧得長安滿城風雨，整個西北武林道都已經震動起來，因此驚動了幾位息隱武林已久的人物，出面查證此事。」
容哥兒接道：「田兄可知道是些什麼人物？」
田文秀道：「這個兄弟亦不很清楚，不過，都是幾位很負盛名的人。」
容哥兒正待再問，瞥見王子方匆匆走了進來。
田文秀站起身子，道：「兩位談談，兄弟有事，去去就來。」大步出室而去。
容哥兒微微一笑，道：「田兄請便。」
王子方緩緩坐了下去，道：「容兄弟，老朽有幾句話，如鯁在喉，不吐不快。」
容哥兒道：「什麼事？老前輩只管指教。」
王子方道：「就目下情勢而論，已不是老朽失鏢的問題，容兄奉令堂之命來此，相助老朽尋鏢，老朽是感激不盡，但此刻波起浪湧，事情愈鬧愈大，容兄弟似是不宜再跟著鬧下去了，老母倚門，望兒早歸，其心情是何等沉重，容兄弟似應該回去了。」
容哥兒沉吟了一陣，道：「在下未追回老前輩的失鏢，回去之後，只怕亦要受家母責罰。」
王子方道：「容兄弟歸見令堂之後，就說是老朽之意。」
容哥兒望望天色，接道：「待晚輩想想再作決定，如何？」
王子方站起身子，道：「好！老朽希望你能夠急流湧退，不再捲入這場是非之中。」

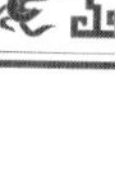

容哥兒抱拳說道：「多謝老前輩的盛情，承得關注，在下是感激不盡。」

王子方道：「容兄弟請仔細想想，老朽先行別過。」轉身出室而去，順手帶上兩扇木門。

容哥兒只覺那王子方勸說之言，十分有理，一時之間，心中難作取捨，沉思了良久，仍是一片混亂，只好暫時擱起，盤坐調息起來。

不知過了多少時光，突聞一陣急促的敲門聲，傳了進來。

容哥兒睜開雙目，道：「請進來吧！」

木門呀然而開，田文秀緩步走了進來，道：「趙堡主已在門外候駕。」

容哥兒抬頭看看天色，果然已經午時偏西一些，急急站起，急步而行。

只見趙天霄、王子方各自牽著兩匹健馬，站在堡外等候。

王子方遞過來一匹健馬的韁繩，道：「容兄弟想好了沒有？」

容哥兒道：「想好了。」

王子方道：「那很好，咱們後會有期，那位虎兒，尙留在趙家堡中，你去招呼一聲，咱們就此別過了。」一抱拳，躍上馬背。

容哥兒緊隨著躍上馬背，笑道：「晚輩三思之後，覺得還是該奉陪老前輩一行才是。」

王子方道：「那是決定去了？」

容哥兒道：「不錯。」

王子方打量了容哥兒全身上下一陣，道：「既然要去，也該帶個兵刃才是。」

容哥兒道：「晚輩身上有著一把短劍。」他已知那至尊劍雖然短小一些，但卻鋒芒絕世，只是何以會全身墨黑，至今猶想它不透。

趙天霄飛身躍上馬背，道：「咱們快些走了。」一抖韁繩，當先向前奔去。

王子方低微的歎息一聲，一帶韁繩，隨在趙天霄身後行去。

田文秀跨上馬背，道：「容兄，請吧！」

容哥兒也不謙讓，一勒馬韁，向前奔去。

這四匹健馬，都是趙家堡中選出的上好長程跑馬，放腿奔行，絕塵而馳。

突聞一陣馬嘶之聲，一匹全身雪白的快馬，疾如流星趕月一般，片刻間，超越了趙天霄和王子方的前面。

容哥兒心中一動，暗道：「那白馬不是寄存在丐幫的健馬嗎？」

只因那馬奔行過速，容哥兒無法看清楚。

待他心回念轉時，那快馬已越過幾人，餘下一道滾滾塵煙。

田文秀低聲讚道：「好一匹千里馬。」

容哥兒幾乎失聲說出識得那匹健馬，但也終於忍了下去。

趙天霄微微一收馬韁，奔行的快馬突然慢了下來。

田文秀低聲說道：「趙堡主有話要問咱們，走快一些。」

容哥兒、田文秀雙雙一提馬韁迎了上去。

趙天霄低聲問道：「兩位可曾瞧清楚那快馬上坐的人嗎？」

容哥兒只顧瞧那白馬，未曾留心到馬上之人，隱隱所見，似是一個全身黑衣的瘦小之人，當下說道：「未看清楚。」

田文秀道：「好像是一個穿黑衣的少年。」

趙天霄道：「田世兄可曾瞧清楚了那人的形貌嗎？」

田文秀道：「那馬太過快速，快得使人沒法瞧清楚。」

趙天霄不再多言，沉吟了一陣，道：「好！咱們也該走快一些了。」當先縱騎飛馳。

這四匹快馬，雖都是趙家堡中選出的長程健馬，但在四人一味催馬狂奔，不肯停息地馳騁之下，亦是力猶不逮，四匹馬都跑得通體汗水如雨。

趙天霄當先帶路不肯停息，容哥兒、王子方等，雖然已覺出健馬難支，但也不便停下休息。

這時，快馬奔行在一座村落前面，大道緊臨村旁，只見趙天霄一帶馬頭，健馬突然向村中奔去。容哥兒等只瞧得大感奇怪，只好也勒馬馳入村落中去。

趙天霄直馳到一座大宅院外，一收韁繩，停了下來，高聲喝道：「開門。」

但聞木門呀然大開，四個大漢，牽著健馬，魚貫走了出來。

趙天霄舉手一揮，道：「換馬。」先縱上馬背，放轡馳去。

容哥兒、王子方、田文秀等齊齊換了坐騎，縱馬又向前奔去。太陽下山時分，已到了太白山下。

容哥兒抬頭看去，只覺滿山積雪，一片皚白，晚照中映雪，泛現起一片彩霞色。

田文秀道：「太白積雪，為天下勝景之一，只可惜咱們此來，別有所謀，無暇仔細的欣賞太白景物了。」

趙天霄打量了一下四面山勢，說道：「咱們要下馬步行了。」

田文秀下馬說道：「這馬要放在何處？」

趙天霄道：「卸下馬鞍，任憑牠們去吧。」

幾人雖是有著一身武功，但因山道崎嶇，積雪覆蓋，行動之間，十分困難，四人都走得十分小心。足足耗去了一個時辰之久，才走下山來。

這時，天色已經黑了下來，東方天際，捧出來一輪明月。

趙天霄似是早已有了準備，蹲下身子，從懷中摸出一幅圖案，然後，拿出一支火摺子，晃燃起來，在圖案上瞧了一瞧，道：「諸位請隨在我身後而行，亦步亦趨，緊緊追隨。」

王子方、容哥兒、田文秀魚貫地隨在眾人身後而行。只見趙天霄低頭而視，策步而行。群豪個個全神貫注於前面一人的落足痕跡之上，也不知行向何處。

但覺寒氣越來越強，似是已到了一座高峰之上。

容哥兒抬頭一看，只見自己正行在一道懸崖之上，下面深谷，亦爲白雪履蓋，月光下一片茫茫，也不知多深多遠。

突然間，聽得一聲輕音，王子方一腳踏空，全身向下沉去，容哥兒右手一探，抓住了王子方衣領。

其實王子方一腳踏空時，右手一把抓住了落腳的石塊。

容哥兒微微向上一提，王子方躍起身子，重踏在落腳石上。

趙天霄道：「諸位小心了。」

白雪掩遮之下，群豪面對著死亡的險路，心中還未覺出什麼。此刻王子方失足下墜，才使群豪警覺著目下的險惡處境。

容哥兒低聲說道：「老前輩小心一些。」

走了一頓飯工夫之久，到了一株大松之下，趙天霄長長吁一口氣，道：「好了，咱們已過險地。」

趙天霄目光轉動，掃掠了三個人一眼，道：「過了這段斷魂樁，已離那雪谷不遠，如是咱們不走錯路，半個時辰之內，可以到達雪谷了。」

說完，縱身向前行去，群豪隨他身後，大步向前行去。趙天霄似是很熟悉山中形勢，繞著積雪山道，奔行如飛。

轉過了幾個山彎，容哥兒已覺得越走越冷，月色一片茫茫，盡是皚白積雪。

又行了數里，趙天霄突然停了下來，伸手指向一條雙峰夾峙的山谷，道：「到了。」

容哥兒抬頭看去，只見谷中一片蒼茫，不見一點屋影人蹤。

田文秀道：「果然是名副其實的雪谷，全谷中盡是積雪。」

趙天霄微微一笑，抱拳說道：「趙天霄拜見老前輩。」靜夜中聲音傳出老遠。

容哥兒心中暗道：「這一片茫茫雪谷，難道真會有人居住不成？」

忖思之間，突見三丈外積雪分裂，緩步走出一個黑衣人。

容哥兒吃了一驚，暗道：「這人從雪中冒出，難道也是從雪中行來不成？」

只見那黑衣人緩步行到趙天霄的身前，仔細打量一陣，道：「你是趙天霄趙堡主？」

趙天霄道：「不錯，正是區區在下。」

那黑衣人道：「可有邀請信物？」

趙天霄探手從懷中取出一個竹牌，托在掌心之上，道：「兄台瞧過。」

那人當真的伸出頭去，仔細地瞧了那竹牌一陣，目光一掠田文秀等，道：「這些人都是你隨來的朋友？」

趙天霄道：「我們一共四個人。」

那黑衣人點點頭，道：「好！隨我來吧。」

行到那裂洞之前，道：「諸位小心一些行走。」當先一躍而下。

容哥兒凝目望去，只見那裂洞之處，竟是一扇活門，上面白雪掩蓋，不知底細的人，自是踏破鐵鞋，也難以找得了。

趙天霄緊隨那黑衣人身後，率著田文秀等魚貫踏梯而下。

深入一丈七、八尺左右，才落著實地。

容哥兒心中暗道：「雪裏秘道，當真是聞所未聞，見所未見的奇景。」留心瞧去，只見一條可容兩人並肩而行的小道，曲彎而入。

兩側都是堅硬的雪壁，上面是白雪覆蓋，不過每隔一丈左右，總要轉一個彎，每一個轉彎的地方，部是一根白色的支柱，也不知是何物做成。

轉約十幾個彎子後，那黑衣人突然停了下來說道：「諸位請等候片刻。」轉過一個彎去不見。

容哥兒深入雪道之後，全為一種新奇感所吸引，忘記了酷寒，停下之後，才覺得陰寒極濃，不得不運氣抵禦。

那黑衣人去約一盞茶時光，又走了回來說道：「家師有請諸位。」

趙天霄道：「有勞通報。」當先向前行去。

容哥兒只覺漸行漸高，不自覺間出了雪道，抬頭一看月掛中天，眼前又是一番景象。

這是一片十丈方圓的平地，四面山峰環繞，那雪下地道，竟然繞過了整個山峰，通入這一片盆地之中。

容哥兒目光一轉，只見那皚白的雪地上，放著十幾張竹椅，已然先有四人在座。

兩個青衫老者，一個樵夫模樣的大漢，一個頭戴瓜皮小帽，枯瘦如柴的矮子，此地本極酷寒，那枯瘦矮子，袖手而坐，若不勝寒。

只見趙天霄對著四人中間，一抱拳，恭敬地說：「晚輩趙天霄，如約而來。」

容哥兒心中奇道：「這趙天霄不知在對何人行禮？」

心念轉動，耳際已響起了一個威重的聲音，道：「好！你們坐下。」

容哥兒凝目望去，只見一個全身白衣，白髮覆面，白髯垂胸的老人，端坐在四人中間。他一身白衣，坐在雪地中，不留心，很難看得出來。

王子方、田文秀、容哥兒等依序緊靠在趙天霄的身側坐下。

那白衣老者道：「天霄，要他們報上姓名。」

趙天霄答應了一聲，道：「諸位請自行報名吧。」

王子方欠身而起，道：「成都王子方。」

那白衣人道：「金刀神芒，王總鏢頭。」

王子方道：「不敢當。」緩緩坐下。

田文秀道：「田家堡的田文秀。」

白衣人道：「少堡主，西北道上，後起之秀，日後要接天霄領導西北武林。」

容哥兒站起身子，道：「在下容哥兒。」

白衣人喃喃自語，道：「容哥兒，容哥兒這名字倒陌生得很。」

容哥兒道：「晚輩很少在江湖上走動。」

白衣人道：「你是何人的門下？」

容哥兒道：「晚輩藝得家傳。」

白衣人道：「你施用的什麼兵刃？」

容哥兒道：「晚輩使用長劍。」

白衣人道：「容家劍，容家劍。」

突然一掌拍在大腿之上，道：「令尊的名諱，如何稱呼？」

容哥兒道：「這個晚輩不知。」

白衣人仰起臉來，長長吁一口氣，道：「令尊還活在世上嗎？」

容哥兒道：「晚輩記事之後，就未再見過家父之面。」

白衣人啊了一聲，不再多問，目光轉注到趙天霄臉上，道：「長安城中，近日情形如何？」

趙天霄略一沉吟道：「情勢很壞，無極老人和萬上門，有如見首不見尾的神龍，出沒無常，神秘難測，而且他們手下，都雲集著很多高手，忠心效命，晚輩雖然盡了最大的心力，仍是沒法查明他們的來龍去脈。」

白衣人靜靜地聽著，一語不接，直待趙天霄說完了一番話後，才接了一句漠不相關的話，

道：「那黃幫主沒有來？」

趙天霄望了容哥兒一眼，道：「據這位容兄說，那丐幫中突然發生了一次大變，黃幫主匆匆趕了回去，故而未來應約。」

白衣人道：「黃十峰雄才大略，縱有大變，也是難他不倒。」

容哥兒心中暗道：「這一次卻非同小可了，丐幫中的長老，和神機堂主聯手背叛於他，只怕是不易度過。」

那白衣人目光又轉到趙天霄臉上，接道：「這些日子中，可有其他武林道，集聚長安？」

趙天霄道：「除丐幫之外，還未見其他門派中人趕到長安。」

那白衣人緩緩道：「你們一路來，定已十分疲倦，先請坐息一陣，咱們再談不遲。」言罷，當先閉上雙目。

趙天霄不敢驚動那白衣人，又怕田文秀等問話，索性也閉上雙目而坐。

王子方、田文秀、容哥兒，眼看那趙天霄閉目調息，也只好照法施爲，儘管難以凝神入定，也只好裝作入定模樣。

大約過了一頓飯工夫之久，突聞一聲尖厲長嘯，傳了過來，容哥兒霍然站起身子，看那白衣人和那樵夫及兩個長衫人等，都靜坐不動，渾如未曾聞得那嘯聲一般，只好緩緩坐下。偷眼看趙天霄和田文秀，只見三人也和自己一般茫然四顧，顯是亦爲那嘯聲驚動。

容哥兒鎮定一下心神，心中暗道：「這白衣老人，不知是何許人物，何以要住到酷寒不毛之地，如是說他出世逃俗，息隱林泉，位於此等之處，那是未免太過刻薄自己了。此地風物，也不像一個出世高人留居之地，那他住在這裏，只有兩個目的了：一個是逃避仇家，一個是苦

練一種什麼武功。」

正在忖思著眼前的形勢，突見一個全身黑衣的勁裝大漢，急急跑了過來，道：「申、郭兩位大駕已到。」

那白衣人道：「請他們進來吧！」

那黑衣大漢轉身而去，片刻之後，帶了兩個老人。

當先一人，身著天藍長衫，足蹬福字履，頭上戴著一個青緞子瓜皮小帽，留著白長髯。第二個微見駝背，青布夾襖，青布長褲，留幾根稀疏的白鬍子，足著青布鞋。

兩人齊齊抱拳，道：「兄弟晚來一步，有勞諸位久候了。」

白衣人微微頷首，道：「勞動兩位遠途跋涉，在下甚感不安。」

那身著藍衫的老人自行在一張椅子上坐下，道：「好說。」

那白衣人緩緩說道：「此地都非外人，兩位有話，儘管說出就是。」

那藍衫人望了那青衣人一眼，道：「這幾年來，兄弟已完全和江湖同道絕緣，一個月中，也難得離開寒舍一步。」

白衣人道：「但申兄的內功，卻是愈來愈見精進了。」

藍衣老人說道：「兄弟雖已決心脫離武林生涯，但功夫卻未擱下。」

白衣人道：「咱們習武之人，不肯棄下武功，正和讀書人不肯放下書冊一樣，雖已退出江湖，但難免見獵心喜，這些日來，長安城鬧得天翻地覆，兩位難道一點都不爲所動嗎？」

藍衣人微微一笑，道：「白兄說得不錯，起初幾日，兄弟還能忍下，後來就忍不下了。」

目光轉到青衣駝背人身上，道：「兄弟雖然得知一點內情，但如比起郭兄，那是小巫見大巫了。」

那駝子道：「好說，好說，申兄過獎了。」

白衣人緩緩說道：「兩位不用謙讓了，咱們都已退出江湖，不再問武林中事，但卻還未死去，以長安為中心的西北道上，被人鬧得烏煙瘴氣，那是誠心不替咱們留下一點老面子了。」

那樵夫模樣的人突然接口說：「咱們何不找上長安城去，挑了他們的窯子！」

白衣人冷然接道：「四弟這火爆之氣，總是無法改過，如若強敵是易與之輩，申、郭兩位大俠，豈容他人在臥榻之側鼾睡。」

那樵子吃那白衣人叱責一頓，不再多言。

姓申的藍衫老人，輕輕歎息一聲，道：「郭兄是金口難開，兄弟只好先行拋磚引玉了。」

白衣人道：「我等洗耳恭聽。」

藍衣老人目光一掠王子方，接道：「成都鎮遠鏢局失鏢之後，長安城中已陸續雲集了甚多高手，其初之時，兄弟也未放在心上，後來越看越是不對，來人中有很多竟是退隱江湖已久的老魔頭，情勢已非普通的武林爭鬥，而是有所大舉圖謀了。」

趙天霄暗道了兩聲慚愧，忖道：「長安城早有兆頭，我竟不知，這領袖西北武林的招牌，算是從此砸了。」

那白衣人雙目轉往在駝背青衣人的身上，道：「郭兄一向以耳目靈敏見稱，想是定已知道什麼消息了。」

那駝子輕輕咳了一聲，道：「兄弟也和申兄一般，查來查去，查不出個名堂。不過，有一點可以肯定的是，目下雲集於長安城中的神秘人物，並非由一人統領，至少他們分出兩派。」

容哥兒暗道：「好啊！看來你也不會知道得比我多了。」

白衣人神態肅然地說道：「兩位只知道這一點嗎？」

白衣人凝目不語，沉吟良久，道：「現在那兩派神秘人物，還在長安城中嗎？」

青衣駝子道：「還有一部分留在長安城中。」

白衣人抬起頭來，說道：「老二、老三，你們有何高見？」

兩個青衣人齊聲說道：「咱們聽憑大哥決定。」

白衣人目光一掠那藍衫老人和青衣駝子道：「兩位對此，可有什麼高見？」

青衣駝子道：「兄弟雖已金盆洗手，退出了江湖，但如白兄決定要重出江湖，查問此事，兄弟唯命是從。」

藍衫老人道：「兄弟也是聽命白兄。」

只聽白衣人道：「咱們雖然都已退隱江湖，但還未死心，如若任人在西北道上，鬧得天翻地覆而不過問，那也是大失顏面的事了，因此，老夫柬邀兩位，商議商議。」

話未落口，突聞砰然一聲大響，高空中現出兩朵銀花。

白衣人突然站起，冷冷說道：「好啊！咱們還未去找人家，人家卻已找上了門來。」

兩個青衣老人抬頭瞧了那銀花一眼，齊齊問道：「大哥準備和他們見面嗎？」

白衣人不答兩人問話，目光轉注到趙天霄的臉上道：「天霄，你們來時，可曾發覺有盯梢之人？」

趙天霄道：「晚輩行來，極是小心，事先連少堡主等亦未說明。」

白衣人目光對著那藍衫老人和青衣駝子身上道：「兩位呢？」

郭駝子道：「兄弟自信不致被人盯上。」

只聽一步履之聲，傳了過來，一個穿黑衣的大漢，急步奔了過來，道：「雪谷之外，突然來了四個勁裝大漢，牽了兩條巨犬，似是追查什麼。」

白衣人道：「先把各口封住。」

那黑衣大漢應道：「已經封了。」

白衣人一揮手道：「要他們小心防守。」

黑衣人轉身行了幾步，又回身說道：「屬下看那兩頭巨犬，耳目似是極其靈敏，如是被他們查出來門戶所在，是否出手阻攔？」

白衣人道：「最好不和他們照面，如是情勢迫人，那就格殺勿論。」

白衣人略一沉吟又道：「如能生擒一、兩個來，那是最好，萬一不能生擒，那就一體搏殺，不能讓他們逃走一個。」

那黑衣人道：「屬下遵命。」轉身一躍，疾奔而去。

白衣人目光環掃了群豪一眼，道：「咱們去瞧瞧來的什麼人物？」

站起身子，當先行去。群豪魚貫相隨而行。

容哥兒心中暗暗忖道：「這一片山谷，茫茫無涯，盡是白雪，不知他宿住何處？一個人武功再高，也不能終年日夜住在大雪之中啊。」

但聞那白衣人的聲音，傳入耳中道：「諸位行動之時，最好能隨著老夫的落足痕跡，免得陷入危險之中。」

容哥兒心中暗道：「難道這茫茫雪地上也布有陷阱不成。」

忖思之間，那白衣人已行到一座山壁前面。
只見那白衣人伸出手在積雪壁上一陣揮動，雪壁突然開啓了一座密門。
兩個黑衣佩刀武士，並肩行出，分列兩側，長揖迎客。

廿一　心腹大患

門內暖氣洋溢，和外面簡直是兩個世界。

深入兩、三丈，白衣人突然一轉折向上面行去。行道一片漆黑，伸手不見五指。

這時，群豪只能憑藉著聽覺，緊隨在前面一人身後而行。

行約三十餘步，突見明月透入，一陣寒風迎面吹來。

原來，又是一道大門，早已開啓，大門兩側，仍有著兩個佩刀守衛。

容哥兒走在最後，出了大門，見群豪一字排立，正停身山腰中一片絕壁之上。

攔在群豪身前的是一道及胸的白壁。

白衣人緩緩說道：「諸位凝目向下瞧著，就可見來敵。」

只不過相距過遠，無法瞧清楚那四人的形貌。

容哥兒心中暗道：「如是在白晝，定然可以瞧得十分清楚。」

隱隱的呼喝之聲，傳了上來，山風中卻無法分辨出說的是什麼。

片刻之後，忽見那四條黑影，開始迅快移動，似是在閃避什麼。

容哥兒心中暗道：「是了，這白衣老人，在雪地之中，設有埋伏，那四人避來閃去，定然是在躲避暗器了。」

突然汪汪兩聲犬吠，那四個大漢，帶來的兩隻獵犬，一齊倒地死去。

緊接著，那閃避的黑影，也躺下了一個。

但聞那白衣人道：「四人中，已有一個中了暗器。」

語聲甫落，又是兩個黑影，倒了下去。

餘下一個黑影，挺身躍起，似想逃走，哪知足落雪地，突然向下陷去。

白衣人哈哈一笑，道：「四個人、兩隻狗，全軍覆沒，沒有一個逃走，諸位請品嘗一下老朽自製的佳釀如何？」轉身折入洞中。

群豪被帶入一個山腹密洞之中。

白衣人說道：「諸位請坐。」

容哥兒暗道：「室中黑暗如漆，別人怎知坐在何處？」

忖思之間瞥見火光連閃，室中高燃起兩支火炬，景物清晰可見。

只見那白衣人舉起雙手一拍，兩個青衣童子走了進來。

容哥兒心道：「這裏的人不少，外面群山聳立，白雪茫茫，如非親臨其境，實難想到在這白雪之下，山腹之中，有著這樣一處隱秘之地，住著如此多人。」

但聞那白衣人道：「拿酒上來！」兩個青衣童子應了一聲，退了出去。

片刻之後，兩個青衣童子，已然各捧著兩個大木盤。

竟是八盤佳餚，一壺好酒。

容哥兒望了田文秀一眼，低聲說道：「這裏佳餚美酒，萬事俱備，山腹暖氣，有如陽春三月，如非親歷親見，說來也是難信。」

田文秀微微一笑，卻不答話。

白衣人道：「咱們坐下吃酒，一面盤問那被擒之人，不難問出那神秘的首腦人物。」

眾豪紛紛入席之後，那白衣人才打開瓷壺。一般芬芳酒香之氣散播全室。

白衣人替滿桌人各斟一杯酒，道：「諸位嘗嘗老夫自釀這雪裏紅，味道如何？」

群豪端起桌上酒杯，乾了一杯，氣味芬芳，從未飲過，齊聲讚道：「好酒，好酒。」

白衣人哈哈一笑，道：「我這雪裏紅飲起來，雖然甜香可口，但後力強勁，諸位如是不善飲酒之人，那就少吃一杯，免得酒醉誤事，也許今夜之中，咱們還會有一場惡鬥。」

白衣人又提起酒壺，替每人斟了一杯酒，接道：「諸位再乾這一杯如何？」

那酒味香甜，群豪大都很想再飲用一杯，但那白衣人敬了群豪一杯之後，卻是不肯再替群豪斟酒，大家只好空杯以待，直等他倒了第二杯酒，群豪中幾個嗜酒之人，已然迫不及待地舉起酒杯。

容哥兒不善飲酒，又聽那人再三說明此酒厲害非凡，端起酒杯，飲了半杯，不敢再飲。

白衣人提起酒壺，似想再替群豪斟酒，但又有些捨不得，提著酒壺，猶豫不決。

容哥兒暗道：「這人當真是小氣得很，這些人中，有四人是他義結金蘭的兄弟，兩個是他專程派人邀約而來，他竟然對一杯水酒，這等吝惜。」

忖思之間，突然一陣步履之聲傳來，兩個灰衣大漢，押著一個全身黑色勁裝的中年大漢，大步行了進來。

兩個灰衣大漢欠身說道：「稟告谷主，生擒強敵一名，恭候谷主發落。」

白衣人目光一掠那黑衣人，冷冷說道：「老夫只問三句話，你要據實回答，如有一句虛言，當心皮肉吃苦。」

那大漢神色嚴肅，望了那白衣人一眼，默不作聲。

白衣人藉機放下酒壺，緩緩說道：「你奉何人之命而來？」

那中年大漢冷笑一聲，默不作聲。

白衣人道：「好！第一句你就不回答，那是自找苦吃了。」

語聲微微一頓，道：「斬下他左手食、中二指。」

左面那灰衣人應了一聲，拔出一把匕首，抓起那大漢左手，舉起匕首一揮，那食、中二指應手而落。

白衣人道：「第二句話，你如仍不回答，老夫就不會這般輕易對你了。」

白衣人續道：「你們首腦姓名？是男是女？」

那黑衣人淡然一笑，仍不答話。

這時，不但室中群豪爲之一呆，就是那白衣人，也爲之一怔。

這黑衣大漢並無出奇之處，但他能視斷指有若無睹，白衣人又將有更爲殘酷之法，加諸到他的身上，他仍是那般沉著，不但使人驚奇，而有些不可思議了。

白衣人怔了一怔之後，一字一句地說道：「斬下他一條左腿！」

這等殘人肢體之刑，太過殘忍，只聽得室中群豪，無不皺眉，但那黑衣人卻仍是無動於衷。

右側那灰衣大漢，突然一伸手，抓起了那黑衣大漢的左腿。

容哥兒雙目盯注黑衣大漢，只見他毫無驚懼之色，心中大感奇怪，眼看那灰衣大漢手中的

兵刃，已向那黑衣大漢腿上斬去，立時一抬右腕，快速絕倫地拔出長劍。但見寒光一閃，噹的一聲，擊落那灰衣人手中的兵刃。

白衣人目光轉注到容哥兒的臉上冷冷一笑，道：「好快的劍招！」

容哥兒道：「老前輩不要誤會，晚輩有事奉告。」

白衣人一股冷肅之色，道：「什麼話？」

容哥兒道：「事出常情之外，其間必有可疑。」

白衣人道：「有什麼可疑之處，願聞閣下高見。」

容哥兒道：「一個人不論內功如何深厚，但也不能不知斷指之疼，何況這黑衣人的武功，還難當得高強之稱。」

白衣人道：「只此而已嗎？」

容哥兒道：「因此，晚輩認爲他能忍受斷指之疼，必有內情。」

白衣人道：「什麼內情？」

容哥兒道：「也許他早已肢體麻木，不知痛苦了。」

白衣人點點頭，道：「高見過人，老夫十分敬服。」

語聲微微一頓，又道：「但眼下要如何才能問出內情？」

容哥兒心中暗道：是非只爲多開口，煩惱皆因強出頭，只因我救了這黑衣人，倒替自己招惹來一身麻煩。心中念轉，口中應道：「除非能先使他恢復清明，知覺痛苦。」

白衣人舉手對兩個灰衣人一揮，道：「帶他下去。」

兩個灰衣人欠身，帶著那黑衣大漢離開石室。

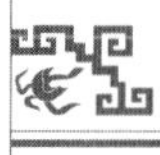

白衣人目光掃掠了群豪一眼，緩緩說道：「二弟，你一生習讀醫書，深知用毒之道，看那人是否爲毒藥所迷，竟不知肢體被殘之疼？」

那個胸垂花白長髯的青衣人，急急站了起來，道：「看他神情，不似藥物所迷，縱然爲藥物控制，亦必是一種很緩慢的毒藥。」

白衣人道：「可有方法查出來嗎？」

青衣老人道：「這個小弟瞧過之後，才能確定。」

白衣人一揮手，道：「好！你去瞧瞧。」青衣老人應了一聲，大步而出。

白衣人看了一眼容哥兒道：「你適才拔劍手法，快速絕倫，武林中很少見到，必是大有來歷之人，不知可否見告出身門派？」

容哥兒怔了一怔，道：「晚輩適才所言，句句實話。」

白衣人臉色一變，冷冷說道：「閣下如是執意不肯說出身世來歷，我亦是有辦法瞧出你的出身。老四，奪下這位容相公的佩劍。」

容哥兒已把至尊劍藏入懷中，那寶刃短小，藏在身上，也不易瞧得出來，身上所佩長劍，乃從趙家堡中帶來的一把普通兵刃。

只見那樵夫霍然站起，身子一轉，右手揮出，直向容哥兒劍把抓去。

容哥兒心中暗道：「我如不讓他們取出佩劍，只怕難免要鬧出不歡之事，不如忍上一忍了。」心念一轉，肅立不動。

那樵夫右手探去，輕輕易易地抓住容哥兒的劍把，嗆地一聲，長劍出鞘。

白衣人一皺眉頭，道：「閣下倒是沉著得很。」

容哥兒道：「在下心中一片坦蕩，自然沉著得很了。」

白衣人不答覆容哥兒之話，卻望著那樵子說道：「點他穴道，看他還不還手。」

這時，在座的王子方、趙天霄、田文秀只瞧得個個大感不安，只覺此事誤會已成，一時間想不出排解之法。

那樵夫應聲出手，向容哥兒前胸點了過去。

容哥兒身子一側，身未離位地避開一擊，道：「老前輩既已對在下生出懷疑，在下亦不便在此停留了，就此別過。」抱拳一揖，離座向室外行去。

白衣人右手一揚，道：「老五，擋住他！」

但見人影一閃，那頭戴瓜皮小帽，枯瘦如柴的矮子，已然擋在門口。

容哥兒一聳劍眉，停下了腳步。

王子方低聲說道：「趙堡主，你得出面排解一下，不能出了事情。」

趙天霄緩緩站起身子，抱拳對白衣人一揖，道：「老前輩請暫息雷霆之怒，聽晚輩一言如何？」

白衣人冷漠地說道：「這人是你帶來此地，對老夫如此倨傲，老夫不怪罪於你，也就是了，你還有什麼話說？」

趙天霄道：「這位容兄，千里趕來，旨在相助那王兄奪鏢，他少不更事，甚少在江湖之上走動，有得罪老前輩之處，亦望老前輩賜予諒解。」

白衣人道：「姓容的娃兒是束手就縛呢？還是要我們動手？」

容哥兒心頭火起，怒聲說道：「在下不願束手就縛。」

雙鳳旗

白衣人道：「老五，點他穴道。」

那頭戴瓜皮帽的瘦矮子，應聲出手，一指向容哥兒的前胸點去。

容哥兒一閃身，避了開去，卻未還手。

那瘦矮子道：「好身法。」左手一抬，食、中二指點向容哥兒的右肋。

容哥兒怒聲喝道：「逼我反擊了！」右手一指反向那矮子手腕抓去，兩人立時展開了一場激烈的搏鬥，王子方呆在當地，看兩人搏鬥得十分凶惡，心中大為不安，忖道：「萬一那容哥兒敗下陣來，我是否該出手助他呢？」

他老於江湖事故，已知今日之事，容哥兒絕無僥勝之理，縱然能夠勝得這矮子，那白衣人絕不會就此罷手，除非容哥兒能夠一氣打敗目下所有高人，絕難安然離此。

激鬥中，突然那矮子大喝一聲「小心了」，拳勢突然一變，右拳左指，攻勢更見猛惡。

容哥兒施展突穴斬脈的手法，逼得那矮子半途收招。

那瘦矮子又連攻了數十招，始終不能傷到容哥兒，不禁心中大急，招數一變，攻勢更猛惡，重重掌影指風，直向容哥兒壓擊下來，容哥兒頓時被逼得險象環生。

王子方目睹容哥兒避開那矮子幾招猛攻，且都是在一瞬之間，心中大是擔憂，那矮子攻勢愈來愈強，手法也愈見惡毒，這孩子如是再不肯施下毒手反擊，身法雖妙，也無法避開那矮子亂雨飛蝗一般的連鎖攻勢。

王子方暗道：「唉！當真是少不更事，這等險惡局勢之下，生死須臾之間，還要保持什麼風度。」

正自擔心間，突然一聲悶哼傳了過來，兩個纏鬥的人影，突然分開。

這一招交接快速，室中群豪大都未看清楚是怎麼回事。

只見容哥兒一抱拳，道：「承讓了。」

燈火下，只見那矮子面紅耳赤，默然不響地退到一側。

白衣人突然縱聲而笑，道：「果然是英雄出少年，老夫親自來領教幾招。」

左手一按桌面，呼的一聲，身子直飛過來，腳落實地，剛好站在了那矮子騰出的位置上，冷冷接道：「少年人有此武功，當真是可喜可賀，如若你能再接我十招，就可以離開此地。」

容哥兒心中暗道：「接你十招，大概是不會有困難。」

當下一挺胸，道：「老前輩一定要考量一下晚輩的武功，晚輩只好捨命奉陪了。」

白衣人不再多言，右手一揚，拍出一掌。

容哥兒右掌推出，硬擋一擊。

兩股強猛的掌力一觸，容哥兒忽覺一股寒意透體而入，不禁打了一個寒顫。

白衣人微微一笑，道：「老夫的掌力如何？」

容哥兒怒道：「十分陰險惡毒。」

白衣人道：「罵得好。」呼的一聲，又劈過來一掌。

容哥兒知他掌力之中，暗蘊奇寒，不敢再硬接他的掌勢，橫跨三尺，避開一擊。

白衣人陡然欺進，雙掌一齊拍出，右掌擋住了容哥兒閃避之路，左掌卻攻向容哥兒的前胸要害。

原來容哥兒已經退到了木桌之旁，左面退避之路被封，右手已近席位，已是無可再讓，除了硬接這一掌之外，已無別的辦法，只好力貫右手，迎出一掌。

雙掌接實，響起了一陣砰然大震，容哥兒全身一陣顫抖，伸手扶住了桌子，才算把身體穩住。

王子方大吃一驚，顧不得激怒那白衣人，霍然站起身子，扶住了容哥兒道：「你傷得很嚴重嗎？」

容哥兒嘴角泛現一股淒涼的笑意，道：「我冷得很。」

王子方伸出右手，抓住了容哥兒的左手，微覺有點冰意之外，別無不同之處。

白衣人淡然一笑，道：「王總鏢頭，可知他詳細來歷嗎？」

王子方道：「雖非詳知他的身世來歷，但他絕非我們敵對之人。」

白衣人道：「在未能了解他出身之前，只好先委屈他了，王總鏢頭不用再說。」

田文秀大步走了過來，一把抓住王子方的右手，說道：「白老前輩說得不錯，王鏢頭不用再管容哥兒的事了。」

王子方轉頭望了田文秀一眼，緩緩放下了容哥兒，退回原位。

這時，容哥兒仍然全身打顫，齒牙相擊，啪啪作響，但卻已不聞呼吸之聲。

只見那白衣人舉手拍了兩掌，兩個佩帶兵刃的灰衣大漢，魚貫而入。

白衣人一指容哥兒道：「把此人送入冰牢之中好好看管，但卻不能傷他的性命。」

兩個灰衣大漢應了一聲，抬起容哥兒，出了石室。

白衣人望了趙天霄一眼，道：「我記得曾要你召集西北道上武林人物，集會趙家堡中，可曾召集了嗎？」

趙天霄道：「因時間倉促，而來敵勢力過強，一般武林同道，難以派上用場，因此，晚輩

只在暗中召請了部分人手，悄然集聚於趙家堡中，聽候差遣。」

白衣人目光轉動，望那兩個青衣老人和樵夫一眼，道：「為了西北武林道上寧靜，為了咱們五兄弟的威名，為兄決定重出江湖，不知四位賢弟意下如何？」

那樵夫、矮子和一個青衣人，齊齊欠身說道：「大哥議定，我等是無不遵從。」

白衣人道：「三位賢弟既然都無意見，咱們就這樣決定了，我已早和老二談過，不用等他了……」目光轉到申、郭兩人臉上，道：「兩位是否願意出山，悉憑自決，兄弟是絕不勉強。」

那姓申的藍衫老人，緩緩說道：「在下要和郭兄商量一番，才可決定。」

白衣人道：「兩位恭請尊便。」

那藍衫老人，目光轉注到駝背布衣人的身上，暗施傳音之術說道：「大光兄，此刻咱們可是個生死同命之局，必得行動一致才行。」

那駝背人微微一笑，道：「子奇兄說得不錯。」

申子奇又用傳音之術，說道：「雪鵰白英，一向任性自負，雖然隱居了二十年，但我看他那躁急之性是絲毫未變，咱們如不應允出山，今日只怕是難有善果。」

郭大光笑道：「一切由兄作主，兄弟聽命就是。」

申子奇目光轉到那白衣人的身上，道：「好！咱們願助白兄一臂之力。」

白衣人冷然一笑，道：「此事關係著我們西北武林道的興衰，並非我太白五兄弟的私事。」

申子奇道：「西北道上，自太白五俠出道後，還有何人掩過你五俠之名，你們太白五俠，也就代表了西北數省武林同道了。」

白衣人微微一笑，道：「好說，好說。」

只聽一陣步履之聲，那花白長髯的青衣老人，緩步行了進來。

那白衣人迫不及待地問道：「老二，情形如何？可找出一點頭緒？」

那花白長髯青衣人，乃太白五俠中的老二，名叫連三少，不但武功高強，而且極善醫道。

只見他搖搖頭，道：「有負大哥厚望，那人不是藥物所傷。」

白衣人一皺眉頭，道：「不錯嗎？」

連三少道：「小弟已細心查看過了，不會有錯。」

白衣人仰起臉來，緩緩說道：「一個人不知切膚斬肢之痛，不是藥物迷去神智，使其忘了痛苦，竟能行若無事，那是不可思議的事了。」

連三少道：「小弟亦覺得奇怪，諸位請想想看，是否會有一種武功，使人忘去痛苦？」

郭大光突然接口說道：「白兄，連兄談起此事，兄弟也想起一件事來。」

連三少道：「什麼事？」

郭大光道：「兄弟在長安城中，夜覓敵蹤，無意中瞧到了一場很激烈的惡鬥，雙方各有十餘人，分對惡戰，有一方曾被殺傷甚多，斬腰、斷臂，但卻始終不聞人聲慘呼呻吟，仍然揮動著兵刃，苦戰不休，除非是傷中要害而死，兄弟走了數十年的江湖，可是從未見過那等亡命剽悍的打法……」

那白衣人似乎聽得十分用心，接道：「以後呢？哪面勝了？」

郭大光道：「他們大都穿著夜行衣服，在下也無法分辨出雙方的人手區別，暗中瞧了一陣

之後，起身而去。」

申子奇突然接口說道：「怎麼？你沒有瞧他們分出勝敗嗎？」

郭大光道：「沒有，那是一場武林中從未見過的慘烈惡鬥，看得人觸目驚心，大感不忍。」

白衣人道：「這就是了，長安城中，有兩股實力龐大的神秘集團在衝突纏鬥。」

趙天霄道：「萬上門和另外的神秘人物，在暗中衝突。」

白衣人道：「諸位之中可有人見過那萬上門主嗎？」

趙天霄道：「晚輩見過一次。」

白衣人道：「他形貌如何？是男是女？」

趙天霄道：「他出現白煙彌漫之中，若隱若現，使人見過後，印象仍很模糊。」

白衣人道：「難道你記不起一點特徵嗎？」

田文秀插口說道：「據在下所知，有一個人見過那萬上門主的真面目。」

白衣人道：「哪一個？」

田文秀道：「容哥兒，被老前輩寒冰掌所傷的人。」

王子方暗道：「這田少堡主果然聰明，他並不求他放人，但卻在重要當口，很自然的接一句話，卻是力量很大。」

白衣人一聳兩道白眉，道：「你怎麼知道他一定曉得？」

田文秀道：「他親口告訴在下，見過那萬上門主。」

白衣人略一沉吟，道：「那人來歷不明，說的話豈可聽信？」

言罷，轉臉和那申子奇低聲相商，不再理會田文秀。

王子方有如爬在熱鍋上的螞蟻一般，雖然他盡力想保持平靜，但卻一直無法掩得住內心的焦慮之情。

田文秀輕輕一扯王子方的衣袖，低聲說道：「王老前輩請放寬心，鎮靜一些。」

且說兩個灰衣人，抬著容哥兒到了一處隱秘的石室之中，把容哥兒放在一座木榻之上，左首那灰衣大漢，低聲說道：「你去把風，如有人來，立刻用暗語通知我一聲。」

右首那灰衣人點點頭，閃出石室。

留在室中的灰衣人，探手從懷中摸出一個玉瓶，倒出一粒紅色的丹丸，投入容哥兒的口中。那紅色丹丸，乃專門救治寒冰掌力所傷的丹丸。

對症下藥，見效奇速，不過片刻時光，容哥兒已悠悠醒了過來。

那灰衣人不待容哥兒開口，已搶先說道：「你傷得很重，但已服過專解寒毒的靈丹，休息兩個時辰，就可以復元了。」

容哥兒道：「你是誰？為什麼要救我？」

那灰衣人探手從懷中摸出一個銀牌，托在掌心，道：「你現在明白了吧！」

容哥兒見了那銀牌之後，心中更是糊塗，但他已然有所警覺，連續的驚險際遇，已使他閱歷漸增，當下微一點頭，不再言語。

那灰衣人收了銀牌，低聲說道：「我不便在此停留，你只管安心在此養息，天色入夜之後，我自會帶來食用之物給你。」

容哥兒不敢多言，生恐露出馬腳。

那灰衣人向前走了兩步，又回過頭來說道：「那雪鵰白英，爲人十分多疑，也十分警覺，你在此地，不可亂跑。」

容哥兒點點頭，應道：「記下了。」

那灰衣人仔細打量了容哥兒兩眼，才啓門而去，砰然一聲，又把石室關上。

石室只餘了容哥兒一個人。

他暗中運氣一試，只覺真氣暢通，大傷竟已無妨，不禁長長吁一口氣，想這不足一個時辰的際遇，當真是如夢如幻。

突然間，心中一動，暗道：「那兩個灰衣人定然是把我當做同黨，才暗中救我，可是我一點內情不知，他們稍一盤問，就難免要露出馬腳了……」忖思之間，室外突然響起一陣拍門之聲。

容哥兒雖已試出真氣暢通，但武功是否已經復元，自己亦不知道，一面運氣戒備，一面悄然坐在一張木椅上。

那室外人拍了一陣，不聞室中有人相應，停手而去。

容哥兒緩緩吁一口氣，揚手一掌，向石壁之上擊去。

一股掌風，擊在石壁之上，響起了強烈的回聲。

容哥兒眼見武功未失，心頭大慰，伸手向懷中一摸，那至尊劍仍然好好的放在懷中，心中更慰。暗道：不論那兩個灰衣人何許人物，對自己總算有過救命之恩，日後，也該對他報答才是。他這段時日中，雖然經歷了很多奇奇怪怪的事，但如談江湖閱歷，仍然是見聞甚少，對江

湖的險詐，也是所知不多，他只想到了兩個灰衣人救他的用心何在？

容哥兒呆呆地坐在石室之中，不知過去了多長時間。

忽聞石門呀然而開，兩個灰衣人急急行了過來。

這石室中高燃著一盞松油火炬，景物清晰可見。

容哥兒仔細打量那兩個灰衣人一眼，只見兩人面色慘白，不見一點血色，心中暗道：「大概這是常年住在這雪谷石室之中，不見陽光所致。」

只聽那當先灰衣人說道：「那雪鵰白英，不知為何，忽然改變了主意。」

第二個灰衣人接道：「要我們立刻帶你去見他。」

容哥兒略一沉吟，起身說道：「兩位不用為難，在下去見他就是。」

那第一個灰衣人道：「這樣不行。」

容哥兒道：「為什麼？」

那第二個灰衣人道：「你仍要裝作為他寒冰掌力所傷，暈迷不解人事。」

前一個灰衣人接道：「我們偷了他的解藥，他不知道，如果你裝得不像，露出馬腳，咱們三人都別想活了。」

容哥兒道：「好吧！就依兩位之見。」一閉氣，緩緩躺了下去。

兩個灰衣人把容哥兒抬到一處頂垂瓔珞的石室中。

只見雪鵰白英端坐在緊靠後壁處一張太師椅上。

兩個灰衣人放下容哥兒，齊齊欠身說道：「容哥兒帶到，恭請谷主發落。」

雪鵰白英望了容哥兒一眼，道：「把他救醒過來。」

探手從懷中摸出一個玉瓶，倒出了一粒丹丸，緩緩說道：「餵他服下。」

容哥兒神智雖然清明，也只好裝出暈迷之狀，丹丸入口後，自化玉液流入咽喉。

雪鵰白英微閉雙目靠在太師椅上，似是在構思一件大事。

容哥兒知那雪鵰白英眼光銳利，洞察細微，神智雖然清明，但卻不敢睜開眼睛瞧看。

只聽雪鵰白英緩緩說道：「他醒了沒有？」

左首灰衣人輕輕在容哥兒頭頂之上，拍了一掌，道：「醒過來了。」

容哥兒睜開雙目，瞧了四周一眼，挺身坐了起來。

雪鵰白英冷笑一聲，道：「那寒冰掌的滋味如何？」

容哥兒道：「不過如此。」

雪鵰白英道：「你很倔強。」

容哥兒道：「大丈夫生死何懼。」

白英沉吟了一陣，道：「你見過那萬上門主？是嗎？」

容哥兒心中暗道：「他突然如此問我，不知是何用心？」

口中卻緩緩應道：「見過一面。」

白英道：「那人形貌如何？是男是女？」

容哥兒沉吟了一陣，道：「閣下可是認爲我是萬上門中人？」

白英道：「此刻還很難說，也許你是屬於另一股神秘集團中人。」

容哥兒霍然站起身子，道：「我容某人就是容某人，和天下任何人無關，你信也好，不信

也好，在下言盡於此了。」

白英白髯無風自動，顯然心中十分激怒，冷哼一聲，道：「你可認爲老夫無法逼你吐露實情？」

容哥兒緩緩探入懷中，摸出了至尊劍，握在手中道：「老前輩再三相逼，在下是不得不放肆了。」緩緩後退了兩步。

白英望了容哥兒手中的至尊劍一眼，冷冷地問道：「你手中是什麼兵刃？」

容哥兒道：「寶劍。」

白英眼光轉動，瞧了兩個灰衣大漢一眼，道：「你們退到室門口處、擋住石室門，此人劍法，恐怕要比他拳掌高明多了。」

兩個灰衣大漢，恭恭敬敬行了一禮，退到室門口處。

容哥兒心中暗道：「坦蕩君子，甜蜜小人，因爲這兩個灰衣人是來此臥底的奸細，所以，對他特別恭順敬重。」

忖思之間，耳際間已響起了白英的聲音，道：「你準備好了？」

容哥兒抬頭望去，只見那白英早已離開了座位，站在自己身前四、五尺處，雙目中神光如電，逼注著自己，當下應道：「閣下儘管出手。」

白英冷笑一聲，緩緩一掌，拍了過去。

容哥兒知他掌力之中，蘊有奇寒，不能硬接，也不能讓他擊中，縱身一躍，閃開數尺。他吃過一次苦頭，心中餘悸猶存，眼看白英一掌劈來，駭然而避。

白英微微一笑，左手一揚，疾快地劈出一掌。

這一掌來勢勁急，一股狂飆，掠著容哥兒側身而過。

容哥兒隱隱感覺到，那掠過掌力之中，含著一種寒意。

白英一掌劈空，右手一揮，又一掌劈了過來。

容哥兒心中畏懼他的掌勢，看他手掌一動，立時閃身躍避，手中空有寶劍，竟然不知反擊。

白英哈哈一笑，道：「看閣下拔劍手法，劍術當是不錯，何以不見揮劍反擊？」

容哥兒借他說話之機，陡然欺身而進，唰唰唰連攻三劍。這三劍一氣呵成，凌厲無比。

雪鷗白英吃那容哥兒一輪急攻，竟然被迫得連退三步，才算把三劍避開。

容哥兒劈出三劍之後，霍然退後兩步。

他已吃過白英寒冰掌的苦頭，生怕再中他一掌。

雪鷗白英冷笑一聲，道：「閣下的劍招很快。」

容哥兒冷笑一聲，道：「你那寒冰掌的威力很強。」

兩方相對而立，對峙良久，雪鷗白英突然揚手一掌，劈了過去。

這一掌蓄勢而發，威勢甚強，一股寒飆，直捲過來。

容哥兒心中有了戒備，突然向旁側一閃，讓避開去。

他雖然避開了掌勢，但仍然感到一股冷飆掠身而過。

心中暗自吃了一驚，忖道：「這人的掌力，果然是驚人得很。」

白英右掌一揮，又是一掌，劈了過來。

容哥兒對他那寒冰掌力，實有幾分畏懼，看他掌勢一掃，急急閃開。

雪鵰白英一面發掌，一面冷冷說道：「你們退開，閉上室門。」

兩個灰衣大漢應了一聲，齊齊向後退去，順手把石門帶上。

這時，豪華的石室中，只餘下容哥兒和雪鵰白英兩個。

白英雙掌連揮，不停地發出掌力。

容哥兒一面縱身躍退，一面準備反擊。

白英一口氣劈出了十幾掌，雖然都未擊中容哥兒，但整個石室中，在他寒冰掌力的威勢之下，彌漫著一片寒氣。

容哥兒心知如若再這般纏鬥下去，一個判斷錯誤，就要傷在那寒冰掌下，唯一良策，就是全力逼攻，使他無法施展出寒冰掌力。

心念一轉，欺身而上，至尊劍展開了一輪快速攻勢。

他已吃過寒冰掌的苦頭，心中畏懼很深，這一輪快攻，用出了全身的本領，劍勢輪轉，招招都攻向雪鵰白英必死的要位。

白英果然被容哥兒急如狂雨的劍勢，逼得全力閃避，竟然無法還手。

惡鬥之中，突聞白英大喝一聲：「住手！」

容哥兒收住劍勢道：「閣下有什麼話說？」

雪鵰白英道：「你用的閃電劍法？」

容哥兒暗道：「啊！這人果然是見多識廣，竟然被他瞧了出來。」

當下應道：「不錯，怎麼樣？」

白英道：「昔年閃電劍，在武林名著一時，因這閃電劍，還引起了四大劍派一番爭論，以

後，公認那閃電劍，爲四大劍派之外，另一成就，但這閃電劍並未開立門派，自那武劍秋死去之後，江湖之上，再無人用出閃電劍法。」

容哥兒呆了一呆，道：「你對這閃電劍法的淵源，很是清楚。」

白英道：「昔年在下和武劍秋，有過一面之緣，彼此惺惺相惜，對坐論武，不知東方既白……」語聲微微一頓，道：「你是武劍秋的後人嗎？」

容哥兒緩緩說道：「晚輩姓容。」

白英道：「那就奇怪了，難道閃電劍還有別支不成？」

容哥兒暗道：「看他說話神態，不似謊言。」沉吟一陣，道：「那武劍秋是哪裏人氏？」

白英道：「河南開封府。」

容哥兒心中一動，暗道：「不錯啊！我也是開封府的人氏，難道那武劍秋，真和我有什麼淵源不成？」

只聽白英接道：「老夫雖然只和武劍秋有過一面之緣，但彼此卻一見如故，武劍秋被害之後，老夫亦曾東上開封府訪查他遇害的經過，七日七夜不眠不休，竟未能訪查出一點頭緒，連那武氏的後人，也沒有了下落，老夫爲此，一直耿耿於懷，二十年來，很難安心。」

容哥兒心中暗道：「這人和我動手相搏，以命相拚，怎麼忽然和我談起這些事來。」

雪鵰白英眼看容哥兒凝目沉思，不答自己問話，當下道：「閣下何以會閃電劍法，快些說個明白。」

容哥點點頭，低聲說道：「老前輩和在下之間，實有一點誤會。」

白英冷然說道：「你一直不肯說出你的來歷身分，要老夫如何能夠信得過你。」

容哥兒回顧室外一眼，低聲說道：「那兩個灰衣大漢，跟隨老前輩很久了嗎？」
雪鵰白英道：「你說此話用心何在？那兩人都是追隨老夫數十年的心腹。」
容哥兒心中暗道：「這就奇怪了，難道二十年前，那個人已經派人在白英身邊臥底？」
只聽白英冷冷說道：「兩個灰衣人可有背叛老夫之處嗎？」
容哥兒一皺眉頭，暗道：「兩人在門外，你講話如此之重，豈不被人聽到了嗎？」
那白英不聞容哥兒回答，不禁怒聲說道：「年輕人吞吞吐吐，毫無英雄氣概。」
容哥兒道：「老前輩久在江湖走動，想不到竟是這等魯莽。」
雪鵰白英冷笑道：「二十年來，從無人敢對老夫這般說話。」
容哥兒道：「這本是一件隱秘之事，但老前輩這一嚷，卻是無人不知了。」
白英突然高聲喝道：「你們進來。」
石門呀然，兩個灰衣人，緩緩走了進來。
白英目光一掠那兩個灰衣大漢，道：「你們跟我多少年了？」
兩個灰衣大漢齊聲道：「咱們追隨東主，二十餘年了。」
白英道：「老夫待你們如何？」
兩個灰衣人齊齊應道：「恩威並重。」
白英冷冷說道：「你們可知老夫對叛徒的手段嗎？」
兩個灰衣人齊齊應聲道：「知道得很清楚。」
白英道：「但你們仍敢背叛老夫？」
左首那灰衣人道：「二十餘年來，我等一直追隨東主身旁，忠心耿耿，此話從何說起？」

容哥兒心中暗道：「好厲害的角色，如非我親身經歷，只怕別人說給我聽，我也難信。」

只聽右面那灰衣人接道：「屬下想來，定然有人在東主之前，進了讒言？」

白英目光一掠容哥兒，道：「老夫當你之面質問兩人，不知你的感覺如何？」

容哥兒心中暗道：「這兩灰衣人既然被我揭破了身分，心中對我怨恨甚重，而且亦可確定我非他們一黨，這兩人如若不能囚禁起來，此地中群豪聚議之事，立時可傳遞出去。」

心念一轉，抱拳對兩人一揖，道：「在下先謝過兩位救命之恩。」

兩個灰衣人冷冷說道：「我等奉命行事，閣下要謝，也該先謝我們東主。」

容哥兒暗道：「厲害啊，厲害！這兩句話，輕描淡寫，但卻把本身干係，推得一乾二淨。」

白英道：「不錯，他們救你，是奉我之命，就在此室，當場服下丹丸。」

容哥兒暗道：「事已至此，只好照實而言。」

當下把兩人帶自己行入一座密室，相救經過等情，很仔細地說了一遍。

他口中述說經過，心中卻想到兩人救命之恩，心中大是難過。

轉眼望去，只見兩個灰衣人，神色鎮靜，毫無慌亂不安之狀。

白英原已蒼白的臉上，更顯得蒼白，充滿著殺機的目光，一掠兩個灰衣大漢，道：「他說的歷歷如繪，那絕然不會是謊言了。」

兩個灰衣大漢，相互望了一眼，左面那灰衣大漢說道：「咱們追隨了東主二十多年，東主不肯信任我等，卻相信那人的無稽之言。」

雪鵰白英冷冷說道：「如若他說的不是實言，他如何能知那密室情形？」

右面那灰衣大漢接道：「也許東主的屬下，有了內奸。」

容哥兒說出了兩人內情，心中甚是不安，別人伸手相救，自己卻恩將仇報，說出了兩人之密，雖然事關天下武林大局，但想來總是有愧於心。

但眼見兩人舉止的陰沉，不但一口推拒，反而從中挑撥是非，不禁心中大怒，暗道：「這兩人心地如此堅詐，當真是險惡人物。」

冷笑一聲，道：「兩位倒是推得乾淨！」

右首那大漢冷冷說道：「閣下和我等無怨無仇，爲何血口噴人！」

容哥兒冷冷說道：「兩位的裝作功夫，實叫人佩服得很，在下雖然感謝兩位相救之恩，但此事關係武林大局，不能因容某的私情害了武林大事，至於兩位相救在下之私情，容某日後必有一報。」

一時之間，雪鵰白英竟然不知如何處置，沉吟良久，才緩緩說道：「老夫相信這位相公的話，不會虛假。」

兩個灰衣大漢齊聲說道：「東主既然相信外人之言，屬下只有認罰以明心跡。」

白英冷笑一聲，道：「如是兩位真的背叛了我，豈是認罰就能了事嗎？」

兩個灰衣大漢道：「殺剮任憑東主，屬下等決無怨言。」

白英目光轉動，望了兩個灰衣人一眼，道：「老夫愈想，愈覺得他說的不錯，你們雖然追隨我時日不短，但人心難測，老夫不知此事，那也罷了，知道此事之後，就想到有很多可疑之處了。」

兩個灰衣人緊閉雙目，不言不語。

白英冷笑一聲，接道：「別人不知老夫的手段，你們兩人久年追隨於我，定然是很清楚了。」

兩個灰衣人，齊齊睜開眼睛，望了白英一眼，欲言又止，重又閉上雙目。顯然，兩人心目之中，正有著劇烈的波動，一時間，心中難作主意。

白英輕輕咳了一聲，道：「你們還有機會，以功贖罪。」

左面那灰衣人突然開口說道：「如何贖罪？」

白英道：「你們既可助人，為何不助我，只要你們說了真情實話，告訴我那主腦人物是誰，老夫就饒了你們。」

那右首一個灰衣人，突然哈哈一笑，道：「晚了，咱們追隨東主二十餘年，承蒙厚待，不但未能報答，反而為人所用，心中甚是慚愧，只有一死相報了。」

白英冷冷說道：「老夫不殺你們，你們如何一個死法？」

左首那灰衣人道：「我們吞服了世間最為厲害的奇毒。」

雪鷗白英冷冷說道：「那藥物放在何處？」

兩個灰衣人齊聲應道：「藏在牙齒之中。」

白英臉色一變，道：「當真的吞服下去嗎？」

兩個灰衣大漢突然一瞪雙目，氣絕而逝。

白英蹲下身子，伸手按在兩人心臟之上，良久之後，才站起身子，搖頭說道：「死了。」

容哥兒還劍入鞘，恭恭敬敬地對兩個屍骨作了一個揖，道：「兩位老兄，在下未報救命之恩，只好在這裏謝罪了。」

雪鵰白英突然大步向門口行去。

容哥兒道：「白老前輩意欲何往？」

白英道：「老夫招人把兩具屍骨抬走。」

容哥兒輕輕歎息一聲，道：「如若老前輩這雪谷之中，已有臥底之人，那是絕然不只兩人了。」

雪鵰白英道：「老夫生性暴躁，立法森嚴，雪谷中有人背叛我，那也不足為奇，但這兩人，乃老夫親信，追隨我二十餘載，竟然甘心事敵，想來，實叫人寒心得很。」

容哥兒道：「事已至此，老前輩也不用惋惜了，眼下的緊要之事，是如何善後，如若還有潛在雪谷的奸細，也該設法找出才是。」

白英道：「如何一個找法，倒要請教了。」

容哥兒略一沉吟，道：「老前輩如是對晚輩已無懷疑，在下倒有一拙之見。」

白英道：「願聞高論。」

容哥兒望望兩個灰衣人道：「這兩人死去之事，暫時不要張揚，最好把屍骨藏在老前輩的房中，晚輩仍然回到兩人的臥室中去。」

白英道：「他們兩人已死，還有何人，知你在他們房中？」

容哥兒道：「如是晚輩的推想不錯，這雪谷潛伏之敵，絕不止他們兩人，他們終日隨於老前輩的身側，雖然知曉機密甚多，但要傳出去，卻是大不容易。」

白英點點頭，道：「這點倒是不錯。」

容哥兒道：「因此，在下斷言，除了兩人之外，還有其他之人，晚輩之見，他們誤把我當做自己人，其間必有著陰錯陽差的誤會，這兩人，必然早已把消息傳了出去。」

白英一拍大腿，道：「英雄出少年，果然是不錯。」

容哥兒接道：「如若他們久等不見兩人消息，必然誤會老前輩論談大事，無法分身，或將就潛伏之敵中，送出兩人，救援在下。」

白英道：「如若事情果如所料，閣下真被送走，又該當如何？」

容哥兒略一沉吟，道：「這事要看老前輩了。」

廿二 誘虎出閘

白英道：「看老夫什麼？」

容哥兒道：「如是老前輩旨在查明那雪谷中潛伏之敵，那就在雪谷之外，截下晚輩。」

白英道：「如是老夫希望查明根柢，找出真正的敵人首腦呢？」

容兒哥道：「那就任他們把晚輩送往預定之地。」

白英道：「少年人如此膽氣，可敬可賀。」

容哥兒道：「老前輩過獎了。」

白英道：「適才酒席之上，老夫有所誤會，還望不要見怪才好。」

容哥兒道：「如非老前輩那一掌，我們演不出這場苦肉計了。」

白英道：「容大俠只管放心，老夫自會調度人手，追隨你的左右。」

容哥兒沉吟了一陣，和那雪鵰白英商量好聯絡暗號，大步出室而去。

白英目注容哥兒出室之後，匆匆把兩具屍體收藏在冰窖之中，長長吁一口氣，帶上室門，匆匆而去。

且說容哥兒奔行到兩個灰衣大漢的居留之室，伸手推開室門，四下打量了一眼，才緩緩走

了進去，回手又掩上房門。

他想出此策也不知是否見效，當下盤膝坐在一張木榻之上，暗中運氣調息。

不知道過去了多少時光，突聞石門上輕輕響了三下。

容哥兒用心聽去，並不是和那白英約好的暗號，顯然妙計已逞，有人找了上來，不禁精神一振。但他不知和人聯絡信號，只好置之不理，坐以觀變。

只聽呀然一聲，室門大開，一個身著黑色勁裝，身佩長劍的大漢，緩步行了過來，直到木榻前面。

容哥兒微啓雙目，留心著那黑衣人的舉動。

那黑衣大漢四下打量了一眼，緩緩說道：「天機消長。」

容哥兒心中一驚，暗道：「這定然是他們規定的聯絡信號了。」

情急智生，睜開雙目，伸手一指嘴巴，搖頭不語。

那黑衣大漢怔了一怔，道：「你可是被傷了啞穴？」

容哥兒點點頭，望著黑衣大漢。

那黑衣大漢低聲說道：「周、管兩兄，哪裏去了？」

容哥兒心中暗道：「這人所說的周、管兩兄弟，定然是那兩個灰衣人。」當下伸手指指室外。

那黑衣大漢道：「他們可是被谷主招去了？」

容哥兒又點點頭。

那黑衣大漢，雖然覺得容哥兒有些可疑，但他口不能言，也無法問出所以然來，何況他

又不能在此停留過久，只好說道：「現在，我要出去，谷外已經爲你準備好了代步，但此刻處境，雖然萬分險惡，但只有一段行程，出了這雪谷石府，就安全了。」

容哥兒心中暗笑，不住點頭。

那黑衣大漢又道：「你傷得如何？可否趕路？」

容哥兒心中暗道：「索性好好刁難他一陣，看他如何應付？」搖搖頭默默不語。黑衣大漢略一沉吟，道：「既是如此，在下只有揹著你走了。」

那黑衣大漢也不再多問，抓住容哥兒的雙手一轉，已把容哥兒的身子提了起來，揹在背上，大步向外行去。

容哥兒任他揹著走動始終未發一言，心中卻留心著經過的道路。

黑衣大漢走過一段長廊之後，轉到另一座石室門外，舉手在門上彈了三指。

只聽室中傳出三聲金鐵相擊之聲，打開室門。

這座石室堆滿了食用之物，竟然是一個屯積糧食的倉庫。

一個四十左右的青衣人，緩步迎了出來。

那黑衣大漢把背上的容哥兒，遞了過去，道：「有勞余兄了，要盡早設法把他送出谷去。」

那青衣人接過容哥兒，急步入室，掩上石門。

容哥兒心中暗暗吃驚道：「那雪鷗白英，還在夢中一般，原來這雪谷之內，早已佈滿了內奸，不但人手很多，而且還有著十分嚴密的組織。」

思忖之間，那大漢已把他放在木榻之上，恭恭敬敬地說道：「兄台請委屈一下，兄弟立刻

想辦法把兄台送出谷去。」

容哥兒伸手指指嘴巴，默然不語。

那青衣人對那容哥兒似是異常恭敬，欠身一禮，說道：「兄台請稍候片刻。」

容哥兒點點頭，也不答話，暗中卻留心著那青衣人的舉動。

只見他轉身於堆積物品之中，取過一條蔴袋，緩緩說道：「雪谷出口處，防守十分森嚴，還要委屈兄台，暫時躲在蔴袋之中。」

容哥兒望了那蔴袋一眼，點頭不語。

那青衣人張開蔴袋，放在木床之上，容哥兒雙目盯注蔴袋之上，靜坐不動。

那青衣人怔了一怔，道：「兄台請。」

容哥兒點點頭，仍然靜坐不動。

那青衣人伸手抱起了容哥兒，放入蔴袋之中，緩緩提起蔴袋，把袋口紮了起來。

容哥兒吸一口氣，納入丹田，只覺身體被人扛起來，迅快地奔走在長廊之上。

容哥兒也無法看到走廊上的景物，索性閉上眼睛。

大約過了一盞熱茶工夫之久，突然停了下來。

容哥兒感覺到自已被人交到另一個人的手上，又開始了很快的奔走。

他無法瞧到袋外景物，但寒氣襲來，顯然已經離開了石府，奔行在雪谷之中。

又過了頓飯工夫，那奔行之人，突然停下，容哥兒只覺眼前一亮，袋口打開。

凝目望去，只見一個黑衣大漢，背插單刀，站在身邊。

那大漢對他亦甚恭敬，欠身一禮，道：「請兄台出來吧。」

容哥兒點點頭，仍然靜坐不動。

那大漢呆了一呆，道：「兄台怎不說話？」

容哥兒伸手指指嘴巴，仍然不言不語。

那大漢沉吟一陣，道：「兄台可是被人點了啞穴？」容哥兒點點頭仍不言語。

這時夜色朦朧，容哥兒極盡目力，也不過勉強瞧出三丈多遠，只見那黑衣大漢，伸手從懷中摸出一個火摺子，晃燃之後，握在手中，四下搖動了一陣。

容哥兒心中暗道：「好啊！這些人竟有著如此的周密聯絡。」

那黑衣人手中的火摺子搖動了一陣之後，立時熄去火焰，藏在懷中。

大約過了一盞熱茶工夫，荒涼的郊野中，突然響起了一陣急促的步履之聲。

凝目望去，夜色中只見一條人影，急急向容哥兒等停身之處奔來。

那人來得很快，片刻之間，已到了兩人身前。

容哥兒目光一轉，只見來人一身深色勁裝，背插長劍，臉上戴著一個犬牙外伸的恐怖面具。

那黑衣佩刀大漢，輕輕咳了一聲，道：「月黑風高夜。」

那佩劍的黑衣人道：「殺人放火時。」

容哥兒心中暗道：「這兩句聯絡暗語，當真是殺氣騰騰的盜匪行徑。」

但見那佩刀的黑衣人一抱拳，道：「兄台高姓？」

佩劍黑衣人道：「至高無上君主，遣我而來。」

容哥兒把兩人每一句、每一個字，都聽得清清楚楚，暗道：「原來兩人對答之言，故使牛

頭不對馬嘴，局外人如何得知內情。」

只聽那佩刀人道：「兄弟所送之人，口不能言，身不能動。」

那佩劍黑衣人，突然一伸右手，一掌推在容哥兒啞穴所在。

此人十分高明，出手一擊，正是解啞穴的手法。

容哥兒勢難再裝下去，只好出聲咳了一下，目光轉動，望了兩人一眼。

他心中明白，此刻形勢，隨時可能露出馬腳，講話是越少越好。

那佩劍黑衣人冷冷說道：「還有何處的穴道被閉？」

容哥兒道：「左肋間『帶脈』、『維道』兩處穴道被閉。」

那佩劍人右手揮動，在容哥兒「帶脈」、「維道」二穴上各拍一掌，道：「好了嗎？」

容哥兒緩緩站起身子，冷漠地說道：「多謝解穴。」

那佩刀的黑衣大漢，眼看容哥兒幾處穴道，盡被解開，拱手說道：「兩位保重，在下要回去覆命了。」轉身急奔而去。

荒涼的山野中，只餘下容哥兒和那佩劍大漢兩人。

容哥兒目光一轉，只見那佩劍大漢，雙目一直盯注在自己臉上瞧著，顯然，心中已經動了懷疑，一時大感茫然，不知該如何才好。

正自猶豫之間，忽聽那佩劍大漢冷冷說道：「閣下在哪一位劍主手下聽差？」

容哥兒心中暗道：「他問我在哪一位劍主手下聽差，顯然，那劍主並非一位，不知他們如何一個稱呼，一言答錯，立刻就要露出馬腳來了。」

焦慮之間，突覺腦際間靈光連閃，忽然想起那楊九妹來，當下說道：「兄弟嗎？在三公主

手下聽差。」

那佩劍大漢臉上頓時泛現出一片笑容，說道：「兄弟從未見過兄台，難免多疑，得罪之處，還望兄台多多原諒。」

容哥兒道：「言重了。彼此誼屬同門，豈能談到開罪二字。」

容哥兒一面說話，一面留心著佩劍大漢的神情變化，說到誼屬同門，忽見那大漢一皺眉頭，心知話已說錯，又不知如何修改才是，但只好接了下去，道：「兄弟承蒙相救，在下還未請教貴姓？」

那佩劍大漢緩緩說道：「兄弟在神鷹劍主手下聽差，奉得劍主之命，來此迎接兄台。」

容哥兒心中暗道：「好厲害啊！說了半天，仍是未把姓名說出來。」

心中念轉，口中說道：「三公主和神鷹劍主，一向相處甚洽，還望兄台把姓名見告，兄弟見著三公主時，也好提提兄台大名。」

他自問這幾句話，說得十分得體，既可問出對方姓名，亦可表現自己乃三公主的親信，以提高身分。

只見那佩劍大漢，雙目眨動了一陣，道：「兄弟神鷹七郎。」

容哥兒吃了一驚，暗道：「原來備有代號，不用姓名，幾乎又問出毛病了。」

故作鎮靜，點頭道：「兄弟記下了。」

一抱拳接道：「就此別過。」

神鷹七郎先是一怔，繼而淡淡一笑，道：「兄台可是要回去覆三公主之命嗎？」

容哥兒道：「正是如此。」

神鷹七郎道：「兄弟來此之時，曾得劍主之命，請兄台同往去見劍主一面。」

容哥兒故作沉吟道：「那神鷹劍主可是非要兄弟去一趟不可嗎?」

神鷹七郎緩緩說道：「並非定要兄台一行不可。只是兄弟奉命辦事，那劍主怎麼交代，兄弟就怎麼執行，兄台知道咱們的規戒，兄弟實不敢稍違劍主之意。」

容哥兒道：「既是如此，兄弟也不能使兄台為難，只好相隨一行了。」

他心知此去，無疑是羊入虎穴，稍有差池，立刻就有性命之憂，但想到此行或可揭開一樁江湖的重大隱秘，也只有硬著頭皮去了。

神鷹七郎道：「好，兄弟帶路。」轉身向前行去。

容哥兒緊隨那神鷹七郎之後，向前行去。

這時，他心中思潮起伏，想這月來際遇，實有著如夢如幻之感。

忽然間想到丐幫幫主黃十峰，和那神機堂主陳嵐風之間一番爭執，這兩人對自己的神態，都很誠懇，誰也不似講的謊言，這場紛爭，實叫人無法分辨出誰是誰非，誰在維護丐幫和武林正義，誰是丐幫叛徒。

但覺思緒綿綿，不絕如縷，各種事端，紛至沓來，愈想愈覺得茫茫然，分不明白。

他只管想心事，隨在那神鷹七郎身後而行，也不知行向何處。

但聞那神鷹七郎，說道：「到了，兄台請留此稍候，在下通知劍主一聲。」

容哥兒神智一清，口中嗯了一聲，流目四顧。

只見停身處，似是一座農家，竹林環繞，野花芬芳。

容哥兒心中暗道：「這太白山中一片酷寒，哪來的襲人花香?此地不是一個幽深的山谷，定然是一處四面高峰環繞的盆地。」

這時，那神鷹七郎，已經穿過了一片竹林，消失不見。

容哥兒鎮靜一下心神，開始用心思索，見了那神鷹劍主問他規定的機密暗語，他亦說不出個所以然來，那是非要露出馬腳不可了。

他本能地伸手摸一下懷中的至尊劍柄，心中暗道：「不知那白英是否追蹤而來？」思忖之間，瞥見那神鷹七郎，大步行來，道：「敝劍主有請兄台，入室一敘。」

事已至此，容哥兒也只好硬著頭皮說道：「有勞帶路了。」

神鷹七郎轉身而行，容哥兒緊隨身後。

穿過竹林，只見一片茅舍，散佈在竹林之中。一座居室中，燭火通明。

神鷹七郎行到那燈火高燒的茅舍前面，恭恭敬敬地說道：「啓稟劍主，來人帶到。」

但聞茅舍中傳出來一個清冷的聲音，道：「讓他進來。」

神鷹七郎低聲說道：「兄台自己過去吧。」

容哥兒暗道：「是福不是禍，是禍躲不過。」心念一轉，反而鎮定下來，緩步行入室中。

抬頭看去，只見一個身著黃袍，背插長劍，臉上戴著一個血紅面具的大漢，端坐在一張松木桌子後面。

容哥兒行前一步，欠身一禮，說道：「見過劍主。」

那黃袍人冷冷說道：「你在那三公主手下聽差嗎？」聲態倨傲，禮也不還。

容哥兒道：「不錯。」

心中想道：「此人大概就是神鷹劍主了。」

那黃袍人緩緩說道：「可是那三公主派你混入雪谷的？」

容哥兒道：「在下正是奉命而去。」

黃袍人道：「那三公主遣人進入雪谷，爲了什麼？」

容哥兒略一沉思，道：「三公主吩咐，不能隨便洩漏出去。」

黃袍人道：「你可知老夫的身分嗎？」

容哥兒道：「知道，神鷹劍主。」

神鷹劍主道：「你既知我身分，爲什麼還不肯實說？」

容哥兒道：「在下奉命，不得亂說，還望劍主賜諒。」

神鷹劍主道：「你可知道，只要我一聲令下，立可把你置於死地，亂劍分屍。」

容哥兒道：「在下如果洩漏了，三公主也不會放過在下。」

只聽室外傳入一個宏亮的聲音，道：「玉鷴劍主駕到。」

容哥兒心中暗道：「神鷹、玉鷴，都是猛禽，難道這些劍主之名，都是以飛禽相稱嗎？」

思忖之間，只見一個身著白袍，臉上戴著白色面具，身材細高，背插長劍的人，大步行了進來。

容哥地暗道：「他們不但以飛禽排名，而且衣著也和名稱相配，神鷹穿黃，玉鷴著白。」

只見那玉鷴劍主，步行到桌前，自己拉了一張竹椅，坐了下去，目光一掠容哥兒，道：「這人是誰？」

神鷹劍主道：「三公主的屬下。」

玉鷴劍主兩道炯炯的目光，投注在容哥兒的身上，瞧了一陣，緩緩說道：「這人氣質不

凡，是一位內外兼修的高手，不知三公主，幾時收留了這樣一個人物？」

容哥兒只覺腦際中靈光連閃，想起那楊九妹曾經說過，那無極老人的手下，有著三姊妹、七兄弟，這些劍主，想來定是七兄弟中人物了。

但聞那神鷹劍主說道：「據聞那丫頭近年來日得寵信，雄心萬丈，大肆羅致高手，氣焰不可一世。」

玉鷗劍主突然哈哈一笑，道：「二兄錯了。」

神鷹劍主奇道：「哪裏錯了，小兄所言，俱都是有憑有據的事。」

玉鷗劍主道：「二兄所得，已是數月前的事了，不錯，近年來三公主確然是大得寵信，咱們都瞠乎其後，但她近日在長安城中，受了一次打擊，幾乎全軍皆沒，影響所及……」

突然放低了聲音，接道：「連君父也趕來長安，傳下了令諭，定於後日三更時分，齊集於長安慈恩寺中候命，小弟此來，就是爲通知二兄。」

神鷹劍主道：「丫頭武功不弱，智謀亦強過我等，而且手下亦有著不少出類拔萃的人物，怎會逢到大挫呢？」

玉鷗劍主道：「一則因三公主平日鋒芒過露，諸位兄長，連同大、二公主，都對她有些妒忌，二則，她遇上比她還厲害的對手，自然是要吃大虧了。據小弟所知，三公主屬下精銳高手，一舉被殲，三公主浴血奮鬥，大哥和二公主，都在左近，但卻按兵不動，任令那三公主飽受挫敗。」

神鷹劍主奇道：「什麼人有這等本領，能一舉間盡殲那丫頭屬下高手？」

玉雕劍主道：「萬上門。」

容哥兒心中暗道：「看來萬上和他們衝突十分激烈，萬上門勢力，可能不及他們龐大，但個個都是武林中的精銳高手，是以，這武林中兩大神秘力量，交手之後，萬上門處處占了上風。」

但聞神鷹劍主說道：「這麼說來，那丫頭幾年來辛苦羅致的武林高手，全都被殺死了？」

玉鷳劍主道：「她手下的五女九男，一十四位高手，全都被殺身死，三公主僅以身免，而且她本身亦負傷多處，如非仗憑君父賜贈的靈丹，只怕也要死在那場惡戰之中了。」

神鷹劍主目光轉注到容哥兒的臉上，嘴角間現出一縷獰笑，道：「你都聽到了嗎？你仗憑的靠山三公主，此刻傷勢很重，只怕無能再顧到你了。」

站起身子，直對容哥兒行了過去。

但聞玉鷳劍主說道：「二兄且慢。」

神鷹劍主停下腳步，道：「五弟有何見教？」

玉鷳劍主道：「二兄要殺此人的用心，無非加以滅口，不如把他交給小弟帶去如何？小弟負責，不讓他在三公主面前提起今日之事。」

神鷹劍主兩道炯炯的眼神，盯注在玉鷳劍主臉上瞧了一陣，道：「他還有何大用？五弟要爲他求情？」

玉雕劍主道：「其實二兄早該知道才是。」

神鷹劍主道：「知道什麼？」

玉鷳劍主道：「小弟和九妹的事。」

神鷹劍主哈哈一笑，道：「怎麼？難道你對那丫頭還不死心嗎？」

玉鵬劍主道：「情有獨鍾，那也是無可奈何的事了。」

神鷹劍主淡淡一笑，道：「如論那丫頭的長相，的確是明豔照人，體態風流，算得美人胚子，不過，老大比你捷足先登，你有幾個膽子，敢和老大爲難？」

玉鵬劍主道：「小弟怎敢和老大爲難，只不過此等男女間事，成在雙方，大哥如是早獲芳心，小弟自應退避三舍，但據小弟所知，此刻還未能獲得芳心，這要二兄玉成小弟了。」

神鷹劍主沉吟一陣，道：「也罷，爲兄的就答允此次相求之事，不過，爲兄要先行把話擺在前面，如是日後此人從中挑撥，爲兄可要唯你是問。」

玉鵬劍主笑道：「包在小弟身上……」

目光一掠容哥兒，大聲喝道：「還不謝二大爺饒命之恩。」

容哥兒無可奈何，抱拳一禮，道：「多謝二劍主。」

神鷹劍主冷哼一聲，道：「算你命不該絕，由老五替你求情，如非瞧在五爺面上，今日有得你苦頭吃。」

玉鵬劍主目光一掠容哥兒接道：「咱們走吧。」

容哥兒應了一聲，隨在那玉鵬劍主後面，緩步向前走去，心中卻暗暗忖道：「那雪鵬白英是否跟蹤而來，這等裝瘋賣傻的日子，不知還要過得多久。」

心中念轉，人即隨著玉鵬劍主到了室外。

只見四個身著白衣，背插單刀的大漢，齊齊迎了上來，對著玉鵬劍主行了一禮，兩個當先開路，兩個緊隨在玉鵬劍主的身後相護。

玉鵬劍主落後一步和容哥兒並肩而行，道：「你追隨那三公主很久了嗎？」

容哥兒道：「不過半年左右。」

玉鵰劍主道：「三公主對你如何？」

容哥兒心中暗道：「在他們這個神秘的組織之中，必得會有著一套嚴苛的規戒，管制著龐大複雜的屬下。那三公主對我如何？雖是一句很平常的話，但如答得不對，將是很容易露出馬腳。」

但那玉鵰劍主，在等候回答，勢不能支吾，只好硬著頭皮，答道：「區區自覺被那三公主，當做心腹看待。」

那玉鵰劍主長長吁一口氣，道：「你還要再見那三公主嗎？」

容哥兒暗道：「他如此刻帶我去見那三公主，立時要當面拆穿，但事已至此，只怕是無法推辭了。」

只好說道：「那三公主待我甚重，小的怎有不急於一見之理。」

玉鵰劍劍主道：「好！我設法讓你見她一面。」

容哥兒一抱拳，道：「多謝劍主了。」

玉鵰劍主道：「不過，你要替我辦一件事。」

容哥兒道：「什麼事？」

玉鵰劍主道：「帶一件東西，交給三公主，你是她心腹屬下，自然不會推辭了。」

容哥兒道：「不知那三公主現在何處？」

玉鵰劍主道：「在一處很機密處療傷。」

語聲微微一頓，接道：「說她是住在那裏療傷也好，說她被囚在那裏也好，在她那宿住之

處，防守極是森嚴，凡是探望她的人，都得冒生命之險。」

茫然中不知走了多少路程，那玉鵰劍主停了下來，道：「你叫什麼名字？」

容哥兒隨口應道：「小的麼，叫容大虎。」

玉鵰劍主揚手指著那對面山峰，說道：「你看那峰腰之上，翠竹之中，有一盞高挑紅燈。」

容哥兒凝目看去，果然不錯，在那峰腰之上，有一盞高挑的紅燈，點頭說道：「不錯。」

玉鵰劍主道：「那三公主就囚在那紅燈之下的翠竹林中，那裏有一座小小禪院，三公主就在禪院存放屍骨的塔裏。」

容哥兒道：「知道，劍主要送她什麼物品，可以交給在下了。」

玉鵰劍主緩緩從懷中摸出一個錦袋，說道：「把這錦袋交給那三公主就行了。」

容哥兒在手中掂了一掂，暗道：「分量並不很重，也不知放的什麼物品。」收入懷中，道：「在下此刻就去。」轉身行去。

玉鵰劍主道：「不要慌。」

容哥兒轉過身來，說道：「劍主還有什麼吩咐？」

玉鵰劍主道：「我要點了你的啞穴。」

容哥兒道：「爲什麼？你要我去爲你辦事，還要點我啞穴，不知是何用心？」

玉鵰劍主道：「因爲我不信你能闖過那重重攔阻，你的機會，只有十分之一，如若你被他們抓住，熬不過酷刑逼供，說出是我主使，在下豈不要受你牽累了嗎？」

但見玉鵰劍主，陡然向前欺進一步，揮手一掌，拍向容哥兒的前胸。

容哥兒閃身避開，道：「且慢動手。」

玉鵰劍主道：「爲什麼？」

容哥兒道：「在下不願你點我穴道，你縱然殺了我也是不行。」

玉鵰劍主道：「如若依你之意呢？」

容哥兒道：「你要有心殺我，那就不用要我送此錦袋，如若你要我送此錦袋，那就不能點我穴道。」

玉鵰劍主沉吟了一陣道：「兩害相權取其輕，你還是送那錦袋去吧。」

容哥兒道：「在下也可以答應你一件事，那就是不論他們如何苦刑相逼，我也不會說出乃劍主指示而來就是。」

玉鵰劍主道：「好！你去吧。」

容哥兒不再多言，向前走去，行了幾步，突聞衣袂飄風，一股暗勁，直向身後襲來。

容哥兒一抬腕，手已握住了劍柄，正想閃身避開，回手擊出，心中突然一動，運氣護住要穴，微微一閃身軀，故意讓那玉鵰劍主擊中，故意打個踉蹌，回頭看去，只見那玉鵰劍主，站在三尺以外，嘴含微笑說道：「閣下傷勢如何？」

容哥兒本想出語反擊，但話到口邊之時，又忍了下去。

抬起雙目，打量了玉鵰劍主一眼，搖首不語。

原來，他忽然覺到那玉鵰劍主指襲之位，正是啞穴，雖然幸而避開，也不過毫釐之差。

玉鵰劍主本來心中還有些懷疑，未點中他的穴道，但見那容哥兒裝作甚像，心中疑慮盡消，哈哈一笑道：「本座點你啞穴，手法極有分寸，你雖然口不能言，但卻不致影響你的身

手，你如能混過那重重護衛，見到那三公主，那丫頭足智多謀，必有救你之策，你如是混不過那重重護衛，被他們殺死，那也算爲公主盡忠，死而無憾了。」

容哥兒心中暗道：「這些人，個個都如蛇似蠍，惡毒無比，江湖上堅詐險惡，果然是一點不錯，那也不用存什麼忠厚之心了。」

想到激怒之處，不覺怒視了玉鷗劍主一眼。

玉鷗劍主冷笑一聲，道：「看你雙目的激忿之情，大概十分惱恨，其實我如不出面救你，此刻，你早已被神鷹劍主亂劍分屍，我把你從必死之中救了出來，再讓你去冒未必就死之險，那也算救你一命了。」

容哥兒也不答話，放腿向前行去，一口氣奔出了四五里路，才停了下來。

回頭看去，夜色中，已不見了玉鷗劍主。

這時，容哥已到那山崖之下，抬頭看去，那紅燈更覺明亮，在夜風中微微晃動。

他凝目沉思了一陣，只覺不冒此險，這一番設計，算白費了心機，事已至此，只好冒險一探虎穴了，也許可以獲得不少內情。

心念一轉，提氣向崖壁之上攀去。

這座崖壁，雖然壁立如削，但因其間生有甚多矮樹怪石，以容哥兒的輕功，攀登並非十分困難。片刻之間，已然登上大半。

那玉鷗劍主，曾經再三警告於他，此處戒備十分森嚴，容哥兒不敢有絲毫大意，停下身來，休息片刻，又向上面爬去。

登上懸崖，眼前是一片密茂的竹林，立時一長身竄入林內。

行到林邊停下腳步，探頭瞧去，果見兩個黑衣人，一個手執長槍，一個手執弓箭，並肩站在一塊大石之上。

容哥兒打量了一下四周形勢，黑衣人據守之地，正是這片峰頂的核心，高挑紅燈，就在兩人身後一株大樹頭，一座小小禪院，就在那大樹之下，除非是把那兩個黑衣人，一舉殺死，決無法逃得過兩人的目光。

思忖之間，瞥見正東方人影一閃，帶起一陣輕微的飄風之聲。

兩個黑衣人耳目十分靈敏，聞聲警覺，高聲喝道：「什麼人？」

容哥兒借那高挑紅燈垂照之光，看得十分明白，那黑影就隱身在兩人停身處兩丈左右的大石之後。

心中暗道：「這人是誰呢？如是雪鵰白英，追蹤而至，早該和我聯絡才是，如不是雪鵰白英，又怎知此內情……」

但見那手執弓箭的黑衣人，彎弓搭箭，嘎地一箭射了出去。

大約他並未發現那人影在何處，射了一箭，高聲喝道：「什麼人，再不現身，我要發動埋伏了。」

容哥兒吃了一驚，暗道：「難道在山峰之上，還設下了機關埋伏不成！」

那隱身在大石後的黑影，似是十分沉著，任那黑衣人恐嚇叫囂，始終是置之不理，恍若未聞。

大約相持一盞熱茶工夫，兩個黑衣大漢，再也忍耐不住，緩步向前行去。

將近那人隱身的大石之時，突然一齊跌摔地上，中了暗算，一擊斃命。

就在兩黑衣大漢跌倒之時，一條人影由石後長身而起，直向那大樹下的小禪院中撲去。這一次容哥兒瞧得十分真切，那人穿著一身黑色勁裝，臉上黑布包起。

那人的身法甚快，兩個起落，已然進入了那小禪院中。

容哥兒心中暗道：「此時不走，更待何時？」縱身而起，直向紅燈之下撲去。

這座小小禪院，除了正殿之外，只有東西兩廂，房中一片黑暗，不見燈火。

容哥兒心中暗道：「那玉鵰劍主，再三警告於我，此地戒備得十分森嚴，怎麼只有兩個守夜之人？」

心中念轉，人卻飛上了大殿屋脊，抬頭看去，只見一個兩人高的石塔，聳立大殿之後。正想飛近那石塔一查究竟，突聞弓弦聲動，兩支管箭，破空而至。

容哥兒一伏身，隱在大殿屋脊之後，探頭望去，只見兩個手執弓箭的大漢，並肩站在大門旁側。

不禁心中一動，暗道：「糟糕！難道已經陷入了埋伏之中不成。」

心念轉動之間，突見火光連閃，片刻間，亮起了四盞燈籠。

這燈籠光十分強烈，立時間，照亮了整個小小禪院。

只聽冷笑聲傳了過來，道：「什麼人？那屋脊之後，豈是隱身之地？」

容哥兒心中暗道：「此地豈是藏身之所，事已如此，倒不如正正大大地現身而出。」

心念一轉，緩緩站了起來，縱身飛落於庭院之中，說道：「在下嗎？姓容……」

只見人影一閃，暗影中飛出來一個勁裝老者，手中握著一把鬼頭刀，直逼到容哥兒四尺左

右時，才停了下來；道：「這座小小禪院，十分荒涼，閣下到此作甚？」容哥兒心忖道：「他把我當做偷竊一類的盜徒了。」

口中應道：「在下到此嗎？想見一個人。」

那勁裝老者道：「什麼人？」

容哥兒道：「楊九妹，楊姑娘，又號三公主，可在此地嗎？」

那老者呆了一呆，道：「你是誰？」

容哥兒心中暗打主意道：「這四處暗影中，不知還有多少埋伏，這老者似是此地首腦，如能一舉把他制服，他們縱有埋伏，也是不敢發動了。」

心念一轉，緩緩說道：「在下乃三公主屬下……」

那老者臉色一沉，道：「三公主犯了叛君大罪……」

容哥兒接道：「在下此來，只望能見得三公主一面，立刻就走。」

那老者冷冷地打量了容哥兒一眼，道：「可是你殺了老夫幾個屬下嗎？」

容哥兒道：「在下為形勢所迫，實非得已，還望老兄多幫忙。」

突然一伸左手，疾向老者右腕之上扣去。

那老者武功不弱，雖然在驟不及防之下，仍然疾快地一挫右腕，閃避過去。

容哥兒右手一翻長劍，寒芒閃動，連攻三劍。

這三劍快迅絕倫，一氣呵成，老者避開一、二兩劍，卻無法避開追蹤而至的第三劍，正中肘間關節要害。

本來，容哥兒這一劍，原可斬斷那老者一條左臂，但他心知殺了此人，必將招來更多的人捨命圍攻，臨時轉劍平擊，擊傷了那老者的關節。

容哥兒一劍得手，左手隨即探出，抓住了那老者的右腕脈穴，低聲說道：「老兄如若想留得性命，就請幫兄弟一個忙。」

但聞弓弦聲動，幾支長箭，破空而來。

容哥兒右手長劍揮動，擊落了射來的長箭，說道：「老兄如若不下令讓他們停下手來，兄弟只有借老兄的血肉之身，做爲擋箭牌了。」

那老者只好高聲說道：「住手！」果然，四周再無長箭射來。

容哥兒道：「麻煩老兄，帶兄弟去見見三公主如何？」

那老者冷冷說道：「你如想保得性命，還可借此機會逃走。」

容哥兒道：「在下如是怕死，那也不會來。」

語聲轉低，接道：「老兄如是不肯聽從在下之言，可別怪我手下毒辣了，我要先挑斷你一雙腳筋，然後再點你五陰絕穴，使你求生不能，求死不得。」

那老者心中畏怯，但口中卻冷冷說道：「你一定要去嗎？」

容哥兒道：「不錯，老兄別忘了，你此刻生死全在我掌握之中，如有什麼凶險，你老兄總要死在我前。」

那老者回顧了容哥兒一眼，舉步向前行去。

容哥兒心中更加認定，這老者確是守護這座禪院的首腦人物，當下說道：「老兄要帶在下見到那三公主，在下立時放了老兄。」

那老者冷冷說道：「此言當真嗎？」

容哥兒道：「君子一言，駟馬難追，在下出口之言，決無更改，老兄放心。」

那老者不再多言，帶著容哥兒行到大殿後，石塔之前。

一指塔門道：「三公主就在這塔內第三層中，你進去就可以瞧到她了。」

容哥兒飛起一腳踢開塔門，道：「老兄，有道是殺人殺死，救人救活，老兄既然幫了兄弟的忙，還望能夠一幫到底。」

那勁裝老者冷冷說道：「我帶你來此就是，還要如何幫忙？」

容哥兒道：「這塔內可有埋伏？」

那勁裝老者搖搖頭，道：「沒有。」

容哥兒道：「那就有勞老兄帶路了。」

那老者無可奈何，只好當先行入塔中。

容哥兒回手關上塔門，伸手點了那老者兩處穴道，說道：「屈駕在此稍候片刻，在下去見過那三公主，再放老兄不遲。」

那老者啞穴亦被點中，有口難言，只好望著容哥兒向上行去。

夜色幽深，塔中更見黑暗，容哥兒摸索登上了第三層，低聲叫道：「三公主。」

但聞暗影中一個柔柔的聲音應道：「什麼人？」

容哥兒和那九妹見面不多，無法分辨她的聲音，當下說道：「在下姓容。」

顯然，那暗影中人，吃了一驚，接道：「你姓容？」

容哥兒已然欺身近前，低聲接道：「不錯，你是楊姑娘嗎？」

那女子不答容哥兒的問話，說道：「這第三層塔中，燈光不會外洩，你點燃火摺子。」

容哥說道：「可惜在下未帶此物。」

忽見火光一閃，一人應聲說道：「我有。」第二層中，大步行上一人。

容哥兒吃了一驚，暗道：「原來這第三層中，竟然早已藏了人。」

借著火光望去，只見一個身著玄裝，蓬頭垢面的女子，雙手被一條白色的素索捆著，倚在壁間，半坐半臥。

再看那舉火摺子的人，一個黑色勁裝，背插長劍，臉上也戴著黑色的面罩。

那黑衣人左手舉著火摺子，右手一翻，拔出背上長劍，寒芒顫動，直向那女子手上報捆的白色索帶挑去。

鋒利的寶劍，挑在那白素索之上，竟然是毫無效用。

容哥兒手握長劍，冷眼旁觀，只要那人稍有傷到楊九妹之意，立時將出手施襲。

但聞那蓬髮女子說道：「這白索乃天蠶索，五哥不用費心了。」

那黑衣人還劍入鞘，揭去臉上黑紗，露出了蒼白的面孔，道：「九妹何以知是小兄？」

那女子微一擺頭，抛開了覆在面上的長髮，道：「此地凶險異常，五哥不用在此停留了，快些去吧！」

這時，容哥兒已從兩人談話之中，和那男子的聲音中聽出，此人正是那玉鵰劍主，心中暗道：「原來他竟親自趕來。」

緩緩從房中摸出錦袋，兩手送了過去，說道：「屬下受玉鵰劍主之托。」

那黑衣人冷然一笑，伸手接了過去，道：「現在不用了。」

容哥兒心中存疑盡消，確定此人果是那玉鵰劍主。

但聞玉鵰劍主緩緩說道：「你既知此地凶險異常，當知小兄來此所冒之險了。」
楊九妹道：「小妹感激不盡，此次如能死裏逃生，必不忘五哥這番情意。」
玉鵰劍主突然向前行了兩步，道：「九妹，你還能行動嗎？」
楊九妹訝然道：「你想帶我離開此地？」
玉鵰劍主道：「天涯海角，何處不可以安身立命，咱們走吧？」
楊九妹搖頭說道：「君父耳目遍天下，咱們逃不了的，五哥早些走吧！這番盛情，小妹領受了，如若不死，日後自有報答。」
玉鵰劍主道：「我冒死而來，如若不能救你……」
說到此處，火摺子已經燃完，一閃而熄。塔中，立時恢復了一片黑暗。
只聽楊九妹低聲說道：「武林之中，從沒有一個人，能有著君父那等手段，要逃走，咱們只有一條路。」
玉雕劍主奇道：「哪一條路？」
楊九妹道：「死，除了死亡之外，咱們無法躲過一日，行出百里，必將為君父所擒。」
玉鵰劍主奇道：「為什麼呢？」

廿三　居心叵測

楊九妹道：「你知道君父飼養的一對飛鷹，和四隻靈犬嗎？」

玉鵰劍主道：「自然知道。」

楊九妹道：「這就對了，過去我也曾心存懷疑，爲什麼我們門下，從無一人能逃過君父追襲，凡是背叛，必被抓回無疑。最近，我才得知內情，原來咱們身上，有著一種特殊氣息。」

話至此處，瞥見火光連閃，隱隱透入塔中。

玉鵰劍主冷笑一聲，突然揮手一劍，疾向容哥兒刺了過去。

容哥兒驟不及防，幾乎被他刺中，急急閃身避開。

但聞玉鵰劍主高聲說道：「你好大的膽子，竟敢來此救人。」

容哥兒長劍疾起，嗆的一聲，架開了玉鵰劍主的長劍，問道：「你說什麼？」

玉鵰劍主看他不但自行解了啞穴，而且，劍上的力道亦是奇猛異常，心中暗自震駭，忖道：「這人不知是何來路，只怕不是楊九妹的屬下。」

心中念轉，口中卻連聲大喝道：「你是什麼人？」長劍疾轉，連攻四劍。

容哥兒右手疾揮，封開四劍之後，展開反擊，回手反攻四劍。

四劍攻勢猛銳，逼得玉鵰劍主連退了數步。

只見火光閃動，一個身著黑衣，手執長劍的大漢，高舉著火摺子，行了上來。

玉鵬劍主一收長劍，退到一側。

容哥兒對眼前發生的事情，有些茫然不解，玉鵬劍主收劍而退，自己亦未追襲。

只見人影閃動，眨眼間，已躍入三個黑衣執劍大漢。

合計四個黑衣大漢，各舉手中長劍，排成劍陣，擋住了那入口，才見一個身著錦袍，留著長髯的大漢，緩步行了上來。

容哥兒凝目望去，只見這大漢未戴面具，臉色赤紅，一臉威重之相。

赤眼大漢，目光一轉，打量了塔中形勢一眼，緩緩說道：「點起火種。」

最右一個大漢，從懷中摸出一支火燭，就那火摺子燃了起來，登時火光大亮，一片通明。

這座小塔，方圓不過一丈，站了七、八個人，占去了大部分地方。

玉鵬劍主冷冷望了容哥兒一眼，欠身對赤臉大漢說道：「見過大哥。」

那赤臉大漢冷哼一聲，道：「你怎會來到此地？」

玉鵬劍主道：「小弟追蹤此人而來。」

赤臉大漢冷冷說道：「五弟行動之間，一向是前呼後擁，今宵怎麼一個人追蹤強敵？」

玉鵬劍主道：「小弟易裝佩劍，準備到那雪谷中去，行途之上，遇見這位夜行人，小弟看他方向似是行來此地，因此，就追蹤而至。」

赤臉大漢一笑，道：「那真是太巧了。」

玉鵬劍主道：「小弟講的句句實言。」

赤臉大漢目光轉到楊九妹的臉上，道：「九妹，你五哥講得對嗎？」

容哥兒心中暗道：「這人大概就是那大劍主了。」
玉鵬劍主兩道眼神，逼注楊九妹，神色間滿是渴望。
楊九妹道：「真假小妹不知，但五哥到此，是不錯的了。」
赤臉大漢道：「他和你說些什麼？」
楊九妹道：「沒有說什麼，只是問明了小妹身傷之後，就和這人動手。」
那赤臉大漢回頭望了容哥兒一眼，冷冷說道：「這人是誰？」
楊九妹道：「小妹的一位屬下。」
容哥兒心中暗道：「這楊九妹的機智，當真是超異常人。」
赤臉大漢目光轉注玉鵬劍主的臉上，道：「五弟，你可是追趕此人嗎？」
玉鵬劍主道：「不是此人。」
赤臉大漢道：「那是說，在這小小禪院之中，還有一位強敵了。」
玉鵬劍主道：「那人身法甚快，小弟追了一陣，人影就消失不見。」
楊九妹接道：「這麼說來，定是萬上門中人了。」
赤臉大漢目注玉鵬劍主，道：「你進入這禪院時，可曾遇上守護禪院之人？」
玉鵬劍主略一沉吟，道：「沒有。」
赤臉大漢冷冷說道：「你怎知九妹因在這座小塔之中？」
玉鵬劍主從容應道，「小弟聽二兄談起。」
赤臉大漢目光又轉到容哥兒的臉上，道：「你到此用心何在？」
容哥兒道：「想救三公主離開此地。」

赤臉大漢冷冷說道：「你一人之力，妄圖此舉，那未免是太自不量力了。」

容哥兒心中暗道：「他們的規矩、戒律，我是一點不知，這應對之間，只怕要露出馬腳了。」

只聽那赤臉大漢，自言自語地說道：「你雖然自不量力，但卻是忠心耿耿。」

目光又轉到玉鵰劍主的臉上，道：「你沒有事，現在可出去了。」

玉鵰劍主應了一聲，還劍入鞘，大步向下行去。

那赤臉大漢，臉色肅然地望著楊九妹的臉上，道：「看在九妹的份上，爲兄的饒他一次就是。」

楊九妹道：「什麼事啊？」

那赤臉大漢緩緩說道：「老五連篇鬼話，還自覺說得天衣無縫，哈哈，其實，爲兄的早已知他來此的用心了。」

楊九妹說道：「五哥來此，用心何在？小妹是無法揣測，不過，小妹所說的到此經過，卻是千真萬確。」

赤臉大漢舉手一揮，對隨來之人說道：「你們下去，守著這座小塔，任何人不許接近。」

隨來之人，齊齊應了一聲，下塔而去。

赤臉大漢，目光轉注容哥兒臉上，冷冷說道：「你怎的還不出去？」

容哥兒望了楊九妹一眼，正待舉步而行，突聞楊九妹喝道：「且慢。」

赤臉大漢一橫，攔住了容哥兒的去路，道：「九妹還有何見教？」

楊九妹道：「這人乃小妹心腹，大哥有什麼事，只管說出就是。」

赤臉大漢沉吟了一陣，道：「九妹還記得爲兄月前講過的話嗎？」
楊九妹道：「小妹此刻身鎖塔中，要我如何答覆大哥的話？」
赤臉大漢還未來得及答話，遙聞塔下一人高聲說道：「啓稟劍主，君父派遣了拘提使者，手執金牌而到。」
赤臉大漢道：「什麼事？」
那塔下之人應道：「拘提三公主，見君父。」
赤臉大漢臉色一變，低聲說道：「君父派遣使者而來，想是事情有了變化。」
楊九妹道：「只要君父能給我申辯的機會，小妹相信，能夠洗雪沉冤。」
目光一轉望了容哥兒一眼接道：「有一件事，要拜託大師兄幫忙了。」
赤臉大漢道：「什麼事？」
楊九妹道：「小妹這位屬下，托大哥照顧了。」
赤臉大漢沉吟道：「我把他帶在身旁？」
楊九妹道：「那就拜託了。」
赤臉大漢道：「這就不勞九妹費心了。」
目光轉注塔下，高聲說道：「有請使者。」
容哥心中暗道：「這人既然稱爲使者，自然是專以拘人的了。」
心念轉動之間，那拘提使者已然登上塔來。抬頭看去，只見那人身子又高又細，全身紅衣，頭上戴了一個二尺多高的白帽子，手中高舉著金牌。
赤臉大漢微一欠身，道：「請使者驗明正身。」

那紅衣人大步行到楊九妹的身前，仔細瞧了一陣，突然揚手一指，點了楊九妹的穴道，高聲說道：「解開枷鎖。」

赤臉大漢道：「那守護此地的護衛，已經為人殺死了。」

紅衣使者陰冷的臉上，泛起了一片肅殺之氣，說道：「什麼人殺了他？」

赤臉大漢沉吟了一陣，道：「現在還未查出。」

那紅衣使者，不再多言，探手從懷中摸出一個錦袋打開，取出一張圖來，就燈火之下，照了一陣，雙手齊出，解開那楊九妹手中的白索，收入懷中，又從懷中取出一把鋼斧，敲斷扣在楊九妹身上的鐵鎖，抱起楊九妹，急奔而去。

直待那紅衣使者去後很久，那赤臉大漢雙目一轉，投在容哥兒的臉上，道：「可是你殺了守護此地的護衛首腦？」

容哥兒搖搖頭道：「我沒有殺他。」

赤臉大漢冷笑一聲，自言自語地說道：「不是你殺的，那是老五殺的？」語聲微微一頓，目光轉注到容哥兒臉上，接道：「你投效三公主手下，有好長時間了？」

容哥兒應道：「半年有餘。」

赤臉大漢道：「這短短半年時光，她怎會對你如此信任？」問話之間，雙目炯炯，逼注容哥兒，顯是心中有著很大疑問。

容哥兒這些時日中，連經凶險磨練，遇事十分鎮靜，當下說道：「三公主交下兩件大事，在下都做得圓滿，故而獲得寵信。」

赤臉大漢道：「只此而已嗎？」

容哥兒道：「在下句句實言。」

赤臉大漢回顧了身後一個黑衣大漢一眼道：「把他改裝一下，掩去本來面目，做爲我的隨從。」

那大漢應了一聲，就懷中取出了易容藥物立時動手。

他動作熟練，片刻之間，已把容哥兒裝扮成一個四十左右的中年人。

赤臉大漢打量容哥兒一陣，道：「你現在改名王傑，乃我心腹隨從人之一。」

容哥兒一欠身道：「在下記下了。」

赤臉大漢接道：「如是三公主能得君父諒容，恕她無罪，我自會把你交還於她，但如不得君父諒容，被置死地，那將又該如何？」

容哥兒道：「大劍主之意呢？」

赤臉大漢輕輕咳了兩聲，不回容哥兒的問話，淡淡說道：「咱們走吧。」當先轉身下樓而去。

容哥兒心中暗道：作他從人，無疑身處虎口，隨時有性命之憂，這人陰沉多疑，口中之言，和心中所思，只怕大不相同。

心中念頭轉動，人卻隨著那赤臉大漢，走出禪院，直向東奔去。

容哥兒暗中留心查看，發覺另外一件奇事，那就是這位大劍主的從人，絕不互相交談，終日相處一起，卻有如陌生路人一般。依序追隨那赤臉大漢之後，放腿奔行。

一口氣奔行了二十餘里，翻越過兩座山峰才停了下來。

容哥兒流目四顧，只見自己停身之處，正是在一道林木旁側。

那赤臉大漢，舉手一揮，幾個隨從之人，魚貫向右面行去。

容哥兒心中暗道：「我隨這些人走，大概不會有錯。」當下追隨幾人身後而去。

行入林中半里，到了一排茅舍前面，四個黑衣大漢，身揹兵刃，來往巡邏，戒備十分森嚴。

那當先帶路之人，正是替容哥兒易容的大漢，只見行到靠南一座茅舍門口，停下了腳步。身後數人，轉入第一座茅舍之中。

這一下容哥兒迷惑了，不知該跟著誰走才是，只好停了下來。藉機打量這一片茅舍，一共有四幢之多。

爲容哥兒易容的大漢，似是已瞧出了容哥兒無所適從的迷惑，低聲說道：「這邊來吧。」

容哥兒道：「多謝指教。」隨在那大漢之後，緩步行入茅舍。

只見茅舍中鋪著很厚的稻草，上面睡滿了人，容哥兒約略估計一下，不下二十餘人，心中暗道：「這算來，這四幢茅舍之中，要有七、八十人了。」

那大漢輕輕一扯容哥兒的衣袖，低聲說道：「這邊來吧。」

容哥兒點點頭，隨那大漢行入茅舍一角。凝目望去，只見空了兩個鋪位。

容哥兒心中忖道：「既來之，則安之，倒要瞧瞧那被稱君父之人，是一位什麼樣的人物？竟然能統率著這麼多武林豪客，使他們一個個俯首聽命。」脫下靴子，登上鋪位。

一面暗做盤算道：「此地我一切陌生，必得交上一個朋友，由他暗中指導，才不致暴露出身分。」

當下對那大漢說道：「小弟一切陌生，以後還望兄台多指教。」

那大漢淡淡一笑，也不答容哥兒的問話，倒頭睡了下去。

容哥兒心中暗自奇道：「這些人似是很怕和同伴交談。」心中納悶，也不再多言，倒在榻上，閉眼養息。

不知過去了多少時間，容哥兒被人推醒，睜眼看時，榻上之人，全已起身穿好了衣服，佩上了兵刃。容哥兒急急穿上靴子，抓起了長劍，佩在身上。

那曾爲容哥兒易容的大漢，低聲說道：「咱們都是劍主的親信，你和我走在一起就是。」

容哥兒道：「多承指教，在下是感激不盡，不知兄台姓名。」

那大漢一皺眉頭，沉吟了半晌，低聲說道：「兄弟周奇。」

容哥兒道：「原來是周兄。」

只聽一聲尖厲的竹哨之聲，傳了過來，二十餘個黑衣大漢齊齊向外奔去。

周奇望了容哥兒一眼，緩步向外行去。容哥兒心中會意，緊隨在周奇身後而行。穿出樹林，到了一片空閒的草地上。

二十餘個大漢，迅速地排成一列橫隊，垂手而立，面對著綠袍紅臉的大劍主，似是等待著示命。

周奇卻舉步行至劍主身後，肅然而立。容哥兒略一猶豫，隨著周奇走了過去。

只見那大劍主兩道森寒的目光，緩緩由一隊黑衣勁裝人臉上掃過，語聲冷漠地說道：「諸位乃本座百位屬下中，最精銳的一隊，向不畏死，從未挫敗，這一戰更是重要，動上手後，務必把對方全都殺死，不許留下一個活口。」

語聲微頓，一招手，道：「柴坤，你過來。」

那一隊黑衣大漢，最左首一人大步行了過來，欠身說道：「屬下柴坤候命。」

赤臉大漢目注柴坤，低言數語。

柴坤點頭應道：「劍主放心。」舉手一招，直向正南奔去。

一隊黑衣勁裝人，緊隨柴坤身後，向前奔去。

容哥兒暗中點了人數，連柴坤總共二十五人。

那赤臉大漢目注柴坤帶去的一隊劍手行蹤消失之後，回顧了周奇和容哥兒一眼道：「你們和我一起去朝見君父。」

周奇垂目應道：「多謝劍主賞識。」

赤臉大漢道：「咱們初更動身，你們先回去，養息一下精神吧。」

周奇欠身一禮，轉過身子行去。

容哥兒得周奇關照，一切跟他行動，緊追在周奇異後，重回茅舍。

容哥兒行入茅舍門內，才聽得周奇說道：「關上木門。」

容哥兒回手掩上木門，道：「周兄……」

周奇回過頭來，兩道精光閃閃的眼睛，逼注在容哥兒的臉上，道：「你究竟姓什麼？混入此地來，有何用心？」

容哥兒不自覺地伸手摸一下背上的劍把，緩緩說道：「周兄這般相問，不知有何用意？」

這時，茅舍中，只餘下周奇和容哥兒兩個人，但那周奇仍是有些不放心地回顧了一眼，道：「那大劍主醉心於楊九妹的美色，一心想討好於她，故而未曾留心到你，但在下冷眼旁觀，卻是瞧出了甚多破綻。」

容哥兒雙目凝注在周奇臉上，瞧了一陣，冷冷說道：「周兄瞧出什麼可疑？」

周奇道：「閣下絕非那楊九妹的屬下。」

容哥兒突然一抬右手，唰的一聲，長劍出鞘，寒芒閃了一閃，長劍重回鞘中。

周奇凝立未動，既未退避，也未招架，直待容哥兒還劍入鞘，才淡淡一笑，道：「好劍法，快如電奔雷閃。」

容哥兒冷然說道：「你爲何不肯退避？」

周奇道：「我料你不敢殺我。」

容哥兒淡淡一笑，道：「爲什麼？」

周奇轉過身子，行上長榻，盤膝而坐，道：「好好的休息吧。晚上去見識一下那統領這一股武林神秘力量的首腦人物。」

容哥兒緩步上榻，盤膝坐下，道：「在下拔劍而出的瞬間，確有殺你之心，周兄以後，最好還是少冒這等危險。」

周奇淡淡一笑，道：「如果你真的一劍傷了我，那派你來此之人，定然是一位愚而剛愎的人物，閣下也是勇而無謀的匹夫，但在下爲你易容之時，已瞧出你是智勇兼備的人。」

語聲微頓，接道：「你很幸運，來此不足三天，就有機會去見那當世武林中最神秘的人物。」

容哥兒聽他口氣，既把自己讚美了一頓，也教訓了一頓，言詞之中，又毫無敵意。

心中暗道：「這人敵友難測，我如再多說話，有害無益，暫時不理會他就是。」當下閉上雙目，不理會周奇。

周奇不聞容哥兒答話，也不多言，閉目靜坐。

兩人對坐調息，不覺間已然入夜。

只聽木門呀然而開，一個黑衣大漢，手端木盤，送來飯菜。

容哥兒看那黑衣大漢放下飯菜之後，轉身而去，不發一言，心中暗道：「這些人雖同爲一人屬下，但卻絕不搭訕，彼此之間，陌生如路人，不知爲了何故？」

周奇拿起碗筷，望了容哥兒一眼，道：「吃吧！」

容哥兒舉筷嘗了兩口，感覺無異味，才放心地吃了起來。

兩人匆匆吃過，那黑衣人又及時而來，收了碗筷自去。

周奇低聲說道：「記住，要步步跟著我，如非遇上非得說話不可的局面，盡量少開口說話。」

容哥兒暗道：「這室中只有我們兩人，這話自然是說給我聽的了。」

當下應道：「多承指教。」突然間，一陣短促哨聲傳了過來。

周奇一躍下榻，道：「上路了。」容哥兒緊隨身後而出。

這時，陰雲滿布，夜暗如漆，山風呼嘯，松濤似海，更增了不少神秘和恐怖的感覺。

周奇老馬識途，疾走如飛。

行到一處岔路，只見那大劍主綠袍佩劍，早已在路中等候。

大劍主冷森的目光，一掠兩人也不說話，大步向前行去。三條人影，閃奔在夜色之中。

行了數里，到了一座高大宅院之前，那宅院孤零零地矗立在群山環繞之中。

大劍主獨步而行，直入大廳。大廳上高燃著四支紅燭，照得一片通明。

容哥兒目光一轉，左面七張木椅上，已然坐了六個人，只空了第一張木椅。

容哥兒心中暗道：「左面七個位置，坐了六人，空著第一張木椅，定然等這位大劍主了，右面三張木椅，坐兩個身穿羅衣的少女，空著第三個位置，那定是那三公主的位置。」

他只顧算計客人的人數、身分，忘了自己。

只覺衣袖被輕輕扯了一下，才如大夢覺醒，轉目望去，周奇正自緩步向後退去。

容哥兒急急追上周奇，並肩向後退去。

容哥兒暗暗吁了一口氣，忖道：「好險啊!好險!一個人越處險境，越得鎮靜，才能洞察形勢隨機應變。」心中暗暗自責，目光左右轉動望了一眼。

只見靠在牆壁處，一排站立十二個人，連同自己和周奇，剛剛十四人，平均起來，一個人有兩位從人。

這時，那大劍主已然緩步走到那左面首位，坐了下去。

只見六位劍主，和兩個公主，齊齊站了起來，對那劍主行禮。

那大劍主正襟危坐，既不還禮，也不言謝。

六位劍主和兩位公主，齊齊對那大劍主行過禮後才落座。

容哥兒心中暗道：「看來這大劍主的身分，在這股神秘的力量之中，所占的比重很高。」

只聽一聲重重咳嗽聲，四個使者，分由兩旁門而入。

四個人一樣的裝束，只是服色不同而已，共分紅、綠、黑、白四種顏色，每人頭上，都戴著一個二尺多高的帽子。

還有一種奇怪之處，四人都又細又高的個子，再加那一身吊客衣著，看上去極是恐怖。只見那四個吊客穿著的使者，緩步行到大廳前面，分站兩側。

容哥兒心中暗道：「四個使者之後，大概就是被稱君父的無極老人。」心念轉動之間，燈光突然熄去。大廳上，一片黑暗，伸手不見五指。

待燈光重又亮時，容哥兒凝目望去，只見那大廳正中處，多了一個來人。

那人一身青衣，坐在一張木椅之上，背對著廳中之人，似是有意使人無法看到他的面目。

只見那大劍主當先站起，對著那青衣人的背影，跪了下去。

緊接著六大劍主和兩個羅衣女子，一齊跪拜下去，說道：「叩見君父。」

只聽一個冷漠清晰的聲音，說：「不用多禮。」

七大劍主和兩個羅衣女子，一起站了起來，道：「多謝君父。」

那冷漠聲音又道：「你們坐下說話吧。」

七大劍主和那兩個羅衣女子，一齊坐了下去。

大廳中突然間靜寂下來，靜得聽不到一點聲音。

容哥兒流目望去，只見那七大劍主，都已經取去臉上的面具，個個都露出本來的面目。

沉默了一刻工夫，那冷漠聲音突然響起道：「玉鵬劍主。」

只見左面一排座位上，第五個應聲而起，抱拳道：「孩兒在此，叩見君父。」

那冷漠的聲音，緩緩說道：「你知罪嗎？」

玉鵬劍主道：「不知犯了哪條戒律？」

那冷漠的聲音，緩緩說道：「你私闖禁地，探望那楊九妹，可有此事？」

玉鷗劍主登時汗水如雨，流了下來，道：「孩兒去追趕強敵，深入禁地，並非有意闖入，還望君父恕罪。」

一陣尖細的冷笑聲，突然響起，震落大廳。

這笑聲並不刺耳、難聽，但卻有一股強烈殺氣，震人心弦。

那玉鷗劍主，雙腿一軟，跪在地上。

容哥兒默查大廳形勢，其餘的六大劍主，和兩位羅衣少女，雖然沒有跪下，但個個身子抖動，顯然十分驚懼。

那笑聲響蕩了足足有一盞熱茶工夫之久，才停了下來。

緊接著又響起那冷漠的聲音，道：「你追趕的強敵，是何等模樣？」

玉鷗劍主道：「全身黑衣背插長劍。」

那冷漠的聲音道：「和你的衣著一模一樣是嗎？」

玉鷗劍主心中緊張，隨口應道：「不錯。」話說出口，已然後悔，但已無法再改。

但聞冷漠的聲音，緩緩說道：「狡言相辯，先行自責二十個嘴巴。」

玉鷗劍主不敢抗命，雙手齊揮，自己打了二十嘴巴，只打得滿口鮮血，順著嘴角流出。

容哥兒心中暗暗奇怪，道：「這些人，只聽到一個聲音就有著如此的畏懼，究竟那背對廳門而坐的青衣人，是否就是君父？在他們如此的畏敬之下，誰也不敢存這種有瀆威靈的念頭，如是能有個人，學得那冷漠的聲音，豈不是輕而易舉的使這七大劍主，束手就擒……」

正思忖間，那冷漠的聲音，重又響起道：「現在從實說來吧。」

玉鷗劍主抬起頭來，瞧了那大劍主和神鷹劍主一眼，緩緩說道：「兒臣說的句句實言。」

那冷漠的聲音微帶怒意，高聲說道：「君父神光如電，豈容爾等謊言相欺，你給我自行斬斷舌頭。」

玉鵰劍主怔了一怔道：「兒臣未犯君父條律，如何要斬斷舌頭？」

那冷漠的聲音接道：「你的膽子很大。」

玉鵰劍主急急說道：「兒臣遵命。」右手一探懷中，摸出了一把匕首，向口中一探，立時鮮血噴出，一截斷舌，隨著烏血，落在地上。

容哥兒凝目望去，那斷舌還在跳動。

冷漠的聲音，重又響起，道：「楊九妹既遭囚禁，豈容探視，你假借追逐強敵之名，探望於她，而且還殺了派在那裏守衛之人，對是不對？」

玉鵰劍主舌頭被斷一半，無法再說話，口中唔呀唔呀亂叫，別人也不知他說些什麼。

只聽那冷漠聲音又道：「大劍主。」

那赤臉大漢急急向前一步，跪了下去，道：「兒臣叩見君父。」

那背對群豪的青衣人，座下的木椅，突然轉動起來，緩緩轉過身了。

容哥兒仔細觀看，只見那人臉長如馬，一雙眼睛，特別圓大，胸前白髯，直垂小腹之下。

心中暗道：「此人相貌古怪，實屬少見。」

那青衫白髯人，兩道目光，凝注到那大劍主臉上，說道：「你知罪嗎？」

赤臉大漢道：「兒臣知罪。」

白髯人道：「你要如何自處？」

赤臉大漢道：「君父之命，兒臣萬死不辭。」

白髯人道：「你知情不報，藐視君父，罪該挖去一目。」

赤臉大漢右手一指，生生把一隻左眼挖了下來，鮮血泉湧，流滿一身，雙手捧著一隻左目，道：「兒臣已遵命挖下一目，敬請君父驗看。」

青衣人右手一抬，一物飛出，正巧打入了赤臉大漢的左目之中，道：「賜你靈丹一粒，歸還原位坐下。」

那大劍主放下左眼，道：「多謝君父。」起身歸座。

容哥兒看到這一幕斷舌挖目的慘景，心中大是驚駭，暗道：「這青衣老人，對自己屬下，就這般殘忍，何況是對敵人了。但看將起來，還是那大劍主為人陰險，他雖然失去一目，但似是並未失去那君父的信任，玉鵬劍主就大大的不同了，他斬斷一截舌頭，但也同時失去了那君父的信任，如若那青衣白髯人，果然是明察秋毫，洞悉內情，定然是軟化在大劍主的馴服之中。」心中念轉，廳中形勢又有了變化。

只見那青衣人緩緩說道：「帶上楊九妹。」

那身著白衣的使者，突然縱身一躍，直向廳外飛去。

七大劍主，和兩個身著羅衣的少女，一個個肅然而坐，神情間，流現出無限畏懼，平日那等趾高氣昂的神態，早已不復再見，一個個有如被送入屠場的羔羊一般，聽候宰割。

片刻之間，只見白衣使者，帶著楊九妹，緩步而入。

白衣使者直行到青衣白髯老人身側，欠身一禮，道：「三公主帶到。」

青衣老人雙目突然一瞪，兩道冷森的目光，逼注到楊九妹的臉上，冷冷說道：「你知罪嗎？」

楊九妹輕提長裙，姿勢優美的跪下去，道：「兒臣知罪。」

青衣老人道：「你一向得我寵信，恃寵而驕，才落得全軍覆沒。」

楊九妹道：「君父如若容得兒臣講話，我有下情稟告。」

青衣老人道：「好！你說吧。」

楊九妹道：「萬上門精銳盡出，兒臣只有數十手下，和他抗招，我雖自知不敵，但也不能當面認輸，只有竭盡全力，浴血苦戰，數十手下，盡皆戰死，兒臣僅以身免，爲功爲過，還望君父評斷。」

這幾句話，說得擲地有聲，那青衫白髯人，凝目沉吟了一陣，道：「你全軍覆沒，有違戒規，自然要按規法行事。」

楊九妹道：「君父之命，死而無憾。」

青衣白髯人，突然撥轉話題，目光一掠玉鵰劍主，道：「你這位五兄，可曾去那存骨塔中，探看過你？」

楊九妹望了玉鵰劍主一眼，道：「去過……」

玉鵰劍主冷冷地回顧了楊九妹一眼，眼睛中的神光，十分奇異，不知是激忿，還是悲傷。原來，他害怕那楊九妹保全自己的性命，說出內情，甚至加枝添葉，把罪惡完全推到自己身上。

但聞那青衣老人冷冷接道：「他到那裏去，只是爲了探望你，還是想救你出來？」

楊九妹道：「都不是，他是追蹤一個敵人，到了那裏。」

青衣老人冷笑一聲，道：「你可曾見到他追蹤的敵人？」

楊九妹道：「女兒存身之處，只有一個小窗，但亦被封閉了起來，無法見到外面的景物。」

青衣老人冷冷地說道：「你既未瞧見過敵人，怎知他是追蹤強敵而去？」

楊九妹道：「女兒雙目無法瞧見外面景物，但卻聽到了外面打鬥之聲，不久之後，五哥就進了塔中，告訴女兒，追蹤強敵而至。」

這番話半真半假，只說得天衣無縫，使那青衣老人，聽不出一點破綻。

青衣老人轉目回顧了那玉鵬劍主一眼，道：「經過之情，是否如此？」

玉鵬劍主道：「正是如此。」他自斷一半舌頭，因爲他早有準備，斬去不多，休息之後，尙能說話，但卻含糊不清。

青衣老人突然轉過話題，道：「那萬上門主，是何許人？竟然能夠把你所帶高手，盡皆殺死？」

楊九妹道：「萬上門中人物，個個武功高強，至於那萬上門主，是否親自參戰，女兒無法確定。」

青衣老人胸前白髯，突然無風自動，顯然心中已有著激怒難耐。

容哥兒心中忖道：「這老人如此激怒，只怕要和萬上門演出一場火併了。」

念頭還未轉完，那青衣老人突然高聲叫道：「四大使者！」

環立身側的四大使者，齊聲應道：「屬下候命。」

青衣老人道：「傳我令諭，十二劍手，和三魔四怪，一齊整裝候命，我要親自會會那萬上門主。」

四大使者齊聲應道：「敬領君父之命。」起身而去。

楊九妹道：「女兒還有下情奉告。」

青衣老人道：「什麼事？」

楊九妹道：「據女兒所知，那萬上門主殲滅女兒屬下之後，已然率領群屬，離開了長安城。」

青衣老人道：「那萬上門主行蹤雖然隱秘，但老夫卻不愁追他不到。」話聲微微一頓，道：「暫把你懲罰記下，如若那萬上門，如你所說那般厲害，此事自也不能怪你了。」

楊九妹道：「女兒多謝君父不殺之恩。」

青衣老人道：「暫時記罰，並非無罪，隨同追蹤那萬上門。」

楊九妹道：「女兒當身先士卒，將功折罪。」

那青衣老人緩緩說道：「好！你歸還原位，等他們解開你身上枷鎖。」

楊九妹道：「謝君父例外施恩。」站起身子，退到右面的第二個椅上坐下。

但聞步履聲響，四大使者，重又奔向大廳，齊齊說道：「已傳下君父之令。」

青衣老人點點頭，道：「好！」

目光一掠楊九妹，道：「解開她身上的枷鎖。」

那紅衣使者應了一聲，探手從懷中摸出一把鐵鑰，解開了楊九妹身上特製枷鎖。

青衣老人目光轉往大劍主的臉上，道：「你的傷勢如何？是否能隨爲父去追蹤強敵？」

大劍主應道：「兒臣得君父恩賜靈丹，傷處早已不覺痛疼，可隨君父出征。」

青衣老人聽罷，微一頷首，目光轉到玉鵰劍主的臉上，道：「你的傷勢如何？是否還有攻拒敵人之能？」

玉鵰劍主道：「兒臣自覺尙有攻敵之能。」

青衣老人道：「那你也隨同爲父出征。」

玉鵰劍主道：「謝君父恩典。」

容哥兒站在大廳一角處，聽得十分明白，暗暗忖道：「看來，這一場驚天動地的火併，是無法避免了，但不知是否能隨同前去，看看這一場熱鬧的戰鬥……」

心念轉動之間，大廳上燭光突熄。剎那間，室中一片黑暗。

容哥兒心中正感奇怪，忽聞一片恭送君父之聲，傳入了耳際。

燈暗復明，大廳上燭光又燃。抬頭看去，那青衣老人，早已不知去向。

再看那七大劍主，和二個羅衣少女，以及那楊九妹，個個抱拳過頂跪在地上。

直待那燈火復明良久之後，七大劍主，和三位公主，才緩緩起身，坐回原位。

大廳上一片靜寂，靜得可聞人呼吸之聲。

容哥兒暗暗奇怪，道：「那青衣老人傳令下去，要和那萬上門一決勝負，怎的自己倒先走了。」

心念正轉，突聞那白衣使者高聲說道：「君父之命，七大劍主，三位公主，隨駕出征，請到廳外候命。」

容哥兒心中暗道：「七大劍主和三位公主，都隨那君父遠征，我等不知是否也在其內？」

心念轉動之間，突聞那白衣使者高聲接道：「凡是隨同七大劍主和三位公主而來的從人、

女婢，一律隨同七大劍主和三位公主同赴戰場。」

容哥兒緊隨在周奇身後，流目四顧了一眼，只見每一位劍主的身後，都緊隨著兩個人。那兩個身著羅衣的少女，也各自帶有兩個女婢。

只有楊九妹一個人，跟在兩個羅衣少女身後而行，顯得特別孤單。

楊九妹兩道清澈的目光，疾快地掃過容哥兒一眼，突然快步越過兩個羅衣少女，出了大廳。

只聽周奇細微的聲音，傳入耳際，道：「不要左顧右盼，以免招來殺身之禍。」

容哥兒心頭一震，暗道：「不錯，此刻處境，是何等險惡，稍一不慎，即有性命之憂，當真是該小心一些才是。」

出得大廳，只見那廣大的庭院之中，早已站滿了人。

十二個身著白衣，背插長劍的人，並立一排，另一面站著七個奇醜的奇裝男子，四個人手中，各牽著其大如虎，全身黃毛的怪犬，另外三個人背上各揹著一個大鐵籠，籠內裝著一隻奇大的怪鳥，似鷹非鷹，似鵰非鵰。

容哥兒心中想道：「那十二個白衣人個個佩劍，想來定是那青衣老人口中的十二劍手，這七人帶狗揹鳥，也許就是三魔四怪了。」

七大劍主和兩個羅衣少女，連同楊九妹，另外站了一排。

廣場上一片肅然，人人佩劍而立，只待那青衣老人令下。

足足等有一頓飯工夫，才見那白衣使者行入場中，道：「君父有令，諸位即刻出發，由區區帶路。」言罷，放腿向外奔去。

四怪、三魔、十二白衣劍手，依序而行，七大劍主和三位公主順序走在最後。

容哥兒一面奔行，一面留心查看，始終不見那青衣白髯老人。

一口氣奔行足有兩個更次，東方天際，已泛起了魚肚白色。

那白衣使者，突然停了下來，道：「諸位請在此休息一陣，在下請示君父之後，再定行止。」

這一陣疾走，最苦的是那大劍主和玉鵬劍主，兩個人一個挖眼，一個斷去了半截舌頭，雖然仗憑著精深內功，早經運氣止血，但始終未曾有過片刻養息，經過一陣奔行之後，傷口之處，隱隱作痛。

那白衣使者，喝令停下休息，兩人立時閉目而坐，運氣調息。

過了片刻，那白衣使者去而復返，說道：「君父之命，四大俠進見。」

只見那四個手中牽著黃毛巨犬的大漢，齊齊站了起來，魚貫隨在那白衣使者之後而行，不發一言。

只見五人繞過了一片叢林，消失不見。

又等約一頓飯工夫，那白衣使者重又轉了回來，說道：「君父有令，請諸位登峰一觀。」

肅立群豪齊齊舉步而行，登上了一座峰頂。

這時，天色已然大亮，四外景物清晰可見。

只見那青衣老人，端坐在一張披有虎皮的木椅上，那木椅前後，直伸著兩支木杆，黑、綠、紅三衣使者，並肩立在那老人身後。

容哥兒緩移身軀，避開了兩個遮擋視線的身影，凝目向下注視，心中暗道：「這青衣老人，找到這座山林之中，難道那萬上門主，隱住於此地不成？果真如此，這青衣老人實有著不可思議之處，半夜之間，就能查出那萬上門的隱匿之處，而且率領高手，直趕至此。」

思忖之間，只見那山谷下草叢裏，竄起一條人影，直撲那環立的茅舍之中。

只見那青衣老人舉起右手一揮，十二白衣劍手突然向峰下奔去。容哥兒見幾人奔行的輕功，不由吃了一驚，暗道：「這幾人好輕功。」

原來，那十二人有如一道白色水浪，直瀉而下。

青衣老人回頭環顧了一眼，道：「還有什麼人願下去瞧瞧？」

楊九妹和那大劍主齊齊應聲而出，道：「兒臣等願往。」

那青衣老人望了大劍主一眼，緩緩從懷中摸出一粒丹丸，道：「再賜你靈丹一粒。」

大劍主道：「謝君父恩典。」

青衣老人一擺手，道：「你們去吧。」

楊九妹和那奇醜大漢，齊齊轉身，直向峰下奔去。

周奇一拉容哥兒的衣袖，當先向峰下追去。

容哥兒微微一怔之後，追隨在周奇身後而去。周奇奔行之勢，似不夠快，和那大劍主、楊九妹的距離，越來越遠。

容哥兒雖然加快速度，但因周奇身體阻攔，只好隨在他身後。

將要奔落峰底時，周奇突然轉過臉來，望了容哥兒一眼，低聲說道：「不可太露鋒芒。」

加快腳步，向前奔去。

容哥兒心頭一驚，暗道：「這話倒是不錯，我來至此處，志在臥底，豈可當真爲他們拚命，何況太露鋒芒，亦將啓人疑問，奇怪的是，那周奇似是早已看出了我的身分，竟然是處處保護著我。」思忖之間，人已到了谷底山村旁。

抬頭看去，只見那十二個身著白衣的劍手，拔出長劍，圍住一座茅屋。

那大劍主和楊九妹遠立在兩丈外一株松樹之下，凝神而觀，此刻那大劍主已然用一條白紗，包起了左額，掩住那挖了的左目。

一條黃毛巨犬，仰臥在那茅舍前，看樣子似是早已死去。

四怪也只餘了三怪，每人手中仍然牽著那黃毛巨犬。

容哥兒目光轉動，不見屍體，想是那人衝入了茅舍，犬被打死，人被生擒。

再看那茅舍，一片平靜，木門中閉，窗簾低垂，聽不出室內有一點聲息，亦瞧不出有一點可疑。

就這一陣工夫，場中已有變化，兩個白衣劍手，聯手向那茅舍之中衝去。

那半閉的木門，被一個白衣人一腳踢開，兩個人一起衝入了茅舍中去。

但那兩扇木門，突然又輕輕的關上，仍是半閉半開。

兩個衝入室中的白衣劍手，有如投在泥海中的沙石，竟然聽不到一點聲息。

大約一盞茶時光，餘下的十個白衣劍手，已然沉不住氣，齊齊向那茅屋行去。

容哥兒心中暗道：「這白衣劍手個個武功不弱，就算遇上了當代第一高手，也不至於沒有一、兩招還手之能，怎的竟聽不到一點聲息。」

容哥兒眼看那些白衣劍手和楊九妹等人，大都全神貫注在那座茅舍之中，低聲說道：「周

兄，如若情勢有變，咱們可要出手？」

周奇目注茅舍，緩緩應道：「最好是不要出手，如是非得出手不可，也不要太露鋒芒，最妙的還是勉力自保。」

那些白衣人，雖然神情冷寂、木然，但並不癡呆，竟然不再向茅舍之中衝去。一挫腕，收回長劍，緩步向後退去。

十個白衣人集在一起，交談一陣，重又散佈開去，八個人環布在茅舍之外，兩個人轉身向山峰之上奔去，顯然這群白衣劍手商量之後，決定回去稟告青衣老人。

突然間，站在兩丈外的大劍主和楊九妹，並肩而行，直向茅舍衝去。

周奇低聲說道：「咱們得保護劍主。」急追到大劍主的身後。

容哥兒隨著那周奇行動。

行近茅舍，只聽那大劍主高聲說道：「室中主事，請出答話。」

他一連喝問數聲，始終未聞茅舍中有人答應。

大劍主突然回過頭來，望了容哥兒一眼，道：「你到那茅舍裏面瞧瞧。」

容哥兒怔了一怔，舉步向前行去。

他走得很慢，心中更是紛亂如麻，不知如何才好。

楊九妹望著容哥兒背影，緩緩說道：「大師兄，這人可是小妹僅有的一位活命屬下嗎？」

那大劍主點點頭，低聲應道：「不錯，他已經過易容，小兄覺得此人行跡有些可疑，只好借刀殺人了。」

楊九妹不知容哥兒是否已被人瞧出破綻，一時倒也不敢再多言。

兩人的對答，聲音雖然很小，但因容哥兒走得很慢，又凝神靜聽著兩人的談話，所以聽得十分清楚。

心中暗道：「原來那大劍主早已發覺我的可疑了，但卻礙於那楊九妹的情面，一直不敢說破，此刻當面點破，要我衝入茅舍，如是立下功勞，自然是好，如果被人殺死，他可不留痕跡地除去了心中之疑，這辦法不錯啊！但不知楊九妹對我如何？」

他雖然走得很慢，但那茅舍距自己停身之處，不過兩丈多遠，不覺間已越過那白衣劍手的警戒之線，行到茅屋前面。

容哥兒親眼看到了兩個白衣劍手，進那茅舍之後，如投在那泥海中的沙石，聽不到一點聲息。

他已經見過了萬上門中很多高手，確實個個武功高強，四燕八公，加上金道長，和幾路總探，個個都有著非凡的身手，那萬上門主，想來必將更在幾人之上。

這些人對自己，似乎是都很禮遇，如若以本來面目衝入室中，也許他們可以手下留情，如今易容改裝，行入室中，勢必要遇上極強烈的攻擊。

但此情此景，已如箭在弦上，不得不前進，伸手拔出背上長劍，護住前胸，提聚真氣，緩緩回頭望去。

這時，那大劍主、楊九妹、周奇等，都已逼近那些白衣劍手警戒線，三個人，三種不同的表情。

那大劍主滿臉冷漠之色，似是對容哥兒衝入茅舍的生死，全然不放心上。那楊九妹卻是雙目中奇光閃動，凝注著容哥兒，神情間一片憐惜。周奇雙目圓睜，木然而立，是一副無可奈何

的神色。

只見那大劍主舉手一揮，冷冷地說道：「衝過去。」

容哥兒一咬牙，縱身一躍，直向茅舍之中衝去。

他已知道茅舍中，充滿著死亡的凶險，是以衝入室中時，全神戒備，果然身子剛剛進入內室，寒芒一閃，兩縷銀線迎面襲來。

容哥兒長劍揮轉，叮叮兩聲輕響，兩枚銀針被長劍擊落。

緊接著左側潛力洶湧，一股掌風，急襲而至。

容哥兒左手一揮，接下一擊，竟然被震得退了兩步，心中暗道：「這人的內功，好生精深。」

心念轉動，還未來得及轉臉瞧看是何許人物，右側寒光一閃，兩柄長劍，同時襲到。

容哥兒一提氣，長劍揮去，嗆嗆兩聲金鐵交鳴，封開了兩柄長劍。

廿四　兩雄爭霸

容哥兒衝入茅舍，擊落暗器，接人掌力，封擋長劍，連續而行，一氣呵成，竟然還未看清敵人何在。

只聽一個清冷的聲音，傳了過來，道：「不要傷他。」

四周凌厲的攻勢，隨著那一聲清脆的聲音，停了下來。

容哥兒此刻，才有時間抬頭打量了一下室中景物。

只見一個全身黑衣，面垂黑紗的女人，端坐在茅舍一角木椅上，身後並立兩位姑娘，左、右各立一婢。那身後二婢中，一婢是和那二姑娘比劍惡鬥的紫燕，左、右兩個女婢，是金燕、玉燕，只有一婢，未曾見過，想來，定然是四燕中的另一燕了。

目光轉動，只見那室門之後，各站著一個勁裝佩劍大漢。

茅舍左側，站著兩個白髯老叟，身著灰衣，長髯及胸，右面是兩個手執長劍的中年漢子。

在兩個中年大漢之後，五尺左右處，站著青袍椎髮，長髯垂胸，手執拂塵的金道長。

嚴小青仍是一身青衣，背插長劍，緊依金道長身側而立。

木門後右面的牆壁處，躺著兩個白衣劍手，和四怪中的一怪。

三人身上，都不見傷痕，想是被人點了穴道，也不知是死是活？

再瞧那兩扇木門，半掩半閉的十分巧妙，室外人不論在任何角度，只可以瞧到茅舍中一塊空地，而無法看到茅舍中的人物。

容哥兒心中忖道：「面垂黑紗的黑衣人，定然是萬上門主，四燕全在，八公有兩個，金道長和隨身小童，加上右側兩個執劍大漢，和兩個控制木門的大漢，共有十三人，那青衣老人卻帶了數十高手趕來，論實力，萬上門似乎是難以和人相比。」

心念轉動之間，又傳來一聲清冷的聲音，道：「放下兵刃。」

容哥兒怔了一怔，棄去手中寶劍。

只見那萬上門主，舉手一揮，一個女婢，直對容哥兒行了過來，逼近容哥兒前兩步左右，低聲說道：「你是容哥兒？」

容哥兒吃了一驚，暗道：「我整容改裝之後，她怎能一眼認得出來？」

當下說道：「不錯，姑娘怎能一眼認出在下？」

那女婢正是金燕，只見她點點頭，說道：「看你拔劍手法……」

轉對那黑衣女人，欠身說道：「果然是他。」

但聞金燕的聲音，傳入耳際，道：「你沒有機會走出茅舍，走向那茅舍右角，躺下去。」

容哥兒舉步向茅舍一角走了過去，依言躺下。

只聽那大劍主的聲音傳了過來，道：「師妹，你這位屬下，跟隨你很久了嗎？」

楊九妹道：「時日不久。」

大劍主心中暗道：「這就對了。」

只聽步履聲音，顯是又有人奔近茅舍。

金道長突然一揮手中拂塵，緩步向容哥兒走了過來，口中低聲說道：「暫時要委屈你一下了。」左手食中二指一駢，疾向「肩井」穴上點來。

容哥兒心中雖想反抗，但他終於忍了下去，任那金道長點中了穴道。

金道長點了容哥兒的穴道之後，緩步行向那黑衣人，低聲說道：「萬上，咱們難道就守在此地嗎？」兩人談話聲音很小，容哥兒凝聚全神聽去，也只是隱隱可聞。

只聽萬上門主道：「不用慌，今日絕難免一場惡戰，大敵當前，越鎮靜越好。」

只聽一個冰冷的聲音，傳了過來，道：「萬上門主，請出來和老夫答話。」

容哥兒暗道：「要糟，那青衣老人，親來此地，只怕是難免一戰了。」

金道長應了聲，緩步向茅舍外面走去。

只聞那冰冷的聲音又傳了過來道：「你就是萬上門主？」

金道長冷冷應道：「敝上特派貧道，接見閣下。」

那青衣老人道：「好大口氣。」

語聲微微一頓，接道：「本門和萬上門素無過節，你們萬上門卻連番和老夫門下作對，不知是何用心？」

金道長冷冷說道：「閣下約束門下不嚴，處處和我萬上門作對，豈不是自討苦吃嗎？」

那青衣老人怒道：「你還不配和老夫動手，要那萬上門主，親自來見老夫。」

金道長緩緩說道：「閣下要見敝上嗎？」

青衣老人怒聲接道：「不錯，要他出來見我。」

金道長微微一笑，道：「閣下說得太輕鬆了。」

青衣老人冷冷說道：「你敢對老夫如此無禮。」

金道長緩緩說道：「閣下如若一定要犯敝上，只有一個辦法。」

那青衣老人連番受他譏辱，怒火已動，正待喝令屬下出手，聞言一停，道：「什麼辦法？」

那青衣老人老臉上的怒容突然消失不見，緩緩說道：「就算你們萬上門，在那茅舍之中，布下了天羅地網，也難不倒老夫。」

金道長道：「請閣下進入茅舍一敘。」

金道長道：「敝上現在茅舍候駕。」

那青衣老人冷冷說道：「老夫久聞貴上之名，今日能夠見識，也好解開老夫心中之謎。」

語畢，轉首向屬下道：「你們退後五丈。」

容哥兒身在茅舍之中，無法瞧見幾人情形，但聽兩人談話，可知那青衣老人竟要自甘屈辱，入室和萬上門主相見，如若這兩個神秘的首腦人物見面，不知是如何一個情景？

只聽那金道長緩緩說道：「閣下請在門外稍候，貧道先行通報敝上一聲。」

那青衣老人緩緩說道：「老夫一生中從未對人如此謙恭，今日破例一次就是。」

容哥兒儘量把目光轉向那茅舍門口之處，只見金道長手執拂塵，緩緩走進來。

他臉上是一片嚴肅神色，直行到萬上門主身側，說道：「啟稟門主……」

萬上門主舉手一揮，道：「我都聽到了，請他進來吧！」

金道長應了一聲「遵命」，緩步向外行去。

只見那萬上門主目光轉動，隨即向身旁一個女婢，低聲說了數言，那女婢突然對容哥兒

行了過來，右手一掌，打活了容哥兒的穴道，低聲說道：「萬上說動起手來，恐怕無法照顧於你，要你自己小心。」

容哥兒道：「多謝姑娘。」

那女婢低聲說道：「該謝我家萬上，你非本門中人，得他如此關心，實是從未見過的事。」言罷，起身而去，又回到萬上身側。

容哥兒暗中運氣，但仍然躺在地上不動。

只聽金道長的聲音，傳了過來，道：「閣下請進。」

容哥兒穴道已解，微微一轉身子，衣領遮面，啟目望去。

只見黑、白兩個使者，抬著一張木椅，緩步行了進來。

那木椅之上，端坐著那青衣老人。

入得茅舍之後，黑、白兩個使者，緩緩放下木椅，退到那老人身後。

金道長緊隨那青衣老人而入，守在茅舍門口。

那端坐木椅的青衣老人，目光轉動，四顧一眼，緩緩說道：「老夫一天君主。」

萬上門主道：「敝門號稱萬上，天下武林，盡皆臣伏。」

一天君主冷笑一聲，道：「好大的口氣……」

語聲微微一頓，又道：「你既敢和老夫作對，何以不敢以真正面目相見？」

萬上門主冷冷說道：「你裝上假髮，扮做龍鍾老態，可以欺瞞別人，但卻瞞不過本座雙目。」

容哥兒聽得心中一動，暗道：「難道這老人是故意假扮的嗎？」

但聞一天君主冷笑一聲說道：「老夫聽人說起那萬上門主，就曾想到是你，今日一見，果然不錯。」

容哥兒心道：「好啊！原來這兩人是老相識了。」

萬上門主冷然一笑道：「我不相信你已知道我是誰。」

容哥兒心中忖道：「你們兩個這番對話，豈不是白說了嗎？你唬我，我唬你，唬來唬去，誰也唬不住誰。」

但聞一天君主冷冷說道：「你是金鳳門中的江大姑娘。」

茅舍中突然靜寂下來，靜得落針可聞。

容哥兒心中暗道：「不會吧，如若她是那江大姑娘，怎會連自己的妹妹也要對付？」

萬上門主忽然大笑。

一天君主冷冷說道：「有什麼好笑的，老夫猜得不對嗎？」

萬上門主道：「我想你就要猜她，果然不錯。」

一天君主冷冷說道：「你如敢取下面紗，還你本來面目，證明不是江大姑娘，老夫就立刻認敗服輸。」

容哥兒想到金鳳谷中，和那江大姑娘論及武林形勢，曾說過，如若他們鬧得太過厲害，那是逼她出山了。足見那江大姑娘，還沒出山，這一天君主，指她是江大姑娘，豈不是輸定了嗎？」

但聞萬上門主冷冷笑道：「要我除去面紗不難，但有一個條件。」

一天君主緩緩說道：「什麼條件？」

萬上門主道：「你也應該除去假髮面具，還你本來面目。」

一天君主微一沉吟，縱聲而笑，道：「老夫年近古稀，這鬚髮乃天生而成，豈能除去。」

萬上門主突然站起身子，道：「你騙得過別人，但卻無法騙得過我，如是我猜得不錯，你不但鬚髮盡假，連你也非男子之身。」

容哥兒吃了一驚，暗道：「怎麼？又是一個女人嗎？果真如此，今日武林，當真是全爲女的據有了。」

一天君主突然一揚右手，道：「雙雄不並立，你如肯讓人一步，可免很多煩惱。」

萬上門主右手一揮，推出一掌，緩緩說道：「你要人放下屠刀，自己何不回頭？」

容哥兒突覺一股激蕩的潛力，逼了過來，不禁心中一動，暗道：「原來兩人在說話之中，已經動上了手。」

凝目望去，只見那萬上門主一身黑衣，無風自動，輕輕飄起，那一天君主卻突然從座位上站了起來，重又坐下。

容哥兒無法看出誰勝誰負，但卻明白，兩人都以至上內功，互拚一招。

茅舍中，突然間沉寂下來，靜得落針可聞。

萬上門主和一天君主相對而立，足足過一盞熱茶的工夫之後，一天君主才緩緩說道：「明夜三更，咱們仍在此地一晤如何？」

萬上門主望著那一天君主，沉吟良久，才緩緩道：「這山谷盡處，有一座小潭，潭水清澈，但潭中卻有一個漩渦，下通水脈，鵝毛不浮，是很好的藏身所在。」

一天君主緩緩說道：「如若咱們有一人死亡，就可葬身在渦流之下。」

萬上門主道：「只要咱們分出勝負，那落敗之人，就投身潭中，讓渦流捲入潭底水中。」

一天君主冷然一笑，道：「這麼說來，咱們再見之時，必得有一人死亡才行。」

萬上門主道：「敗的未必是你，何用如此擔心。」

一天君主道：「老夫答允，不過，還有條件。」

萬上門主道：「什麼條件？」

一天君主道：「明天相會之時，各以本來面目出現，不許藏頭露尾，我要證實心中之疑。」

萬上門主冷冷說道：「只要你能守約，不弄玄虛，自然可以見我廬山真面目，不過，相見也是等於不見。」

一天君主道：「為什麼？」

萬上門主道：「咱們兩人相見時，必有一人死亡，縱知對方是誰，又有何用？」

一天君主冷漠地說道：「也許還有別途可循。」

語聲微微一頓，又道：「既有明宵之約，今日不用再戰。」

萬上門主道：「我已早有安排，打下去，你亦將全軍覆沒。」

一天君主冷冷說道：「不用誇口，明宵自然可見真章。」

目光環視了茅舍一周，接道：「老夫被你們擒得的幾位屬下，可否交我帶走？」

萬上門主道：「死的早已氣絕身亡，活的你帶走就是。」

一天君主舉手一揮，道：「把他們揹出此室。」

隨來的黑衣使者應了一聲，扶起了兩個穴道被點的白衣人。

那白衣使者，卻奔向容哥兒。

金燕突然一挫柳腰，悄無聲息地欺了過來，冷冷說道：「不要動他。」

白衣使者陰森一笑，道：「為什麼？」

金燕道：「四個人，讓你們帶走兩個，已經很給你們面子，這人和一怪留下。」

白衣使者道：「他沒有死，為何要留他在此？」

金燕道：「留下就留下，我想不用說出理由。」

一天君主回顧了白衣使者一眼，緩緩說道：「咱們走吧。」

白衣使者從那黑衣使者手中，接過一個白衣人，挾在左肋，兩人各用一隻右手，抬著那一天君主木椅，緩步而去。

萬上門主一言不發，直待幾人行出茅舍良久，才低聲說道：「掩上木門。」兩個控門大漢應聲推上木門。

萬上門主目注金道長，道：「你去查看一下，他們是否還留有人手？」

金道長應了一聲，轉身行到壁邊，舉手推開一扇窗子，縱身而出。

大約過了一盞熱茶工夫，那金道長又從原窗返回，道：「全都撤走了。」

萬上門主道：「好！你們退下休息一會兒。」

金道長接道：「今夜可要在四周設伏？」

萬上門主沉吟一陣道：「太陽下山時分，你再來問我一聲。」

金道長欠身一禮，帶著嚴小青及室中大漢退了下去。

這時，茅舍中只餘下萬上門主和四個女婢，以及躺在室內一角的一怪、容哥兒等人。

萬上門主兩道森寒的目光，投注在容哥兒臉上，緩緩說道：「你站起來。」

容哥兒挺身而起，道：「萬上有何吩咐？」

萬上門主道：「洗去易容藥物，恢復你本來面目。」

容哥兒沉思片刻，依言擦去了易容藥物，恢復了廬山真面目。

萬上門主兩道清澈的目光，打量了容哥兒一陣，道：「適才我和一天君主對答之言，你都聽到了？」

容哥兒道：「聽到了。」

萬上門主道：「你很能幹，竟然能混入那一天君主手下。」

容哥兒道：「適逢其會，陰差陽錯，並非是在下有意安排。」

萬上門主冷冷說道：「你是第三者的身分，依你之意，我和那一天君主，在明宵會戰之中，誰勝誰負？」

容哥兒道：「兩位俱是莫測高深的人物，明宵會戰勝負，在下如何能夠妄測。」

萬上門主道：「正因敵勢太強，本座想借重閣下……」

容哥兒呆了一呆，道：「借重在下嗎？」

萬上門主道：「不錯。」

容哥兒道：「如區區能力所及，自當效勞，但在下實在想不出有能相助之處。」

萬上門主道：「你可以易容改裝，投入那一天君主的門下，爲什麼不能易容改裝，扮做萬上門主？」

容哥兒一皺眉，道：「萬上要在下易裝相代，會見那一天君主？」

萬上門主點點頭，道：「正是如此。」

容哥兒道：「如是動起手來呢？」

萬上門主道：「接人自然會有迎於你。」

容哥兒道：「萬上準備暗帶幫手，藏於暗處，是嗎？」

萬上門主道：「你不能以小人之心，度君子之腹，我雖無算人之心，但卻不能不防別人的暗算了。」

容哥兒沉吟了一陣道：「兩位，都是被武林中目爲神秘人物，誰正誰邪，在下也沒有辦法分辨。」

萬上門主柔和的說道：「就你此刻的看法呢？」

容哥兒道：「那老人似是比你冷酷一些，他們是憑仗著一種藥物，和嚴厲的法規，統治著數百名手下。」

萬上門主沉吟了一陣，道：「那是說，我比他好一些了？」

容哥兒道：「就目下所見，那是如此了，如若兩位之中，一定有一位要統治武林，霸主江湖，在下寧願是你了。」

萬上門主緩緩說道：「我沒有統治武林的野心，但我如不組織很多高手，起而和人對抗，只怕整個武林要淪入百年難復之境。」

容哥兒道：「這麼說來，姑娘是爲了拯救武林同道，才起來組成這萬上門了？」

萬上門主道：「不要稱我姑娘，好嗎？」

容哥兒呆了一呆，道：「爲什麼？你明明穿的女裝，難道是男子改扮不成？」

萬上門主道：「那倒不是，不過，我是一位有丈夫的人了。」

容哥兒怔了一怔，暗道：這人倒是坦白得很，口中卻說道：「你那丈夫呢？」

萬上門主道：「已經死去了。」

容哥兒道：「死了？」

萬上門主道：「不錯，我是一位寡婦。」

容哥兒心中奇道：「這些事，她爲何要告訴我呢？」口中卻說道：「夫人以一位女流，爲天下武林同道，起而和武林邪惡鬥爭，實叫人敬佩得很。」

萬上門主格格一笑，道：「不用灌我迷湯，我不吃這個。」

容哥兒道：「在下是由衷之言。」

萬上門主道：「你還沒有答覆相詢之事？是不是願以助我？」

容哥兒暗道：好啊！轉彎抹角的說了半天，還是要我代她，當下說道：「在下堂堂男子，如要改扮做一位婦人，萬萬難以答允。」

萬上門主突然掀開了臉上的面紗，笑道：「不要改扮做婦道人家，就以你本來面目，再經我稍加裝扮，就可以和他相見了。」

容哥兒呆了一呆，道：「要我以本來面目和他相見嗎？」

萬上門主道：「不錯，如若我要人相代，何不就四位隨身女婢中挑選一人，那也用不到借重閣下來扮裝了。」

容哥兒心中暗道：「話倒是不錯，四婢追隨她時間甚久，如若冒充起來，自可收事半功倍

之效，她不肯要四婢改裝，卻要我相助，這其間，定然是別有用心了。」

心中忖思，人卻抬頭望去。

原來，那萬上門主，掀起蒙面黑紗之後，容哥兒一直沒抬眼瞧過她。

此刻，抬眼望去，只見一張宜嗔宜喜的臉兒，配著勻稱的五官，但柳眉帶煞，圓大眼睛中，更有著冷電一般的神芒，直似要瞧穿人的肺腑一般。

容哥兒從未見過一個女人有著如此動人的風情，有著如此令人敬畏的煞氣，不禁為之一呆。

萬上門主輕輕一顰柳眉兒，緩緩說道：「雖然你是幫助我，但事實上，你也幫助了天下武林同道。」

容哥兒沉吟了一陣，道：「夫人，你可否說得再清楚一些？如是確然對天下武林同道有益，在下決不推辭。」

萬上門主道：「說來話長，此刻大敵當前，我無暇對你詳細說明那前因後果，但我可以簡單的告訴你，你的面相很像一個人，但那人在十年前已經死去。」

容哥兒接道：「你要我冒充那人，和那一天君主相見是嗎？」

萬上門主道：「不錯，不過，你雖然和那人生得很像，但你們之間的年歲，卻相差了數十年，因此，我要對你稍加改扮，使那一天君主，無法瞧出破綻。」

容哥兒道：「這麼說來，萬上已然知曉那一天君主是誰了？」

萬上門主道：「我雖無法確定，但推想定然是她。」

容哥兒道：「誰？」

萬上門主沉吟了一陣，道：「除非你答允了，恕我不能奉告，因爲這和人的名節有關，未能證明以前，不能完全定論。」

容哥兒道：「但那一天君主，好像也知曉你的來歷，不過他猜你是金鳳門中的江大姑娘，那是猜錯了。」

萬上門主道：「因爲，他想不到我還會活在世上。」

容哥兒呆了一呆，道：「夫人的意思……」

萬上門主道：「意思很明白，因爲我已經死了，他想不到一個死去了的人，還會重生。」

容哥兒心中暗道：「原來她已經死過一次。」口中卻說道：「原來如此。」

萬上門主接道：「你已經問得太多了！你也該決定是否答應了？」

容哥兒緩緩說道：「要在下改扮什麼人？」

萬上門主忽然緩緩一笑道：「要你改扮一位武林中最風流的人物，二十年來，他一直是深閨少女夢寐以求的情郎。」

容哥兒一皺眉頭，道：「在下像嗎？」

萬上門主道：「很像，當今之世，再也找不出第二個像他的人了。」

她眼中突然湧出淚水，臉上是一片自憐的表情。

容哥兒怔了一怔，道：「那人是誰呢？和夫人有何……」

忽然間感覺到那萬上門主神色不對，頓時住口不言。

萬上門主緩緩說道：「你一定要問嗎？」

容哥兒道：「如是夫人不願講，在下只好不問了。」

萬上門主道：「你若一定要問，自然是可以講給你了。」

仰起臉來，黯然說道：「是我的丈夫。」

容哥兒跳了起來，道：「這怎麼成？在下如何能夠冒充。」

萬上門主道：「不要緊，我那丈夫已經死去多時了。」

容哥兒道：「如若一定要在下冒充，還望夫人能夠說出一個理由來。」

萬上門主道：「那你答應了？」

容哥兒道：「就目下情勢而言，在下不答應也得答應了。」

萬上門主道：「那倒不是，我並無逼你相從之意，你可以自由決定。」

容哥兒道：「好吧！在下答應就是。」

萬上門主道：「好！你先行稍加易容，我再告訴你，如何對付那一天君主。」

金燕輕步行了過來，道：「公子請吧。」

容哥兒緊隨金燕身後，行入另一座茅舍之中。

只見一張木榻，鋪著白色的被單，敢情早已有了準備。

容哥兒心中雖然仍有些發毛，但事到臨頭，無法推辭，只好舉步登上木榻，仰臥在榻上。

金燕蓮步姍姍地行近木榻，柔聲說道：「睡得好嗎？」

容哥兒道：「不勞姑娘……」突覺肋間一麻，竟被金燕點了穴道。

他穴道雖然被點，但神智仍然清醒。耳既能聞，目可見物，只是不能掙動說話。

但見金燕舉手理一下鬢邊散髮，緩緩說道：「爲了用藥方便，恕小婢無禮，點了公子穴

道。」口中道歉、右手一沉，又點了容哥兒的暈穴。

不知過去了多少時間，容哥兒醒來，室中景物已變。

只見紅燭高燒，照得滿室通明，金燕面含微笑，站在一側。

容哥兒緩緩坐起，本能地伸手在臉上摸一下，緩緩說道：「現在什麼時候了？」

金燕低聲說道：「初更不到。」

容哥兒道：「在下易容過了嗎？」

金燕伸手從木榻之上，取過銅鏡，高高舉起，笑道：「公子請看，比你原來面目，是否一般的風流俊俏。」

容哥兒凝目望去，只見鏡中雙鬢微現斑白，劍眉朗目，高鼻薄唇，除了雙頰稍現削瘦之外，和自己實無多大區別。

金燕緩緩放下銅鏡，道：「怎麼樣？」

容哥兒道：「很好，不過……」

語聲未住，那面垂黑紗的萬上門主，已緩緩走了進來。金燕欠身一禮，抱起銅鏡而去。

萬上門主緩緩揭去了蒙面黑紗，雙目中情愛橫溢地望了容哥兒一眼，道：「那邊坐吧。」

當先舉步行了過去。

容哥兒轉目望去，只見那靠北面牆壁下，早已擺好了一張方桌，桌上鋪著雪白的布單。

萬上門主坐了主位，伸手指指客座，道：「相公請坐。」

容哥兒大步過去，坐了客位，道：「萬上，在下此刻是……」

萬上門主接道：「相公定然很餓了，我先陪相公進一點酒飯如何？」

她不提也還罷了，這一提容哥兒立時感覺到飢腸轆轆，十分難耐，點點頭道：「在下確也有點餓了。」

萬上門主舉手輕擊兩掌，木門呀然而開，一個女婢，手托木盤而入。

萬上門主似是早有準備，那女婢手托的木盤之上早已放著酒菜。

那女婢放下酒菜，欠身一禮，悄然退走。

萬上門主舉起酒壺，先替容哥兒斟一杯酒，道：「先敬相公一杯。」當先舉杯，一飲而盡。

容哥兒也只好舉杯喝乾，心中卻疑雲重重。

萬上門主又替容哥兒斟滿酒杯，道：「相公的酒量如何？」

容哥兒搖頭，道：「三杯之量。」

萬上門主道：「賤妾絕不勉強。」自斟自飲，連乾六杯。

燭火之下，只見她臉上泛起了一層紅暈，顯然是微帶醉意。

容哥兒心中暗道：「看來，她也是酒力不佳。」

萬上門主又斟了一杯酒，一飲而盡，舉起纖手，理下鬢前散髮，緩緩說道：「十年來，我一直是生活在緊張之中，費盡了心血，組成了今日的萬上門，忘記了歲月催人，年華易逝，春去秋來，紅顏易老……」

容哥兒接道：「夫人駐顏有術，容色如花。」

萬上門主格格一笑，道：「當真嗎？」

容哥兒道：「在下句句字字，都是由衷之言。」

萬上門主微微一笑，道：「漫漫長夜，剪燭談心，人生歡樂的事，莫過於此了，自先夫過世之後，從未有今宵之歡，相公恕賤妾放蕩了。」

容哥兒道：「這個，這個……」一時間，不知如何回答才好。

萬上門主道：「話要從頭說起，相公可明白，你數次入我之手，我爲何不肯傷你嗎？而且還派遣高手，暗中相護。」

容哥兒道：「在下亦感覺到奇怪，夫人何以對在下特別寬容。」

萬上門主笑道：「因爲你很像他……」

容哥兒道：「他是誰？」

萬上門主道：「就是你現在改扮的人，百年來天下第一風流人物鄧玉龍……」

容哥兒道：「鄧玉龍，鄧大俠……」

萬上門主道：「不錯，名滿武林的鄧大俠，也就是我死去的丈夫。」

容哥兒道：「原來是鄧夫人。」

萬上門主道：「先夫突然間消失江湖，那是天下人盡知，但他過世的消息，卻是沒有幾人知曉了。」

容哥兒點點頭道：「鄧老前輩，在下曾聽家母談過，是一位拳劍雙絕，才氣縱橫的奇俠……」

萬上門主道：「還是位風流不羈，到處留情的人，因此，他雖然做了無數好事，仍難獲得那武林同道的諒解，很多人提起他，仍然是恨如刺骨。」

她又自斟一杯，喝了下去，接道：「賤妻有幸得他垂青，竟然請了三媒六證，娶我爲妻，賤妾無能，無法改變他風流性格，新婚三日，我那浪蕩的夫婿就失蹤不見。」

容哥兒啊了一聲，住口不言。

萬上門主道：「相公有什麼話，儘管說吧，今宵咱們這番對酒談話，希望各暢所言，如是我心有所忌，也不會這般坦然的說明內情了。」

容哥兒道：「鄧大俠出走之後，可曾再回過夫人身邊？」

萬上門主道：「回來過，但也不過是曇花一現，住不過七日，又悄然而去……」

她伸出纖巧的玉手，又斟滿了一杯酒，飲了下去，接道：「他這一去，有如投在海中的泥牛石沙，永未再見，我做了他的妻子，不知使多少人妒忌羨慕，但我們只做了十日夫妻，我卻爲了這虛名，守了十九年的活寡。」說完話，又自斟一杯酒，喝了下去。

容哥兒道：「夫人莫要借酒澆愁……」

萬上門主先是一怔，繼而格格一笑，道：「借酒澆愁嗎？那已是十幾年前的事了……」目光轉注在容哥兒的臉上，嫣然一笑，道：「我吃了一年的酒，爲情郎負心，已使我自暴自棄，一年後，聽到了一個驚人的消息。」

容哥兒道：「什麼消息？」

萬上門主道：「我那夫婿鄧玉龍被人謀害的消息。」

容哥兒道：「鄧大俠武功超絕，怎會被人謀殺呢？」

萬上門主道：「在江湖之上行動，有時武功亦會失去效用，我那丈夫，雖然武功很高，人也機警，但智者千慮，必有一失，何況他有個無法克服的缺點。」

容哥兒道：「什麼缺點？」

萬上門主道：「照理說，賤妾爲人之妻，不能妄論丈夫之過，但此刻形勢不同，賤妾有求於相公，只好從權了。」

容哥兒心中暗道：「想不到，這位統率著無數高手的神秘女英雄，竟然還是個十分拘謹的人物。」

但聞那萬上門主，接道：「他貪戀女色的缺點，是他致命之傷，只需美女當前，他會忘去一切的危險。」

容哥兒道：「這個，夫人怎不勸勸他呢？」

萬上門主道：「勸勸他，相公說得太簡單了，天下美女，都要捨身就他，叫我這做妻子的人，又有什麼方法可想。」

目光突然停在容哥兒臉上柔媚一笑，道：「相公，未亡人有幾句不當之言，說出了希望相公不要生氣。」

容哥兒道：「夫人請說。」

萬上門主道：「相公太像我丈夫了，像得連我也難分辨，如是早生三十年，未亡人必然會錯認夫君。」

容哥兒道：「有這等事？」

萬上門主道：「不錯，未亡人言出衷誠。」

容哥兒心中暗道：「她本來自稱賤妻，此刻，怎的會忽然變成一句未亡人了。」

心中念轉，口中卻應道：「夫人之意……」

萬上門主臉色突然一整，道：「說實話，你今年貴庚幾何？」

容哥兒怔了一怔，道：「二十歲了。」

萬上門主道：「從你拔劍氣勢，劍法絕非出自五大劍派，那是家傳劍學了？」

容哥兒心中暗道：「本來正在談她的事，怎會一下子轉到我身上來了。」但又不便不答，只好應道：「在下的武功，都是家母所授。」

萬上門主道：「看相公劍招手法，令堂定然是一位巾幗奇人了。」

容哥兒道：「家母很少在江湖走動，晚輩記憶中，家母從未離開寒舍一步。」

萬上門主道：「令堂的武功，得自何人？相公定然是知道了。」

容哥兒道：「這個，就不清楚……」

長長吁一口氣，接道：「在下對家世，知道不多，已經盡相奉告了。」

微一停頓，又道：「夫人還有何指教嗎？」

萬上門主道：「先夫亡故的事，很少有人知曉，因此，世人大都還認爲他活在世上，只因他久年未曾出現在江湖之上，又興起鄧玉龍死亡的推測……」

容哥兒道：「既然夫人能夠知曉鄧大俠死亡的消息，何以其他人不會知曉呢？」

萬上門主道：「先夫死前，曾經派人帶訊給我，唉！葉落歸根，他在死亡之前，又想起了我這個做妻子的。」

容哥兒道：「那人可以把鄧大俠的消息傳給夫人，何嘗不可以把鄧大俠死亡之訊，告訴他人呢？」

萬上門主道：「那人傳訊於我、並非沒有代價，亡夫傳了他十三招劍法，那人現在我萬上

門中，想他還不至於走漏消息。」

容哥兒道：「這就好了，但夫人要在下扮做鄧大俠有何用意呢？」

萬上門主道：「未亡人聞得噩耗之後，匆匆趕往丈夫容身養傷之處，但仍然晚一步，無法見得亡夫最後一面，從此人間天上，永無再見之日。」

容哥兒道：「夫人可曾查訪到殺害鄧大俠的兇手嗎？」

萬上門主道：「先夫不肯把那加害人，告訴那傳訊之人轉告於我，不外是兩種用心：一則是對方實力強大，怕我替他報仇。二則是他信心太強，想以深厚功夫，和死亡抗拒，希望我能在他斷氣之前趕到。可惜事與願違，竟然未能等到見我最後一面……」

容哥兒心中突然一動，說道：「難道鄧大俠的死，和那一天君主有關連嗎？」

萬上門主道：「未亡人明查暗訪，費數年苦心，雖然查出了一點眉目，但卻無法證明。」

容哥兒道：「是了，夫人想要在下假扮鄧大俠，求證內情，是嗎？」

萬上門主道：「正是如此。不過那一天君主狡猾無比，相公如若沉不住氣，只怕要弄巧反拙了。」

容哥兒道：「我生恨晚，家母又一向深居簡出，對那鄧大俠的事蹟，知道有限，還得夫人多多指點才行。」

萬上門主道：「先夫有很多怪癖，他雖然喜愛女色，但卻不喜多話，而且出口之言，十分簡短，語調肯定，常使人感覺到沒有轉彎的餘地。」

容哥兒道：「鄧大俠的事跡，在下總該知道一點才行，萬一那一天君主，果如夫人所料之人，問起內情，在下一點不知，豈不要露出馬腳了嗎？」

萬上門主道：「我是他的妻子，他一向也最喜和我談話，但他一日之中，也難得和我說上三五句話。」

容哥兒道：「這麼說來，那位鄧大俠是一位生具怪僻的人了。」

萬上門主道：「那也不是，他對我神態和藹，使人有如沐春風之感。」

她似是自知前言後語，大感矛盾，微微一笑，接道：「相公聽來，可是感覺到有些矛盾？」

容哥兒道：「不錯，在下是越聽越糊塗了。」

萬上門主道：「先夫雖然不喜多言，但卻十分愛笑。」

容哥兒道：「在下不懂了，難道一個人的笑，也能代表著說話嗎？」

萬上門主道：「能，他的笑容，不但能以笑代言，而且能表達出各種心意，有時，我講了很多話，他只以一笑作答。」

容哥兒道：「一個人能以笑容表達出各種心情，那倒是罕聞罕見的事。」

萬上門主道：「回眸一笑百媚生，六宮粉黛無顏色，那笑的力量，豈可輕視，先夫能使未亡人傾心相愛，也就是爲他那動人的笑容所惑。」

容哥兒道：「真有這等事嗎？」

萬上門主道：「不錯，所以，今宵最重要的一件事，賤妾要傳授相公的微笑。」

容哥兒道：「想那鄧大俠是何等英雄的人物，縱然笑容動人，也是天生而成，豈能效深閨少女，巧笑倩兮，賣弄風情……」

萬上門主接道：「過去我也這樣想，待我嫁給他之後，才知道，他是對那微笑，下了很大

的工作，那是一種很高的學問。」
容哥兒道：「就算如此，在下堂堂男子漢，也不能埋首學笑……」
萬上門主道：「非學不可。」
容哥兒道：「爲什麼？」
萬上門主道：「如若我料斷的不錯，那一天君主如若不見你的笑容，只怕是不會相信你是先夫鄧玉龍了。」
容哥兒道：「這個，這個……」
萬上門主微微一笑，站起身子，說道：「時間無多，咱們要快些練習了。」
在萬上門主細心指教之下，容哥兒大有進境。直到天近五更，萬上門主才望望天色，說道：「你該休息一下，今夜初更時分，我來帶你同赴那一天君主之約。」
容哥兒和萬上門主一宵相處，對鏡學笑，逐漸的發覺了萬上門主，果有著動人的風情。
萬上門主告辭去時，容哥兒神色間忽然流現出依戀不捨之情。
萬上門主臉上浮現微微笑意，伸出柔若無骨的玉手，握住容哥兒的左手，說道：「好好的養息精神，今夜和那一天君主，不但對你我十分重要，對整個武林都有著很重大的關係。」
容哥兒點點頭，默然不語。
萬上門主緩緩說道：「初次見你之後，我心中就大爲震駭，除了你爲人拘謹一些之外，簡直如先夫還魂重生……」
語聲頓了一頓，道：「我組織萬上門，旨在爲夫復仇，我一個女流之輩，那會有什麼爭霸江湖之心，今晚上咱們會到那一天君主之後，如能證實心中幾點疑問，先夫的仇那就算告一段落了，以後，我將助你完成功德無量的大事。」

容哥兒接道：「什麼事？」

萬上門主接道：「現在，還不能告訴你，也無法告訴你。」

容哥兒道：「爲什麼呢？」

萬上門主道：「我費了十幾年的心血，就是要替夫報仇，一日夫妻百日恩，先夫雖是風流成性，但對我總算是最好的一個，明媒正娶，認我爲妻，他恨而歿，我這作妻子的人，豈能袖手不管呢？」

容哥兒道：「夫人實是當今第一多情人，鄧大俠得妻如此，也當含笑九泉了。」

萬上門主嫣然一笑，道：「少給我灌迷湯，回房中休息去吧。」鬆開容哥兒的左手，轉身而去。

廿五　雙姝情深

容哥兒望著萬上門主逐漸遠去的背影消失不見，才輕輕歎息一聲，回到房中。

金燕微微一笑，道：「夫人怕相公睡不安寧，特命小婢送來一碗雪蓮湯給相公醒酒。」雙手恭恭敬敬地捧起木盤，送到容哥兒面前。

容哥兒雖然無法瞧到那碗中放的什麼，但卻聞到一股強烈的甜香之味，直行腦際，舉碗就唇，一口氣吃個淨光。

金燕又緩緩說道：「夫人交代小婢，相公飲完這碗湯，請早安歇。」

容哥兒正待接口，突然雙足站立不穩，一跤向前栽去。

金燕早已有備，伸手抓住了容哥兒，道：「小婢扶相公登榻安歇。」

容哥兒腦中明明白白，但手腳不能掙動，舌頭不能轉彎，只好任那金燕擺佈。

金燕扶著容哥兒，登上木榻，替他脫去靴子、外衣，又替他蓋上棉被，回頭吹熄火燭，悄然而去。

容哥兒睡在榻上，心中暗暗忖道：「這碗中不知放的什麼毒藥？如此劇烈，發作得如此之快……」

他心中胡思亂想了一陣，漸覺眼皮沉重，不自覺間，睡熟了過去。

不知過了多長時間，容哥兒緩緩地醒了過來，只覺有一雙手在自己身上推拿，全身骨筋，都有一種異樣的感覺。

睜眼看去，只見萬上門主神情肅然地站在一側，金燕雙手揮動，在自己身上推拿，頂門上汗水隱隱，似是用力甚多。

但聞萬上門主說道：「好了。」

金燕停住雙手，躍下木榻，低聲說道：「他醒過來了。」

萬上門主舉手一揮，道：「我知道，你可以出去休息一下了。」

金燕應了一聲，悄然退出茅舍，順手帶起了兩扇木門，室中只剩下萬上門主和容哥兒兩個人。

萬上門主低聲道：「現在感覺如何？」

容哥兒道：「全身骨節微覺痠疼……」

話聲微頓，又道：「萬上可在那雪蓮湯中，下了藥物。」

萬上門主點點頭，道：「不錯，不過那藥物不是毒藥，而是可以助你伐毛洗髓的奇藥靈丹。」

容哥兒呆了一呆，道：「夫人爲何要給我服用下如此珍貴的藥物？」

萬上門主淡淡一笑，道：「因爲你今夜要會見那一天君主，不是嗎？」

容哥兒道：「不錯呀！」

萬上門主道：「那一天君主武功高強，相公今宵和他相會，萬一露出馬腳，那一天君主在激怒之下，難免要放手一擊，雖有未亡人在側保護，也許有保護不周之處，如若能未雨綢繆，

早做準備，豈不是好了很多嗎？」

容哥兒心中暗道：「哪有這等事情，就算你那丹藥，確有奇效，也不能今日白晝服下，晚上就見奇效。」

萬上門主道：「好！現在你再休息一會兒，天色入夜之後，她們自會來此，爲你更衣，初更時分，我來接你，咱們先去那裏勘查一下四周形勢。」

也不待容哥兒再問，轉身出房而去。

天色漸漸入夜，室中一片黑暗。

金燕、玉燕連袂而入，一個手執紗燈，一個手中捧著衣服。

金燕放下手中紗燈，奔到容哥兒的身側，說道：「相公沒有掙動嗎？」

容哥兒道：「我睡得很安靜。」

金燕道：「那很好，這樣藥力的效用，加大了很多。」

說話之間，伸出雙手，雙掌揮動，連拍容哥兒三十六處大穴。

她每拍一掌，容哥兒只覺著掌處的骨節就格格作響。

容哥兒感到身上有一種莫可言喻的舒暢，心中暗自忖道：「不知她們用的什麼藥物，竟使人有此愉悅感受。」

但聞金燕柔聲說道：「相公，此刻有何感覺？」

容哥兒道：「感受舒暢，如沐春風。」

金燕道：「嗯！那就不會錯了。」

容哥兒道：「什麼事？」

金燕道：「小婢問你藥力行開了沒有，你的感受，正是藥力發揮到極致之後的必然現象，小婢恭喜相公了。」

容哥兒心中大奇，還待追問，卻聽那玉燕說道：「相公，萬上大駕就到，相公請更衣。」

容哥兒懶洋洋地坐了起來，說道：「你們把這衣服留下，我自己來穿。」

玉燕道：「小婢們比照相公身材，匆匆趕製而成，只怕有很多不合身的地方，必得立時改正，相公站起來吧。」

容哥兒無可奈何，緩緩下了木榻。

玉燕、金燕一齊動手，脫去那容哥兒衣物，換上新裝。

容哥兒對鏡端詳，只見身上穿著一襲銀灰色勁裝。

突然間木門呀然，萬上門主緩步行了進來。

今晚上，她的裝束又變，玄色頭巾，玄色勁裝，更顯得腰兒纖細，風情撩人。

玉燕、金燕齊齊欠身相迎；道：「恭迎門主。」

萬上門主揮揮手道：「沒有你們的事啦。」二婢應了一聲，齊齊退了下去。

萬上門主微微一笑，道：「穿上這身衣服，你就是那名動天下的鄧玉龍了。」

容哥兒道：「在下只不過是李代桃僵，暫時冒充一下罷了。」

萬上門主沉吟一陣，道：「今晚咱們若是還能活著，我有很多話，要和你說，如若不幸敗在那一天君主手中，咱們卻將葬身寒潭之中，此刻說了也是無用。」

容哥兒心中暗道：「好啊！你要我假扮鄧大俠，原來是想要我陪你一起去死。」

凝目望去，只見那萬上門主突然間變得十分嚴肅，接道：「你那柄至尊劍，是一支很鋒利

的寶刃，帶在身上，以防不測之需，我雖然守在你的左近，但也許無法及時出手，擋住那一天君主的襲擊，你自己也要暗作戒備才行，咱們去吧。」轉過身子緩步出門。

容哥兒隨那萬上門主身後，緩緩行去。

萬上門主步履很慢，而且一直沒有回頭望那容哥兒一眼。

這時，已是初更時分，東方天際，冉冉升上來一輪明月。

又行數十丈，突聞得水聲潺潺，傳了過來。

抬眼看去，只見那一湖碧水，在晚風中輕微盪漾。

萬上門主帶著容哥兒，直行到湖邊一座破爛亭子中，指著那亭子中的石椅說道：「坐在這裏等他，別忘記我交代你的話，記著沉著一些。」言罷，閉上雙目，運氣調息，不再理會容哥兒。

突然一陣吱吱喳喳的鳥語聲傳了過來。

萬上門主低聲說道：「記住我的話。」雙肩一晃，閃出亭子，消失不見。

容哥兒呆了一呆，暗道：「原來她要留我一人在此。」

正待開口呼叫，瞥見月光下一條人影，疾如流星而來。

事已至此，容哥兒只好硬著頭皮撐下去，照那萬上門主所囑，轉過臉去，望著湖水。

他雖然目注湖水，但卻把全副精神貫注雙耳之上聽去。

只聽一陣輕微細碎的步履，緩緩行入亭中。

但聞一個清脆而微帶訝異的聲音說道：「你是誰？」

容哥兒心中一動，暗道：「這兩人當真棋逢敵手，各有心機，那萬上門主明明是婦人之身，卻要我一個男子漢代她會晤強敵，那一天君主又明明是男子漢，卻找一個女子代他來此……」他只管在想心事，忘了回答那人喝問之言。

但聞那清脆的聲音又道：「你是誰？」

容哥兒長長吸一口氣，鎮靜了一下心神，緩緩回過身來，道：「我……」

凝神看去，只見一個玄色勁裝的女子，背插長劍，臉上也垂著一面玄色面紗。

那玄衣女子訝然說道：「是你？鄧玉龍……」

容哥兒彷彿聽到那萬上門主傳授的聲音，道：「不錯，正是區區……」

玄衣女子道：「你，你還沒有死嗎？」

容哥兒道：「取下你臉上面紗。」

那玄衣女子倒是聽話得很，緩緩取下面紗，道：「你還要瞧瞧我嗎？」

容哥兒原準備一套說詞，但這玄衣女子出人意外地輕易除了蒙面黑紗，容哥兒和那萬上門主計議之言，反而沒有了用，一時之間，竟然想不出適當的措詞回答，呆在當地，半晌無言。

倒是那玄衣女子接道：「你當真是鄧玉龍嗎？」

只聽一個清冷的聲音，接道：「不是，那真的鄧玉龍不是已經吞了你的化心毒丹死了嗎？」

容哥兒抬頭看去，只見一身玄衣的萬上門主，緩步走了進來。

心中突然一動，暗道：「怎麼這兩人都穿著玄色衣服呢？」

忖思之間，突覺手腕一緊，已然被人扣住了腕上脈穴。

但聞萬上門主冷冷說道：「放開他，此事和他無關。」

玄衣女子道：「他是誰？」

萬上門主道：「一個陌生的人，但他很像先夫，只是晚生了二十年。」

容哥兒藉兩人說話的機會，打量那玄衣女一眼，只見她柳眉帶煞，鳳日含威，比起那萬上門主，似更多了幾分煞氣。

她放開了容哥兒的腕穴，道：「你找一個陌生人，假扮鄧玉龍，是何用心？」

萬上門主自動除了臉上的面紗，緩緩說道：「我想那一天君主就是你，果然不錯。」

玄衣女道：「我也早想到萬上門主是你。」

萬上門主道：「咱們既以真正面目相見，那也不用保留什麼隱秘了，我先告訴你一件事，先夫確已死去，你那化心毒丹，並沒有白白耗費。」

玄衣女道：「所以，你才組織萬上門，收羅天下英雄，準備找我報仇。」

萬上門主道：「所以，你化名一天君主，女扮男裝，使用各種毒物，控制了無數高手，準備和我抗拒，是嗎？」

玄衣女道：「我也告訴你一句由衷之言，我不是害死你丈夫的兇手。」

萬上門主道：「我也在查，先夫死前一直和你在一起，不是你，會是誰呢？」

玄衣女道：「我也在查，而且，已查出了一點眉目！」

萬上門主冷冷接道：「那人是誰？」

玄衣女道：「我還沒有找到確切的證據，不敢妄言。」

萬上門主長長吁一口氣道：「如果你說不出兇手是誰，今夜就別想生離此地。」

玄衣女臉色一變，道：「你言詞咄咄逼人，難道我怕你不成？」

萬上門主道：「你既非害死先夫的兇手，何以先夫死後，你也遷離蓮花谷，去蹤不明，逃避何人？」

玄衣女望著那滿湖月色，緩緩說道：「如是你肯平心靜氣，坐下來和我談談，我倒願告訴你不知道的事情。」

萬上門主道：「除非你能舉出確證，說出兇手非你。」

玄衣女淡然一笑道：「不要緊，你如是一定要和我動手，也不用指我是害死你丈夫的兇手。」說著話，緩緩坐在殘亭中石椅之上。

萬上門主看她坐了下去，似有長談之意，也隨著坐了下去，道：「你喜著白衣，江湖上人人皆知，故有蓮花公主、白娘子的雅號，今晚之中，爲什麼穿著一身玄服？」

白娘子道：「我想你早該問了……」

目光轉動，望了容哥兒一眼，接道：「什麼事，你知道了，那也不用騙你的，鄧玉龍和你成婚之後，第二日，我就趕到，我約他在一處農家會晤，這件事你是否知曉？」

萬上門主道：「我雖然瞧出他面有憂苦之色，但卻沒問他。」

白娘子接道：「在你之前，他已經答允我，要和我常相廝守，想不到人離開我不過三月，就忘去了他許下的盟約誓言，負心變情，和你成婚。」

萬上門主接道：「所以你恨他？」

白娘子接道：「恨他的該是你，當天他和我會面之後，黃昏時就和我雙雙離開，丟下了他新婚三日的妻子。」

在我。」

萬上門主道：「嫁他之前，我就知道他風流成性，嫁他之後，又無能把他留在身邊，其咎

白娘子接道：「看起來，你才是第一多情人了。」

萬上門主道：「白娘子棄去了白衣不穿，為鄧郎改著玄服，你雖然不是他妻子，但對他用情卻不輸他明媒正娶的妻子啊。」

玄衣女道：「不要譏諷我，我很想能平心靜氣地和你談談，共為鄧郎報仇，不錯，為了他喜愛玄色，我才改裝玄色衣服，他已經死了十餘年，難道你還不能原諒他？」

舉手理一下鬢前散髮，緩緩接道：「話如從頭說起，又和鄧郎有關。」

萬上門主道：「我那丈夫，除了生性風流一些之外，輕淡名利，別無缺點，他絕不會化身一天君主組成神秘幫會，圖霸武林。」

白娘子道：「不是他。」

萬上門主道：「那是誰？又和我丈夫何關？」

白娘子道：「鄧郎背你私奔，和我廝守蓮花谷中……」

萬上門主緩緩揚起左手，道：「鄧郎生性風流，你們之間的一段情，我可以大量不究，不過你害死他，仇不能不報。」

容哥兒突然雙手一分，道：「兩位且慢動手，聽在下一言如何？」

萬上門主道：「你要說什麼？」

容哥兒道：「兩位說了半天，還是未把鄧大俠恩怨內情說出，在下聽了半天，也是聽不明白，如是兩位動手打了起來，不論誰勝誰負，定要有一個人死傷，不論誰死，未免都死得太糊

塗了。」

萬上門主接道：「閣下有何高見？」

容哥兒道：「在下之意，兩位最好能暫時拋棄成見，好好地談談，聽這位白娘子的口氣，不似是殺鄧大俠兇手。」

一頓，又接道：「在下不知，不過，兩位也未談清楚，但在下看兩位對那鄧大俠的情意，都是一樣的深重，如若能夠平心靜氣地談談，不難找出內情。」

輕輕咳了一聲，接道：「兩位仔細地談談吧，在下要鑒賞一下湖光山色。」

說完話，舉步出亭，行動瀟灑，大有一代情聖鄧玉龍的風度，白娘子和萬上門主，都看得爲之呆呆出神。

直待容哥兒踏著月色，行到數丈之外，白娘子才長長歎息一聲，道：「這人是誰，大有鄧郎昔年風貌。」

萬上門主道：「可是長得像嗎？」

白娘子道：「太像了，神貌丰儀，無不相同，如若未曾說明，我定要誤認他是鄧郎重生了。」

萬上門主臉色一整，冷冷說道：「現在，這亭中，只有我們兩個人，不論什麼話，都是可以談了。」

白娘子沉吟了一陣，道：「千頭萬緒，真叫人不知從何談起。」

萬上門主道：「先談你和鄧郎的私情，你們纏綿於蓮花谷中，時日很久，難道就未生一男半女嗎？」

白娘子道：「沒有，小妹一直沒有懷孕。」

萬上門主道：「關於鄧郎私情，你還知曉好多？」

白娘子道：「鄧郎除了和小妹談過你的事外，再未和我談過別人，因此，小妹知曉不多。」

萬上門主歎息一聲，道：「想他風流成性，到處留情，極可能留有他的骨肉，我和他夫妻一場，苦無所出，如若能找到他留下的骨肉，收來養育，也不枉我們夫妻一場。」

白娘子道：「姊姊說得是，小妹慚愧，卻未想及此，以後留心就是。」

萬上門主聽她越來越親近，連姊姊也叫了出來，臉色一沉，道：「你既非有意和我對抗，爲何要化身一天君主？」

白娘子道：「這又和鄧郎有關，他回來蓮花谷，住了不久，就悄然而去，小妹心中，實是氣忿不過，想他如此無情，我又何苦糾纏於他，但過了數月之後，心中怒意全消，思念之心，油然而生。」

偷眼瞧著，只見那萬上門主，臉上一片平靜，才敢接著說道：「越是不要想他，但他的音容笑貌，卻在我眼前搖來晃去，只好天涯海角去尋他的行蹤，我在江湖上行了三月，奔走了數千里，始終沒有探聽到他的消息，正當我心灰意懶之時，突然聽到他在江南出現的消息……小妹聞訊，連夜兼程，奔向江南，行到金陵，聽到了一件震動武林的大事，七月十五日，鬼節之中，鎮江君山之頂，有一場武林高人搏鬥。」

萬上門主道：「什麼人？」

白娘子道：「那傳說之中，沒有說什麼人，但小妹心中，卻陡生奇想，可能和鄧郎有關，

計算時日，不過數日時光，因此就兼程趕往鎮江。我到鎮江，已是七月十四日，連夜雇了一艘小舟，直放君山。」

白娘子道：「小妹裝做游客，在君山之上打聽，卻是未聽有武林高人比武的事，但想到既然來了，那就多住一夜，決心留過七月十五日之後。再走不遲。」

萬上門主道：「那夜是否有高人比武？」

白娘子道：「有，而且那兩人中的一個，可能就是鄧郎。」

萬上門主道：「鄧郎和誰比武？」

白娘子道：「一天君主，就是現在小妹的身分。」

萬上門主道：「那一天君主傷在另一人手中，你就假冒了一天君主？」

白娘子道：「差不多是這樣了。那夜的情景，和今宵有些相仿，月色水光，不過那水波聲勢，要強過今夜千百萬倍。」

萬上門主道：「那夜觀戰之人，除你之外，還有何人？」

白娘子道：「只有小妹一個，兩人決鬥，一人觀戰。」

萬上門主道：「兩人比武的消息既然傳遍了整個江南，何以只有你一個人趕往觀戰？」

白娘子道：「起初之時，小妹也是感覺到有些奇怪，何以竟然只有我一人在場觀戰，但事後小妹打聽之下，才知道早到君山之人，都因聽到沒有比武之事，早已離開，當天趕來之人，都被人給擋了回來，只有小妹不早不晚，趕到了君山。」

白娘子頓一頓，又道：「小妹女扮男裝，借宿寺中，準備明日一早，離開君山，二更時分仍未入眠，見窗外月色溶溶，忽動游興，穿好衣服，帶上兵刃推窗而出，行到寺後斷崖之上，

瞥見峰下，兩條人影在交搏拚鬥……

「兩人的武功，都已達登峰造極，只見兵刃在月下閃光，卻不聞兵刃交擊之聲，一望之下，即知是兩位絕世高人動手，小妹繞下斷崖，隱在一個大石後面觀戰……

「其中一人，手使長劍，全身黑衣，戴著面具，看身材頗似鄧郎，小妹驚喜交集，幾乎失聲呼叫，但又怕分他心神，強自忍了下去，另一人青袍長髯，身材十分矮小，如果他身材高大一些，小妹也無法冒充他了。」

語聲微頓，長長吁了一口氣，道：「那很像鄧郎的黑衣人，劍勢矯若游龍，著著搶攻。」

萬上門主道：「以後呢？」

白娘子道：「大約又鬥了十餘回合吧，那黑衣人劍勢忽變，攻勢更見凌厲，將青衣人刺中了一劍。但那矮小的青衣人，垂死反擊，拍中了黑衣人一掌，雙方都受了重傷，那黑衣人中掌之後，帶傷揮劍，連連攻出了十八劍，倒有五、六劍刺中了長髯老人，那老人再也難支，倒臥在草地上……

「不過，那黑衣人受傷亦似很重，刺倒那青衣人後，亦感不支，以劍撐地，奔向江邊，那江邊早有一艘梭形快舟，在那裏等候，他踏上快舟，破浪而去。」

萬上門主道：「你說了半天，那人是不是鄧郎呢？」

白娘子道：「當時我為兩人驚天動地的惡鬥震駭，忘記了追出瞧人，但他身形相貌，確似鄧郎無疑，以後在那青衣老人口中，獲得了證明，那人確是鄧郎。」

萬上門主道：「你當時如若追出去攔住他，也許他不會死了。」

白娘子道：「我想起追他時，他已經坐船而去，奔出數十丈。我追到江岸，那快舟只餘下一點黑影，只好退回來，這當兒，卻聽到一個輕微的聲音，傳了過來：「少年人，你如肯幫助老夫，你將獨得武林中至高無上的權威，你將不費吹灰之力，統治著千百位武林高手，你可一夕間，在武林中造成重大的殺劫……他說話十分艱苦，這些豪壯之言，從他口中說出，亦變得十分蒼涼。」

萬上門主道：「你救了他，他就傳你衣缽，讓你化身一天君主？」

白娘子道：「我當時動了好奇之心，行到他的身側，仔細看他傷勢，只見他全身都是鮮血，共有七、八處創傷。他告訴我身上有療傷的藥物和用法，我就依言施爲，替他敷過藥物，包紮起傷口。那人眼光犀利，一眼之間，已經瞧出我是女扮男裝。」

萬上門主道：「你承認了身分？」

白娘子道：「不錯，我告訴了他我的真實姓名，他很氣忿，說我既是鄧玉龍的情人，那就不必幫助他了，因爲傷他的就是鄧玉龍……但他傷勢嚴重，如若沒有我從旁看顧，絕難活得下去，小妹向無惻隱之心，那次不知何故，竟然變得十分不忍，大概因他傷在鄧郎手中之故，我竟然自動留下，照顧他的傷勢。」

萬上門主道：「以後，你把他救活沒有？」

白娘子道：「沒有，我如救活了他，勢必要被他殺死不可。」

萬上門主道：「你既然知道了他要殺你，爲什麼還要救他？你白娘子在武林中，有名的心狠手辣，我不信你明知他要殺你，還會救他。」

白娘子道：「嗯！姐姐想得不錯，他知我是鄧郎的情人之後，就不再和我講話，我看他傷勢沉重，也不防備，被他出其不意，點了我一處要穴，並且告訴我說，他用的獨門手法，七日

後傷發而死，遍天下除他之外，再也無人能夠解救……

「當時，我心中恨透了他，我一生中很少做好事，想不到救人，反為人傷，但我心中明白，此刻我仍可奮起餘力，殺他報仇，但七日之後，我亦非死不可。當時自救之法，只有好好待他，希望使他心生悔意，告訴我自救之法。所以我穴道被點之後，不但毫不生氣，反而細心替他洗傷、敷藥，照顧得無微不至，我不責備他，也不問他自救的辦法……

「果然，這辦法收到了奇效，一夜之後，他忍不住告訴我自解穴道的方法。」

萬上門主道：「你很陰險。」

白娘子微微一笑，接道：「鄧郎的劍招狠毒，有四劍，都傷了他的內臟，如是平常之人，當時就會死，但那一天君主，卻憑藉了深厚的內功，想支撐度過危險，第二天黃昏，他自覺難再支撐下去，就問我一件事。」

萬上門主道：「問你什麼？」

白娘子道：「問我是否願意承繼他的衣缽。」

萬上門主道：「你答應了。」

白娘子道：「小妹如不答應，豈有今日。自然是答應了，但他有一個重要的條件……」

萬上門主道：「要你殺死鄧郎？」

白娘子道：「大概他知道，這條件我不會答應，所以退求其次，要我不許再和鄧即見面，他說，我既然承繼了他的衣缽，縱然不肯為他報仇，最低限度，不能再幫助他的仇人。」

萬上門主道：「這要求並不過分啊。」

白娘子道：「我心中對鄧郎懷念甚深，但又恨他薄倖，三思之後，就答應了他。」

萬上門主道：「但你並沒有遵守誓言，以後又見了鄧郎是嗎？」

白娘子不理萬上門主相詢之言，接道：「我答應之後，他就開始傳我武功，他說時間不多，他胸中所學極博，不能仔細傳授了，只好口述要訣，讓我記在心中，至於我能學好多，那要看我才慧了。」

萬上門主道：「你是否已學得那一天君主的全部武功？」

白娘子道，「沒有，他原想利用一日夜時光，給我講述武功，但後來他發覺傷勢的惡化，比他想像更快，但有很多比武功更爲重要的事，必須告訴我……」

萬上門主道：「什麼事？」

白娘子道：「有關用毒的事，他告訴我統領那一群凶神惡煞的方法，必須要用非常手段，他告訴我，他的屬下可能心中都恨著他，但他卻用一種神秘莫測的權威，控制著他們，要我保持著那份神秘權威，只要我能做到，那些人就永遠不敢背叛於我。」

萬上門主道：「世上事，想來是那般令人難解，但事實經過，說出來，卻又是簡單無比。」

白娘子接道：「他又支撐一夜，第二天中午時氣絕而逝，臨死前說了兩件事：一件事要我把他屍體投入海中，另一件事，要我到西湖靈隱寺中取他遺物，他原本不願我再取他遺物，只是把一個龐大的神秘勢力交給我，讓我自生自滅，但臨絕氣時，竟又改變了主意。」

萬上門主道：「難道那遺物，比他傳授你的武功更爲重要嗎？」

白娘子點點頭，道：「他說完這兩件事就氣絕而逝，我照他遺囑，把他屍體投入了海中，就直奔西湖靈隱寺去。當時我還未覺到如何，但我到了靈隱寺，卻忽然感覺到有些奇怪。」

萬上門主道：「奇怪什麼？」

白娘子道：「那靈隱寺乃天下知名的莊嚴名刹，那一天君主怎會把很重要物件，寄存在那靈隱寺中呢？」

萬上門主一皺眉頭道：「嗯，倒是有些奇怪，你可曾取到那些遺物？」

白娘子道：「進入靈隱寺後，很順利取到了他的遺物，望著那莊嚴的古刹，我突然生出了一點不安之感，取了就走。我在西湖一家客棧之中住下，打開了他的遺物，共存三件，第一件是一本名冊，那上面記載著屬下要人的詳細出身，並注明他們身上所中之毒，第二件是用毒的經書，上面記載著各種用毒之法，第三件是一本薄薄的本子，用黃綾包起，上面寫著不得擅自拆閱……」

萬上門主接道：「那是一本密錄了，記述的武功，更強過毒經甚多。」

白娘子道：「不是武功，那上面記述著一天君主的身世。」

萬上門主道：「寫些什麼？」

白娘子道：「那一天君主，究是何人？爲什麼要組織那樣一個神秘的幫會？用心何在？」

她接著說道：「這是一樁武林隱秘，誰也不會想到那一天君主真正身分，竟是謠傳死去的金鳳門中男主人。」

萬上門主吃了一驚，道：「金鳳門中男主人？」

白娘子道：「不錯，那上面記述得清清楚楚，自然是不會錯了。」

這時，容哥兒已然走了一圈，重又回亭子前面，耳聞兩人還在講話，只好停下了腳步。

萬上門主輕輕歎息一聲，道：「這麼說來，事情太過複雜了，實叫人難懂。」

回目一掠容哥兒，道：「你請進來吧。」

容哥兒道：「在下不妨礙兩位的講話嗎？」

白娘子道：「不要緊。」

容哥兒緩步行入亭中，道：「兩位可曾找出那害死鄧大俠的兇手？」

萬上門主道：「事情複雜萬端，數十年江湖恩怨，似是集中一條主線上了。」

容哥兒道：「在下適才聽得兩位，談起那金鳳門……」

白娘子接道：「別說姐姐你不肯信，就是我親自看了那上面的記述，也是不敢相信。」

萬上門主道：「他那留書之上，如若無法注明內情，自然是不可相信了，果真如此，那自然是椿震動江湖的秘聞，但如是普通的嫁禍之計，那又不足爲奇了。」

白娘子道：「那黃綾密包的冊子，厚厚一本，但小妹只瞧了兩頁。」

萬上門主道：「爲什麼呢？」

白娘子道：「因爲那第三頁寫著兩行字，使小妹不敢拆閱。」

萬上門主道：「寫的什麼？」

白娘子道：「那上面說明，第三頁後記述了數十年來的江湖恩怨，也說明了消弭之法，但卻無一人能知曉……」

容哥兒道：「這就使人不明白了，那上面如有記載，人人可以閱讀，何以無一人能夠知曉呢？」

白娘子道：「因爲第三頁後，全書相連一起，上面有著毒中之毒，中人之後，片刻間毒發而死。」

接道：「如是我不知用毒之法，我想，那書上寫的再惡毒，我也敢看。但自我讀過那本毒經之後，知曉了何為毒中之毒，反而心有畏懼，不敢妄動。」

萬上門主目光望著白娘子，接道：「你取得那一天君主遺物之後，也同時取得了他的地位。」

白娘子道：「不錯，此後小妹就以一天君主的身分，在武林之中活動了。」

萬上門主道：「你以何身分出現江湖，我並不關心，我關心的是鄧郎下落，和他死亡的原因。」

白娘子道：「小妹曾用盡了心機，追查他的下落，但得到的消息，和姐姐卻是大不相同。」

萬上門主道：「你得到的什麼消息？」

白娘子道：「據小妹所知，鄧郎是那金鳳門江夫人所害。」

容哥兒吃了一驚，道：「不可能！」

白娘子兩道目光，轉注到容哥兒的臉上，道：「你認識江夫人？」

容哥兒道：「不錯，在下不久之前，才見過江夫人，看她形貌慈祥，不似行惡之人。」

白娘子冷冷接道：「如若她知道鄧郎是殺死她丈夫的兇手呢？」

容哥兒呆了一呆，道：「這個，這個……」

萬上門主轉身對白娘子道：「你說明了整個經過，我仍是聽不出何以那江夫人會是殺死鄧郎的兇手。」

白娘子道。「小妹說來，只怕姐姐不信，幸好那證人還未為小妹殺掉。」

萬上門主道：「那證人現在何處？」

白娘子道：「現爲小妹收押。」

萬上門主道：「不知能否把他押來此地，當面說明。」

白娘子道：「小妹不讓他在屬下之前，暴露身分，兩位最好能在明日午時，到你們茅舍前面的峰頂相訪，小妹稍作佈置，讓兩位和那證人相見。」

萬上門主道：「希望你不會在峰頂上設下埋伏。」

白娘子淡淡一笑，道：「兩位放心。」轉身出亭而去。

容哥兒望著白娘子身影去遠，才回目望著萬上門主道：「夫人相信她的話嗎？」

萬上門主道：「信疑參半。」

容哥兒道：「據在下所知，那金鳳門男主人，爲仇家所殺，而且激戰了一日夜，此事天下武林皆知，自然不會假了。」

萬上門主未置可否地接道：「說下去。」

容哥兒道：「在下見過金鳳門中女主人，爲人端淑慈和，絕不會殺害鄧大俠。」

萬上門主微微一笑，道：「所以，金鳳門中的二姑娘助你討取鏢銀，鬧得雙方都有人受了重傷。」

容哥兒道：「夫人提起鏢銀，在下倒要問問夫人了，那鏢銀現在何處？」

萬上門主道：「已被我遣人送往開封。」

容哥兒道：「爲什麼？」

萬上門主道：「求證一件事。」

容哥兒道：「那也和鄧玉龍的被害有關？」

萬上門主道：「雖然和鄧玉龍無關，但卻和天下武林的命運有關。」

容哥兒道：「那麼嚴重嗎？」

萬上門主道：「我萬上門中，有一位金道長，見多識廣，博學多聞，他檢查得鏢之後，竟然發覺了一件有關武林正邪消長的大隱秘。」說至此處，突住口不言。

容哥兒道：「什麼大隱秘？」

萬上門主道：「目下事情沒有人取得證明，暫時沒法子告訴你了。」

廿六　多情豪客

容哥兒緊隨在萬上門主的身後，說道：「夫人可知在下為何混入江湖中嗎？」

萬上門主道：「為了討回鏢銀。」

容哥兒道：「不錯，在下奉了母命而來，如是不能討回鏢銀，無法上覆慈命。」

萬上門主道：「那很好啊！你也可以在江湖上浪蕩不歸了。」

容哥兒道：「夫人，除非我死了，在下非得討回那鏢銀不可。」

萬上門主突然回過身，望了容哥兒一眼，道：「如是不把鏢銀還你，難道你還要出手搶奪？」

容哥兒道：「就算在下明知不成，那也不得不設法一試了。」

萬上門主微微一笑道：「除非是事情變化得出人意外，我們還你鏢銀。」

容哥兒道：「在下這裏先行謝過。」

萬上門主道：「不用了。」

放快腳步，直奔回幽谷茅舍。

容哥兒一路上留心查看，竟不見埋伏人手，心中暗道：「這女人心思縝密，處處不留痕跡。」

萬上門主行到一座茅舍前面，停身說道：「回房去，好好休息一下，明日中午，咱們還要再闖一關。」

容哥兒道：「人心難測，夫人如赴約，最好準備一下。」

萬上門主道：「你放心，我不會讓你受到委屈就是。」

伸手推開木門道：「回房去吧。」

容哥兒行入茅舍，萬上門主卻順手帶上室門。這時，夜色未盡，室門關起，房中一片黑暗，容哥兒定定神，緩步行到木榻旁側，坐了下去，只覺一股淡淡幽香，沁人心脾，登時神智暈迷，倒向木榻。

迷迷糊糊中，感覺到燭火亮起，耳際間響起了一個清脆的聲音道：「相公，萬上對你特別垂青，要我等助你增長功力……」

容哥兒想掙扎坐起，但感睏倦難支，很快地睡熟了過去。

醒來時已是日升三竿，滿窗陽光，容哥兒掙扎坐起，抬頭看去，只見金燕一身青色勁裝，坐在茅舍一角的木案旁側，木案上放著一柄長劍。

容哥兒躍下木榻，道：「昨夜是怎麼回事？」

金燕微微一笑，道：「助你伐毛洗髓，相公現在有何感覺？」

容哥兒道：「骨節之間，隱感痠痛。」

容哥兒突然想到了那一天君主和萬上門主訂下的峰頂之約，低聲問道：「現在什麼時分了。」

金燕微微一笑，道：「距午時還早，相公放心地梳洗吧。」

容哥兒道：「你已經知道？」

金燕道：「嗯，你瞧瞧我這身裝著。」說話之間，突聞木門呀然，玉燕、青燕並肩行了進來。

容哥兒凝目望去，只見那玉燕、青燕，全部穿著青色的勁裝，背插長劍，青燕、玉燕手中，各自捧了一個木盒。

玉燕道：「相公請進些吃喝之物。」順手把木盒放在案上。

容哥兒也不客氣，狼吞虎嚥地把兩盒食物盡皆吃光。

三婢站在一側，瞧他食用完畢，才由青燕先行收了木盒退去。

室外已響起了萬上門主的聲音，道：「準備好了嗎？」

金燕應道：「好了。」伸手取過案邊木椅上放的長劍，繫在背上。

玉燕、青燕紛紛取過長劍，奔出茅舍。

容哥兒轉目望去，那木案之上，還留著一柄長劍，顯然是留給自己了，只好順手取過，帶在身邊。

走出茅舍，抬頭看去，只見萬上門主，又改了一身裝束，全身黑衣，外罩玄色披風，臉上戴著一個紅色面具，說道：「防人之心不可無，也許要有一場激烈的惡鬥，除非對方先行出手，被迫迎敵之外，不得我命，不許輕易出手。」

三婢齊聲應道：「婢子們遵命。」

萬上門主道：「時光不早，咱們該去了。」

金燕一馬當先，向峰上攀去。這幾人輕功，造詣均深，那懸崖雖然陡削，但生滿矮松老藤，攀登並非太難，不多工夫，已然登上峰頂。流目四顧，只見頂上一片寂靜，不見一個人影。

萬上門主抬頭望望天色，道：「時間已到午時……」

語聲未落，突聞一個冷冷的聲音應道：「來的是萬上門主嗎？」

萬上門主低聲說道：「玉燕，和她應對答話。」

玉燕低應一聲遵命，高聲說道：「不錯，正是敝上駕到，姑娘什麼人？」

只見大石後，緩緩站起一個全身天藍勁裝，赤手空拳的少女。

容哥兒仔細瞧去，幾乎失聲而叫，敢情來人正是那三公主楊九妹。

楊九妹兩道清澈的目光，在容哥兒臉上溜了兩眼，目光轉到了玉燕臉上，道：「想不到今日又和三位姑娘碰面。」

玉燕冷笑一聲，道：「那日一戰，姑娘能突破重圍而去，足見武功高強。」這幾句話，有些誇獎，但亦有著嘲笑意味。

楊九妹道：「如若咱們能單打獨鬥，小妹自信可和幾位一決生死。」

玉燕道：「敝上和一天君主有約，來此別有要事，姑娘之約，只有異日奉陪。」楊九妹道：「諸位此來，想審問一個人犯，是嗎？」

玉燕道：「不錯，那人現在何處？」

楊九妹道：「屈駕等候片刻，那人犯即將押到。」

玉燕道：「約好的午時，貴君主爲何不守信約？」

楊九妹冷冷說道：「此刻還未過午時，急什麼呢？」

玉燕正待反唇相譏，卻爲萬上門主搖手阻止。一時突然沉寂下來，靜得呼吸可聞。

容哥兒暗中留神那楊九妹，只見她神色鎮靜，再也不望自己一眼，顯然，她並未發覺自己的身分。

過了片刻時光，突聞一陣步履聲傳了過來。抬頭看去，只見那白衣使者，直對萬上門主走了過來。在那白衣使者身後兩丈左右處，跟著兩個黑衣大漢，押著一個項戴鐵枷，身著灰衣的中年人。

白衣使者行到萬上門主身前，欠身一禮，道：「在下奉了敝君主之命而來，押送人犯一名，送交大駕。」

萬上門主道：「貴君主倒是言而有信。」

白衣使者道：「不過，敝君主交代，這人犯只能供你審問，不能帶走。」

萬上門主道：「你們在旁邊聽著嗎？」

白衣使者道：「我等一體迴避。」

萬上門主一揮手，道：「放他在此，你們可以迴避了。」

白衣使者應了一應，舉手一揮，道：「退到峰下。」當先向後退去。兩個押送那灰衣人的大漢，緊隨那白衣使者身後而退，只有楊九妹仍然站在原地未動。

萬上門主道：「你怎麼不走？」

楊九妹緩緩轉身，慢步而去。她走得很慢，足足有一盞熱茶工夫之久，身影才隱失不見。

萬上門主目注那楊九妹身影消失之後，才低聲對玉燕說道：「代我審問他。」

玉燕應了一聲，目光轉到那灰衣人的身上，冷冷說道：「你叫什麼名字？」

那灰衣人抬頭望了玉燕一眼，道：「濟南張大昌。」

玉燕心中暗道：「濟南張大昌，從沒有聽說過這名字啊。」口中卻慢慢問道：「此刻，一天君主和她屬下之人，都已離此而去，你如不想受苦，那就據實回答我們的問話了。」

張大昌慢慢說道：「在下被囚禁了很久的時間，江湖中事，隔閡甚久，不知姑娘要問些什麼？」

萬上門主突然接口說道：「關於鄧玉龍被害的事。」

張大昌道：「你是什麼人？」

玉燕道：「萬上門主。」

張大昌冷冷地說道：「我知道，我是問你們和那鄧玉龍的關係。」

萬上門主道：「鄧玉龍是我丈夫。」

張大昌道：「昔年武林中人稱白鳳旗的，可是姑娘你嗎？」

萬上門主輕輕歎息一聲道：「你知道很多事。」

張大昌道：「姑娘雖然在武林中出現的時日不久，但卻名傾一時，像在下這等年齡的人，有誰不記得姑娘之名。」

萬上門主道：「那已是過去的事了，不談也罷……」

語聲微微一頓之後，接道：「此刻，我想先知曉什麼人害死了鄧玉龍？」

張大昌道：「金鳳門中江夫人。」

萬上門主應聲道：「此事關係很大，你可知道說錯一句話，後果何等嚴重嗎？」

張大昌道：「在下自然是知道了。」

萬上門主道：「那江夫人爲什麼要害死那鄧大俠呢？」

張大昌道：「替夫報仇。」

萬上門主道：「天下武林同道，人人皆知那金鳳門的男主人，死亡在一次大伏擊中，和鄧大俠毫無關連，她替夫報仇，怎麼會找上鄧大俠呢？」

張大昌道：「這個嘛，就非在下所知了，但在下目睹，那鄧大俠重傷之後，和那江夫人一段對話，自然是不會錯了。」

萬上門主兩道森寒的目光，由垂面黑紗中透出來，望了容哥兒一眼，接道：「說下去，你如何遇見鄧大俠？我不相信那麼巧的讓你碰上。」

張大昌道：「在下無意中遇得鄧大俠，白衣駿馬，卻馳向荒野，那時，天色已是夕陽西下，晚霞絢爛的時光……」

萬上門主道：「你就追了下去。」

張大昌輕輕咳了一聲，道：「鄧大俠乃武林中有名大情人，看他縱騎荒郊，必有所爲，在下動了好奇之心，就悄然追了下去。鄧大俠耳目靈敏，在下不敢追得過近，只好遠遠地追隨身後，那時天色已然到掌燈時分，視界不明，正愁難再追上鄧大俠時，卻瞧見鄧大俠的白馬，繫在一座古寺前的大樹上。那座寺院，早已荒涼沒有僧侶居住，鄧大俠跑到此處，定非無因了。就在在下心念轉動之間，瞥見一頂轎急急行來，那小轎形式一眼便可以辨別出是女人的坐轎。」

萬上門主道：「那轎中坐的什麼人？此人和先夫的生死關係很大，你據實而言，認識為認識，不認識亦不可陷罪於人。」

張大昌沉吟了一陣，道：「在下不識那人。」

玉燕突然雙手齊出，抓住了張大昌的左臂，格登一聲錯開了張大昌的左臂關節。只聽張大昌悶哼一聲，疼出一頭大汗。

玉燕冷冷說道：「錯骨滋味如何？閣下如仍不肯說實話，那就有得苦頭吃了。」

張大昌長長歎息了兩聲道：「在下說出就是。」

萬上門主道：「接上他左臂關節。」

張大昌道：「夫人知道女俠紅扇子吧？」

萬上門主怔了一怔，道：「她早已嫁做人婦，難道也背夫私戀先夫不成？」

張大昌道：「這個嘛，在下不敢胡說，但那轎中走下來的，確是名噪一時的女俠紅扇子。」

萬上門主道：「以後呢？」

張大昌道：「以後那鄧大俠接到紅扇子後，就一齊進入古剎中。」

語聲微頓，凝目思索片刻，接道：「在下一時動了好奇之心，就追在兩人身後，行入古剎。」

萬上門主略一沉吟，道：「好！你說下去。」

張大昌道：「在下一路小心，直行到大殿之中仍然不見兩人蹤跡，正想退出大殿，到兩廂房去找，瞥見一條人影，迅如流矢，投入大殿之中。當時，在下正站在供台之前，匆急之間，閃身躲入了供台之下。」

萬上門主道：「那人是誰？」

張大昌道：「殿中一片黑暗，來人又穿著一身黑衣，臉上也戴著一片黑紗，很難看得清楚，直到後來，她現出本來面目，在下才瞧出是江夫人。」

萬上門主道：「好！你仔細的說明經過吧。」

張大昌道：「那江夫人進了大殿之後，立時忙著在四周布毒，只覺動作有些奇怪罷了。大約過了有半炷香的功夫，江夫人一切都準備就緒，但仍然不見那鄧大俠回來，只好故意晃燃火摺子，燃一炷香，插在供台香爐之中。果然，這一著發生了很大的效力，不大工夫，那鄧大俠已經匆匆趕來……」

萬上門主道：「紅扇子呢？沒有和先夫一起進入大殿嗎？」

張大昌道：「沒有，進入大殿的，只有鄧大俠一人，直到鄧大俠受傷衝出大殿，那女俠紅扇子，一直未再出現過，想是早已出了古剎了！」

萬上門主黯然說道：「她如在場，也許先夫就不會死了。」

張大昌輕輕咳了一聲，接道：「鄧大俠如若防備一些，也許就不致中毒了，但他自恃藝高膽大，一下子行入大殿之中，才中了江夫人預布之毒。但鄧大俠中毒之後，似已有所警覺，才厲聲喝問什麼人？江夫人應了一聲，燃起火燭，取了面紗，直到此刻，我才看清了她的真面目。」

萬上門主道：「不會錯嗎？」

張大昌道：「錯不了，在下認識那江夫人，何況，他們對話之中，已然說明了彼此的身分。」

萬上門主道：「你可記得他們談些什麼？」

張大昌道：「在下記憶十分清晰，江夫人問鄧大俠，是否殺了她的丈夫，鄧大俠一口承認下來，在下隱在供台之下，看那鄧大俠明知中毒後，仍然豪氣干雲，心中十分敬佩……」

萬上門主道：「先夫英雄肝膽，豪傑氣度，做過的事，自然不會不認。」

張大昌道：「江夫人似是有替那鄧大俠開罪之心，問他是否知曉那一天君主，就是金鳳門男主人的化身。唉！看那江夫人問話神態，如是那鄧大俠推說不知，也許一場風波就此平息。但鄧大俠卻不肯買帳，竟對那江夫人說，就是因為知曉他是金鳳門的男主人，所以才去殺他……」

容哥兒心中暗道：「好漢做事好漢當，大丈夫理應如此……」

但聞張大昌接道：「江夫人無法下台，只得拔劍出手，兩人就在大殿上惡鬥起來。那是一場武林中罕難一見的惡鬥，大殿上劍花錯落，寒氣逼人，鬥到分際，只見一團白芒，翻翻滾滾，無法分清敵我，江湖上傳說那江夫人武功高強，那日一見，才證實傳言不虛……」

萬上門主道：「江夫人縱然武功高強，但她絕難是先夫之敵。」

張大昌道：「雙方約搏鬥了四十個回合，江夫人已被鄧大俠圈入了一片劍影之中，就在下的看法，再鬥二十回台，那江夫人非傷在鄧大俠的手下不可，哪知就在那重要關頭時，鄧大俠身上奇毒發作，劍勢突然緩了下來。江夫人一面揮劍反擊，一面說道：我已在這大殿之上布下了奇毒，此時你已經中毒很重，已無再戰之能，還不束手就縛，更待何時。鄧大俠突然大喝一聲，仗劍護身。直向外面衝去。」

萬上門主道：「那江夫人可曾追趕了？」

張大昌道：「江夫人追出去，只聽錚錚三聲金鐵交鳴，江夫人就退了回來。」

萬上門主道：「先夫的腦後三劍。」

張大昌接道：「那江夫人似是傷得很重，整個左臂衣袖，都爲鮮血濕透……」

萬上門主道：「以後呢？」

張大昌道：「事情到此已算有了一個結果，那江夫人留在大殿，包紮了傷勢之後，就離開大殿而去。」

萬上門主道：「你說的都是實話嗎？」

張大昌道：「句句實言。」

萬上門主正待再問，瞥見兩條人影，疾如流星一般，急奔而來。

容哥兒目光轉動，只見來人正是楊九妹和那白衣使者。

楊九妹抬眼望了那萬上門主一眼，道：「閣下問完了嗎？」

萬上門主道：「問完了。」

楊九妹道：「問完了，我們要帶他走了，君父之命，說此人十分重要，不能夠受到一點傷害。」

玉燕冷笑一聲，道：「沒有傷害他。」

楊九妹瞧了那張大昌一眼，低聲對那白衣使者道：「有勞使者帶走他吧。」白衣使者應了一聲，抱起張大昌轉身而去。

楊九妹一直運氣而立，擋住去路，看樣子，似是防備萬上門主出手搶人。雙方相對而立，

未再交談，峰頂上一片沉寂，靜得落針可聞。

容哥兒只覺沉寂中潛有著一種無比的緊張，那楊九妹久久不去，實是有些可疑。大約過了一盞熱茶工夫，萬上門主突然開口，打破沉寂，道：「那一天君主，還交代了你些什麼？」

楊九妹道：「君父交代，請萬上賞她一個薄面。」

萬上門主道：「什麼事？」

楊九妹一掠容哥兒道：「他要萬上留下這一位冒牌的鄧大俠。」

容哥兒心中一動，暗道：「她要留我在此作甚？」

萬上門主冷笑一聲，道：「我如不答應呢？」

楊九妹輕輕歎息一聲，道：「萬上最好答應，彼此不傷和氣。」

萬上門主淡淡一笑，道：「要那一天君主親自來對我說。」

楊九妹接道：「君主已然離此他去，此刻早已在百里之外了。」

萬上門主怒道：「賤人膽子不小……」

楊九妹茫然接道：「你在罵哪一個？」

萬上門主心中暗道：「那白娘子化名一天君主的內情，量這丫頭亦不知曉，說了她也不信，不用和她多費口舌了。」

心念一轉，道：「那一天君主已在這山峰四周埋伏下人手嗎？」

楊九妹冷笑一聲，道：「君主並無傷害閣下之心，但卻不得不作準備，諸位如想平安離此，那就只有留下這冒牌的鄧大俠。」

萬上門主道：「就是一天君主親身到此，我也不受威脅，你已是我手下敗軍之將，那是不足言勇了，要他們發動埋伏，我倒要試試看一天君主手下，有些什麼出類拔萃的人物。」

楊九妹道：「好！門主一定想憑仗武功試試，我是恭敬不如從命了。」探手摸出一個竹哨，連吹三聲，哨聲甫落，峰頂上人影閃動，片刻間四面現出無數人影，團團把萬上門主等圍在中間。

容哥兒目光一轉，只見四周出現之人，至少在百人之上，不禁駭然，暗道：「這峰頂之上無險可守，如若這些人分由四面八方攻來，那確實不好對付了。」

金燕目睹強敵在山峰四面出現，立時低聲喝道：「各占方位！」

玉燕、青燕，應聲移動了身軀，分站在萬上門主身前。

容哥兒雖然不了然她們拒敵劍陣，但見正南方留了一個空位，移步補了上去。

金燕低聲說道：「相公劍術精絕，小婢以劍勢引你出手，想非難事。」

容哥兒道：「試試看吧，在下盡心學習就是。」

萬上門主冷冷說道：「如若你這次出手，仍落個全軍覆沒，想那一天君主，絕不會再饒過你了。」

楊九妹道：「百位高手，四面環攻，個個都悍不畏死，就算你們武功高強，也難破圍而出，至低限度，將會有重大傷亡。」

萬上門主略一打量敵勢，心中暗道：「這些人大都爲藥物控制，衝鋒陷陣，情難自禁，和他們拚命，確實有些划不來。」

心念一轉，低聲說道：「如動上手，不可和他們硬拚，由正面破圍而出。」

楊九妹冷冷一笑道：「還有一件事，奉告萬上。」

萬上門主道：「什麼事？」

楊九妹道：「在這四周百位高手中，除了博雜的武功、暗器之外，還有好多施用毒物的高手，諸位能夠防得兵刃、暗器，只怕無法防得無形的奇毒襲擊。」

萬上門主怒道：「如若動上手，你將是第一個死亡的人。」

楊九妹道：「只怕未必。」

容哥兒突然接口道：「萬上不用爲區區冒此大險，不如把在下留在此地。」

萬上門主道：「你隨我而來，自要隨我而去，豈能留在此地。」

楊九妹道：「萬上堅持如此，那是存心一戰了。」舉手在頭頂繞了一輪，布在四周的群豪，突然齊齊向場中行來。

容哥兒凝神查看，百餘高手，雖然一個個神情木然，但卻秩序井然，各人都有著一定的方位。顯然，這些人極熟悉這等大規模的圍擊、混戰。

萬上門主冷冷說道：「今日出手，不用顧慮傷人的事，儘管施下毒手。」

容哥兒心中暗道：「看來這一場惡鬥是打定了，三婢雖然個個劍法精絕，萬上門主更有著高深莫測的武功，但如真的動起手來，只怕也很難勝得這上百位高手的圍攻。今日之局，是不打最好，目下唯一可能阻止這場惡戰的，就是設法告訴那楊九妹，說明我真正的身分。」

心念一轉，暗施傳音之術，道：「楊姑娘，在下是容哥兒，不可造次，快住手。」

楊九妹怔了一怔，突然舉掌互擊三響，那四面逼進的百餘高手，突然停下來。

這時，三婢正準備先發制人，但見強敵突然停步不進，只好也暫時停下，等待那萬上門主之命。

容哥兒眼看那楊九妹擊掌爲令，不讓四面高手逼進，心中暗道：「看來，那楊九妹倒還聽我的話了。」

當下仍用傳音之術，接道：「萬上門主武功奇高，再多一些人，也無法困得住她，最多只能傷得三個女婢。」

容哥兒知她不便答話，繼續說道：「姑娘請賞在下一個薄面，留下一條路來，今夜初更，在下在山下茅屋相待，還有要事和姑娘詳談。」

楊九妹目光轉動，望了容哥兒兩眼，左手高舉，連連揮動。她揮手爲令，別人也瞧不明白。只見正面方位上，人群分裂，留出一條一丈寬的去路。

容哥兒低聲說道：「夫人，既然不和他們硬拚，那就不如全軍而退的好。」

萬上門主微一點頭：「跟我來。」當先行去。金燕、玉燕、青燕尾隨在萬上門主身後，魚貫而行。

萬上門主和金燕三婢，行離人群圍困，下了山峰。

只聽楊九妹的聲音，傳了過來，道：「你是容相公。」急步行了過來。

容哥兒正待舉步下山，聞聲只好停下了腳步道：「正是區區。」

楊九妹很快地行到容哥兒的身前，低聲說道：「你的易容術很高明，高明得使人看不出一點破綻。」

容哥兒道：「在下無此能耐，乃是那萬上門中人助我易容。」

楊九妹道：「你的神通不小，又混入了萬上門中……」

容哥兒道：「此中之情一言難盡，今夜會面，在下當奉告姑娘一件隱秘大事。」

楊九妹略一沉吟，道：「如若賤妾爽約，那就不用等我了。」

容哥兒道：「姑娘如若能去，還望你依時赴約。」

楊九妹苦笑道：「好！我盡我之能趕去見你，她們行蹤已選，你快些去吧。」

容哥兒轉身奔下山峰，只見金燕仗劍站在一株小松之下等候。

金燕低聲說道：「萬上已帶玉燕、青燕先行，要小婢留下等候，五里外有人牽馬等候我們，咱們得快些趕路了。」

容哥兒想到和楊九妹訂下之約，不禁呆了一呆，道：「咱們要到哪裏？」

金燕道：「萬上行蹤，一向隱秘，此刻還不知曉，但看她行色匆匆，連相公也不等候，似是趕向一處很重要的地方。」

容哥兒輕輕歎息一聲，道：「這麼辦吧！姑娘先走，在下要多留此一宵。」

金燕道：「爲什麼呢？」

容哥兒道：「因爲，我已約好那楊九妹初更時分，在此相會。」

金燕道：「萬上要小婢把相公帶離此地，若相公有何損傷，小婢也不敢回見萬上。」

容哥兒道：「那楊九妹撤除了一切守衛，放咱們下了山峰，冒了好大的風險，在下既和她訂下了相會之約，豈能不守信約，一走了之。」

金燕輕輕歎息一聲道：「相公堅持留此，看來小婢只有奉陪了。」

容哥兒道：「聽憑姑娘之意。」

金燕抬頭四顧一眼道：「此地不宜久留，咱們先找一處地方，進些食用之物，休息一下，

然後再赴初更之約不遲。」轉身當先行去。

兩人不敢再進入那茅舍之中，尋找了一處山谷，坐了下來。金燕掏出乾糧，分給容哥兒食用，神態極是溫柔。

進過食物，金燕緩緩站起，說道：「相公請坐息一刻，小婢替相公瞭望把風。」

天色逐漸地暗了下來，金燕也悄然行了回來。容哥兒雖然坐息已醒，但卻故意裝做未醒，微啓一目瞧去，只見金燕斜靠在丈餘外一塊大岩上，望著夜空出神。

天色快到三更，金燕才緩步行了過來，低聲叫道：「容相公，初更快到，該醒來洗個臉了。」

容哥兒起身西行百餘步，在小溪洗了臉，頓使人神智一清。

金燕掏出一條絹帕，遞了過去，一面問道：「相公，可要小婢追隨去嗎？」

容哥兒沉吟了一陣，道：「也許會有變化凶險，姑娘不用去了。」

金燕也不爭辯，低聲說道：「相公要小婢在何處等候？」

容哥兒四顧一眼，道：「就在這小溪之旁。」

金燕點點頭，又道：「小婢等到何時？」

容哥兒道：「三更時分，如若三更過後，還不見我回來，姑娘就自己走吧。」

金燕道：「三更過後，小婢去那茅舍尋找相公。」

容哥兒道：「三更之後，我還不回來，定然已遇上了什麼凶險，姑娘又何苦去冒險呢？」

金燕道：「不能帶相公同見萬上，小婢也一樣凶多吉少。」

容哥兒怔了一怔，道：「這樣嚴重嗎？」

金燕道：「萬上一向言出法隨，相公如惜憐小婢，那就請多多珍重。」

容哥兒道：「好！我盡力自保就是。」轉身大步行去。

此際天上浮雲掩月，一片幽沉夜色，容哥兒行入茅舍，耳際已響起楊九妹的聲音道：「容相公別來無恙，小妹已候駕多時了。」

容哥兒道：「今夜承姑娘賞臉，在下這裏領情了。」抱拳一揖。

楊九妹道：「我只有半個時辰的時間，相公有什麼重要的話，先行請說吧。」

容哥兒道：「你可知道那一天君主的真實身分嗎？」

楊九妹奇道：「就是一天君主啊！是一位武功、用毒，無不登峰造極的奇人。」

容哥兒道：「我是說他的盧山真面目。」

楊九妹道：「我們每日所見，青衫白髯，就是他的真面目了。」

容哥兒道：「好！我告訴你，不過，你知道之後，暫時還不能隨便說出，如若被他查出，絕然不會饒你。」

楊九妹滿臉懷疑之色，說道：「你是說君主別有身分？」

容哥兒道：「不錯，她不但別有身分，而且還是女兒之身。」

楊九妹一皺眉頭，道：「當真嗎？」

容哥兒道：「那青衫白髯的老人，只是她的化身而已，她真實的身分，乃江湖上有名的白娘子。」

楊九妹雙目圓睜，顯然大為驚愕，呆了一陣，道：「相公，君父對我等雖然嚴苛一些，但

我等對他都極忠心，你不能污辱他老人家。」

容哥兒心中暗道：「她久年處在那一天君主的積威之下，早已積非成是，告訴她實話，她也不肯相信了。」

心中念轉，口中說道：「那原來的一天君主也是一位武林大有名望者，只因得一部毒經，才生出幻想，企圖稱霸武林，但那人已死在君山之上，白娘子適逢其會，得傳衣缽繼承了一天君主的道統。」

楊九妹仍是不肯相信，搖搖頭，道：「你姑妄言之，我姑且信之。」語聲微頓接道：「相公還有什麼話嗎？」

容哥兒道：「沒有了。」

楊九妹道：「好，容相公說完了，賤妾也有要事奉告。」

容哥兒道：「姑娘請說。」

楊九妹道：「據賤妾聽得的消息，敝君父已然選中了一個形勢險要的所在，準備建築一座將台，召開一次『求命大會』。」

容哥兒道：「顧名思義，那『求命大會』必將是稀奇古怪，前所未有的大會。」

楊九妹道：「凡是與會之人，都是爲了求命。」

容哥兒道：「只聽這名字，已經是滿含殺機了。」

楊九妹抬頭望望天色，道：「你冒了生命之險，去那小小禪院，探望於我，這份情誼，我當永銘於心，今日放走你和萬上門主，那也算還報盛情了……」

楊九妹沉吟了一陣，黯然說道：「相公日後，最好別再扮做那鄧大俠的容貌，牢記賤妾之言。」語聲甫落，縱身而起，身影一閃，頓然消失不見。

容哥兒出了茅舍，直奔小溪。

金燕果然在溪旁等候，見著容哥兒，笑道：「相公回來了。」

容哥兒抬頭看看天色，道：「還不過二更時分。」

金燕無限溫柔他說道：「咱們可以動身嗎？」

容哥兒點點頭道：「在下亦想早見萬上，請教一事。」

金燕道：「小婢帶路。」

容哥兒帶馬遂行，片刻間，行到了一座高大的宅院前面。

金燕舉手叩動門環，木門呀然而開。

兩個仗劍黑衣大漢，並肩攔在門前，金燕低聲問道：「萬上走了嗎？」

兩個仗劍大漢，對金燕極是敬畏，齊齊欠身應道：「萬上已於初更時分動身。」一面說話，一面伸手接過金燕和容哥兒手中的馬韁。

兩人說話之間，玉燕已從裏面迎了出來，說道：「萬上在此等候甚久，直到天過初更，仍然不見兩位歸來，實無法再多等候，只好先行動身了。」

廿七　失之交臂

容哥兒道：「萬上到哪兒去了？」

金燕道：「相公不是要向萬上討回鏢銀嗎？」

容哥兒道：「不錯呀！」

玉燕道：「萬上遣人把取得的一個箱子，送往開封，內情如何，迄今尚無消息，相公提起那趟鏢來，萬上大爲不安，因此匆匆趕往開封。」

容哥兒搖頭一笑，道：「只怕不是爲了在下吧？」

玉燕嫣然一笑，道：「萬上這麼說，小婢只好原句轉告了。」

語聲微微一頓，又道：「後宅備有酒飯，兩位請去食用一些，打坐片刻。」

容哥兒確實腹中有些饑餓，道：「有勞姑娘帶路。」

玉燕帶著容哥兒穿過了一片庭院，到了大廳。大廳上擺滿了酒菜。

原來，他們萬上門中，不斷地有人趕到，只好設下流水宴，隨來隨吃。

容哥兒匆匆食畢，才想到金燕沒有同來，只有玉燕坐在一側相陪，當下問道：「金燕姑娘未來嗎？」

玉燕道：「由此時起，金燕姐姐已把你交給了我，有什麼事只管吩咐我就是。」

容哥兒道：「此刻，咱們行程如何？」

玉燕道：「由小婢奉陪，相公吃過東西，咱們換馬起程。」

容哥兒道：「姑娘和金燕，不論何人陪我，在下都歡迎至極，不過，在下希望知曉咱們要趕往何處。」

玉燕道：「咱們去追萬上，取回你失去鏢銀，你去是不去？」

容哥兒霍然站起，道：「那就不用等了，咱們立刻可以動身了。」

只見玉燕站起身子，道：「咱們上路吧。」起身向外行去，容哥兒隨後而行。

出得大門，金燕早已帶著十幾個勁裝大漢，列隊相送。

兩匹健馬，已經上了鞍蹬，停在路中等候。

玉燕牽著容哥兒，越眾面去，躍上馬背，健馬如飛，直奔正東。

一路上玉燕柔順無比，對容哥兒生活起居，照顧得無微不至。

容哥兒心中暗道：「鄧夫人手下這四燕女婢，一個比一個武功高，溫柔多情，誰要能娶她們爲妻，那也是前世修來的福氣了。」

行行復行行，中午時分，到了開封城外。

玉燕帶著容哥兒行到一座客棧門前，低聲說道：「容相公，咱們先到客棧，休息一下，再更衣去見萬上，好嗎？」

容哥兒點點頭道：「姑娘說得是。」隨在玉燕身後，進入客棧。

只見一個店夥計迎了上來，道：「兩位住店嗎？」

玉燕道：「我要東南西北房。」

那店夥計欠身道：「早已打掃乾淨，替姑娘留著，小的給姑娘帶路。」轉身行去。

容哥兒心中大感奇怪，暗道：「哪有東南西北房，這分明是一種暗語，難道這座客棧，也是萬上門中開的不成？」

心中念轉，人已隨著那店夥行入了一個寬大的房間。

店夥計讓兩人行入了房內，欠身一禮，道：「這間房子很幽靜。」

玉燕一揮手道：「替我們準備酒飯。」

那夥計應了一聲，退了下去。

片刻工夫，酒飯送上，兩人相對小酌。

容哥兒道：「咱們幾時可見萬上？」

話剛落，突然間木門呀然，打破沉寂，一個青衣童子，當門而立。

那青衣童子欠身一禮，道：「你是玉燕姑娘？」

玉燕淡淡一笑，道：「不錯。」

青衣童子道：「小可奉萬上之命而來。」

玉燕道：「可有竹牌令符？」

青衣童子緩緩從衣袋之中，摸出一個三寸長短，一寸寬窄的青竹令牌，遞了過去道：「姑娘請看。」

玉燕接過令牌瞧了一眼，問道：「萬上現在何處？」

青衣童子道：「兩位請隨我來吧。」

玉燕、容哥兒一齊站起身子，隨在那青衣童子之後，緩步出了室門。

青衣童子道：「兩位和在下最好能保持一丈左右的距離。」

大步向店外走去。

容哥兒和玉燕隨在那青衣童子身後一丈左右處，遠遠隨行。

這時，午市正開，街上行人甚多，擦肩接踵而行。

行約頓飯工夫之時，轉了十幾條街，才到了一座大宅院前。

三人剛剛行近大門，那兩扇緊閉的木門，突然大開。

那青衣童子突然一個飛縱，竄入了大門之內。玉燕、容哥兒隨後躍入門內。

容哥兒走在最後，雙足剛落地，那兩扇木門卻呼的一聲，關了起來。

回目望去，只見兩個全身黑衣大漢，分站大門以內，肋間掛著腰刀，戒備森嚴，如臨大敵。

只聽那青衣童子道：「萬上現在後廳，兩位隨我來吧。」說完當先而行。

登上七層石級，青衣人退到閣門一側，玉燕步入閣中，目光略一轉動，欠身對正中一人說道：「小婢玉燕，覆萬上之命。」

容哥兒緊隨在玉燕身後，步入閣中，抬頭看去，只見萬上門主，坐在畫閣正中，仍然戴著一重面紗。

但聞萬上門主低沉的聲音，傳了過來，道：「你們來了，先請坐吧！有話等一會兒再談。」

這句話，也不知是答覆玉燕呢，還是對容哥兒說。

容哥兒目光流轉，才發覺這座畫閣中，坐著很多人，西面靠窗處，放著一張方桌，方桌四周，分別坐著四個身著長衫的老人。

心中暗道：「這四個老人，不似身懷武功的樣子，兩個風采文雅，似是飽讀詩書之士，另外兩人，衣著神態，頗似當舖中的老朝奉。」

四個人微微閉著雙目，搖頭晃腦，似是都在動用心機，想著一件很爲難的事情。

容哥兒和玉燕落座之後，室中立時又恢復一片沉寂。

良久之後，才聽得萬上門主說道：「四位想到了嗎？」

靠南方一個老人首先說道：「老朽一生中，從手中經過的珠寶，不下萬件，卻從未見過此物。」

靠東面一位老人歎息一聲，接道：「老朽這一生中，不知見識過多少的明珠、珍寶，但此物卻無法勘定，它似是燒成的琉璃，又好像是天然的水晶，唉，當真是不易鑒別。」

萬上門主沉吟了一陣，道：「兩位老夫子博學多才，想必瞧出那水晶上的文字來歷了？」

坐在北角的一位老者，輕輕歎息一聲，道：「老朽慚愧得很，無法認出那上面文字用意。」

西首一位老夫子，伸手一持長髯，搖頭晃腦說道：「就老夫查看所得，上面字形，似是用天竺文字記成。」

北面老者說道：「天竺文字，亦成形體，但那上面文字看去，有如花朵、圖案一般，叫人無法分辨，也許它是圖案，不是文字。」

萬上門主站起身子，說道：「四位暫請各回房中，休息一下，也藉機會多想想，再談此事不遲。」四位老人起身，步出畫閣。

四人離開之後，萬上門主先行伸手，取下臉上的面紗，目光一掠容哥兒，笑道：「你來得很快。」

萬上門主柔聲說道：「你長途跋涉而來，本該讓你休息一下才好問你，但此事很重要，只好先問過之後，再讓你休息了。」

容哥兒道：「在下並不疲累，萬上有何問詢，儘管請說。」

萬上門主道：「你見過楊九妹了？」

容哥兒道：「見到了，但她行色匆匆，只短短交談數言。」

萬上門主道：「你們談些什麼？」

容哥兒道：「那楊九妹告訴在下說，那一天君主要舉行一個『求命大會』。」

萬上門主神色凝重地說道：「古往今來，武林中不少梟雄霸主，都沒有這樣大的口氣，這一天君主，竟然發出這樣大的狂言，顯是早有準備。」

容哥兒心中一直惦念著王子方的失鏢，當下說道：「萬上可曾取得失鏢了嗎？」

萬上門主望容哥兒一眼，緩緩說道：「剛才那四個老人，你都已經看到了？」

容哥兒道：「瞧到了。」

萬上門主神色凝重地說道：「你可知曉那鐵箱之中放的何物嗎？」

容哥兒道：「這個，在下就不知道了。」

萬上門主道：「一件似玉非玉，像水晶又像琉璃的東西。」

容哥兒道：「剛才那四位老人可就是談論此物嗎？」

萬上門主道：「不錯，兩個有著數十年鑒別珠寶經驗的老朝奉，無法判定它是人工製的琉璃，還是天然的水晶，兩個博通古今的大儒，無法認出那上面雕刻之花紋，是字還是花。」

容哥兒道：「上面雕刻的字跡難認，那也罷了，但是人製琉璃或天然水晶，一眼就可瞧得出來。」

萬上門主微微一笑道：「你自信有此能耐嗎？」

容哥兒道：「在下自信可以一眼辨認出來。」

萬上門主道：「那很好，早知你有此能耐，那也不必找兩個老朝奉來了。」探手從身後取過一個八寸高、一尺長、五寸寬的小鐵箱來，打開箱蓋，道：「拿去看吧。」

容哥兒手從鐵箱之中，取出一個拳頭大小的白色方石出來。

凝目望去，只見上面雕刻著密密麻麻似字非字、如花非花的圖案，筆劃均整，深淺如一，不禁心中一動，暗道：「怎麼刻劃得如此整齊。」

初看之下，頗似人製琉璃，但細看了一陣，又覺它瑩晶透澈，又似天然水晶，越看越覺無法辨認。

但聞那萬上門主說道：「你瞧出來了嗎？」

容哥兒搖搖頭，把手中既如琉璃又似水晶之物，放在那鐵箱之中，說道：「瞧不出來。」

萬上門主道：「唉！不論是水晶，或是琉璃，或是一塊白玉、頑石，那都無關緊要，要緊的是那上面雕刻的文字。」

容哥兒道：「夫人怎知那上面雕刻的是文字呢？」

萬上門主道：「我不但知曉上面記述的文字，而且知道記述的是一種極爲厲害的武功。」

容哥兒道：「夫人怎麼知曉這上面記述的，是一種很高深的武功呢？」

萬上門主道：「我認識這上面四個字。」

語聲微微一頓道：「那四個字，寫的是『大乘寶錄』，顧名思義，就不難知曉這上面記述的，是一種很高深的武功了。」

容哥兒道：「夫人既認得這四個字，怎的不認識其他文字？」

萬上門主道：「那大乘寶錄四個字，是用梅花篆字寫成，不難辨認，其他文字卻不知是用什麼文字寫成，我也認不出來。」

萬上門主站起身子，道：「那金道長已然去請一位名家，就此地而言，這該是最後一次希望了。」

突聞一個威重的聲音，傳了進來，道：「見過萬上。」

但聞萬上門主應道：「道長辛苦了。」

容哥兒轉頭望去，只見那金道長緩步行入閣中，欠身道：「那位方舉人，已經請到了。」

萬上門主道：「現在何處？」

金道長道：「爲了盡快趕回，屬下讓他騎上萬上的寶駒趕來。他年老氣衰，坐立不穩，從馬上摔了下來……」

萬上門主臉色一變，道：「摔死了？」

金道長道：「屬下走他身後，及時出手抓住了他，受了一場虛驚，此刻，尚熟睡未醒。」

萬上門主道：「神智不清，不能說話，是嗎？」

金道長道：「如是能讓他休息一日，那最好不過，如要他立刻動手，只怕要借重藥物。」

萬上門主沉吟一陣道：「先讓他休息一日再說。」

金道長欠身道：「屬下設想不周，恭領萬上的責罰。」

萬上門主站起身子，道：「道長爲萬上門奉獻了全部的心智，這點小事何足掛齒，下去休息吧。」

容哥兒退出畫閣，玉燕立時迎了上來，帶他到了一座幽靜的小室之中。

萬上門主回顧了容哥兒一眼，道：「你也該休息一下了。」

金道長淡淡一笑道：「多謝萬上。」快步退出畫閣。

過不多時，玉燕敲門道：「萬上請你去，有要事相商。」

容哥兒收拾一下簡單的衣物，道：「咱們走吧。」

玉燕當先起身，說道：「小婢帶路。」當先向前行去。

行到了一座大廳前面，輕聲扣動門環，道：「容相公到。」

木門呀然而開，青燕低聲說道：「萬上在內室等候。」

容哥兒怔了一怔，暗道：「怎麼在內室等候，不知有什麼重要大事相商。」心中念轉，人卻行入大廳。

青燕回身關上房門道：「小婢帶路。」穿過大廳，拉開一片厚簾子。

只見兩支火燭高燃，鄧夫人端坐在一張木椅之上，呆呆出神。

容哥兒道：「萬上相召，不知有何見教？」

萬上門主緩緩說道：「你不是我門中人，用不著這樣稱呼我。」

容哥兒道：「在下放肆，稱呼鄧夫人了，夫人召在下來，有何吩咐？」

萬上門主神色嚴肅地說道：「請你來想告訴你兩件事。」

容哥兒預感事態嚴重，低聲說道：「什麼事？」

鄧夫人微微一笑，道：「第一件事，王子方的鏢銀，我已經吩咐他們交給你，不過，要除去這『大乘寶錄』。」

容哥兒道：「這個，在下難作主，必得那王總鏢頭同意才成。」

鄧夫人淡淡一笑道：「只要你同意，那王子方無關緊要。」

容哥兒沉吟了一陣，道：「還有一件什麼事？」

鄧夫人道：「我想見見令堂，不知你是否可以安排？」

容哥兒道：「家母的事，在下一向無法作主，不過，我可以把夫人的意見，轉告家母，如何斷處，由她裁決。」

鄧夫人道：「不論令堂是否同意，我必須要見，但我和你相識一場，總希望能夠不傷和氣的見到令堂。」

容哥兒道：「家母逃世避爭，一直過著安靜日子，你爲什麼一定要去打擾她？」

鄧夫人道：「令堂如若是真的如你所言，已然逃世避爭，不再問武林中事，我決不使她捲入江湖紛爭漩渦……」語聲微微一頓，接道：「如若她仍然暗中操縱武林大局呢？」

容哥兒道：「這是不可能的事，家母隱居之處，僻處山谷，一年中也難得有一個客人造訪，怎會與武林中人物來往。」

鄧夫人道：「也許你說的話不錯，但我和她見見面總是無妨。」

容哥兒還待接言，鄧夫人搶先說道：「我只是告訴你這件事，目前我還沒有工夫去探望令堂，你慢慢想想再說，不用急著答覆。」

只聽玉燕的聲音，傳了進來：「啓稟萬上，第一路總探劉飛，有要事求見。」

鄧夫人道：「好！燃起珠燈，我在大廳中接見他。」隨手取過面紗，戴在臉上，緩步行了出去。

容哥兒道：「在下告退了。」

鄧夫人道：「劉飛深夜求見，必然有重要大事，你跟我一起去聽聽吧。」

容哥兒道：「方便嗎？」

鄧夫人道：「我乃一門之主，萬上門中，又有誰能管我？」

容哥兒道：「夫人說得是。」緊隨鄧夫人的身後，行入大廳。

鄧夫人緩緩在正中一張大椅上坐了下來。

玉燕輕輕拉開木門，只見一個身披黑色披風的大漢，雙手掩面，欠身而入。

容哥兒站在萬上門主的身後，心中暗暗忖道：「這萬上門主，對待屬下，倒是嚴厲得很。」

但聞萬上門主說道：「劉總探，什麼重大之事？深夜之中，非要見我不可。」

劉飛放下掩面雙手，抬頭說道：「屬下探得一項驚人的消息。」

萬上門主道：「什麼消息？」

劉飛道：「不知何方狂徒，竟然在洞庭湖君山之上，舉行求命大會，江湖上廣爲傳播，誰要想留得性命，就得趕往求命。」

萬上門主道：「還有什麼？」

劉飛道：「那求命大會，一共舉行百日，過期不再賜命。」

萬上門主道：「可是已經有人去求命嗎？」

劉飛道：「屬下不解的也在此了，一個狂徒，要舉行一次前所未有的『求命大會』，就有人聞名驚心，趕往洞庭湖君山求命。」

萬上門主道：「再去採聽，有什麼武林中有名人物，趕去參與。」

劉飛道：「屬下遵命。」

萬上門主舉手一揮，劉飛應手退出大廳。

玉燕輕輕掩上廳門，低聲說道：「萬上明晨還有要事，也該休息了。」

萬上門主目光轉動，望了玉燕一眼道：「你們休息去吧，我和容相公還有一點事要商談。」玉燕、青燕相互望了一眼，緩緩退出廳中。

但聞萬上門主說道：「適才劉飛之言，你都聽到了。」

容哥兒道：「聽到了。」

萬上門主道：「現在，你和我，都面臨到一個抉擇了。」

容哥兒道：「什麼抉擇？」

萬上門主道：「也許她原計劃中，還有一年半載才發動這『求命大會』，但經我們一擾，她發覺了內部危機，決心提前發動這『求命大會』。」

容哥兒道：「在下不解，為什麼她發動『求命大會』之後，人人都要去向她求命呢？如是見怪不怪，置之不理，這『求命大會』，豈不變成了笑柄大會。」

萬上門主道：「有一件事，你還未想明白。」

容哥兒道：「什麼事？」

萬上門主道：「白娘子舉行這一次英雄大會，並非她一手布成，而是她繼承了那金鳳門中男主人的餘蔭，我相信我的推論不錯，這是早些年以前，預布的一次陰謀，可惜的是那預布陰謀之人，未能等到時機成熟，就死在了先夫的劍下，而他在死亡之前，又無法選擇繼承衣缽的人，但又不甘心半生心血白費，在無法兩全之下，才把那一天君主之位，傳給白娘子。」

語聲微微一頓，接道：「白娘子借他人之口，告訴了我們很多事，這其間大部真實，但卻有一點虛假，目的在佈置成一個兩虎相鬥局面。」

容哥兒一皺眉頭道：「夫人，可否說得明白一些。」

萬上門主道：「事情簡單得很，那白娘子希望我找上金鳳門，求報殺夫之仇，不再多管江湖事，金鳳門有了我這樣一個強敵，亦將集中全力對付我，自然是無暇再管江湖中事了。」

容哥兒心中暗道：「她和我談了這樣多事情，自非無因，不知有何用我之處？」

心中念轉，不自覺地抬頭望了萬上門主一眼。

只見那萬上門主兩道清澈星目，也正望著自己，一臉肅然之色，道：「容相公，除了金鳳門、萬上門之外，所有的武林人物只怕都要遭逢大難，這是一場很悲慘的江湖大劫，是嗎？」

容哥兒道：「不錯，如若事情確如夫人所言，這是一場前所未有的武林大劫。」

萬上門主道：「如果那求命之人，盡為那一天君主所用，你可知江湖上，是一個何等局面嗎？」

容哥兒道：「這，在下未曾想過。」

萬上門主緩緩說道：「那時，天下英雄，大部分被她掌握，縱然金鳳門和我萬上門聯手合作，也是無能對付她了。三年之內，她可以完成獨霸江湖的圖謀，那時，所有的武林人物，只有兩條路可以選擇，一條是入其掌握，爲她效命，渾渾噩噩的過一輩子；一條是被她送上死亡之途。」

容哥兒道：「武林九大門派，和弟子遍及天下的丐幫，難道都袖手不管嗎？」

萬上門主道：「哪裏還有九大門派，哪裏還有丐幫，十處名山，九派一幫的盤踞之地，都將變成那一天君主座下的十座分舵而已。」

容哥兒心中暗道：「這話倒也不錯。」

但聞萬上門主接道：「欲待免去這一場江湖大劫，必得從破壞她求命大會著手，時間很短促，咱們頂多只有兩個月準備時間。」

容哥兒道：「夫人這等作爲可救千百人命。」

萬上門主道：「要我萬上門獨力去破壞那『求命大會』嗎？」

容哥兒道：「在下願爲先軀，聽候夫人遣命。」

萬上門主格格一笑，道：「可是你只是一個人，難當大用。」

容哥兒沉吟了一陣，道：「可惜在下出道江湖時日很短，識人不多，無法爲夫人召請來助拳之人。」

萬上門主道：「我告訴你這件事，只望你答應我一個請求。」

容哥兒道：「但得我力所能及，無不全力以赴。」

萬上門主道：「這件事，你辦來很容易，只是你不肯允……」

容哥兒忽有所覺，接道：「可是帶你去見家母？」

萬上門主道：「也不用如此匆忙，只要你和令堂談好，約一處地方相會就是。」

容哥兒道：「家母和夫人會面，是否有助挽救江湖大局？」

萬上門主道：「正是如此。」

容哥兒道：「好吧，在下先去試試，看家母是否願和夫人相見。」

只聽萬上門主說道：「你準備幾時動身去見令堂？」

容哥兒道：「在下此刻動身，七日內可把家母之意轉告萬上。」

萬上門主道：「好！那我就在此等候你七日……」

語聲一停，接道：「如若事情有變，我實在無法在此地多等你，也會讓玉燕留在這裏等你消息。」

容哥兒站起身子，道：「就此一言爲定，在下這就告別。」

萬上門主道：「門外已爲你備下了趕路快馬，我派玉燕、青燕送你出城。」

容哥兒道：「不用勞動兩位姑娘，在下認得路。」

萬上門主道：「有備無患，讓她們送你一程吧！」

容哥兒口中不再多言，心中卻是暗作打算，看來除一天君主外，武林中還是有很多人和她作對，遂抱拳一禮道：「這些日子，多承萬上款待，在下這裏謝過了。」

廿八　干卿底事

容哥兒緊隨在二婢之後，借夜色掩護出了開封。

二婢送那容哥兒出城之後，行到了一處十字路口，停下腳步。

玉燕目光轉動，望了容哥兒一眼，道：「容相公，小婢們不能遠送了。」

容哥兒轉身欲去，只聽蹄聲得得，一匹健馬，疾奔而來，馬上坐著一位黑色勁裝的大漢。

那騎馬大漢，已然奔近了幾人身側，翻身下馬，牽著馬韁在一側等候。

玉燕接過韁繩，揮手對那黑衣大漢道：「你可以去了。」

那黑衣大漢應了一聲，轉身而去。

玉燕把馬交到容哥兒的手中，道：「相公保重。」

青燕道：「相公順風。」

容哥兒揮揮手，道：「多謝兩位姑娘相送。」一收韁繩，帶轉馬頭，健馬如飛而去。

二女並肩而立，目注容哥兒去遠之後，立時舉手一招，另一側暗影中，又衝出一匹快馬，馬上端坐一位白髯飄垂的老叟。

玉燕低聲說道：「唐公公，萬上只要追蹤他，可不能加害於他。」

白髯老叟道：「你們放心，我唐公智豈是輕舉妄動的人嗎？」

語聲微微一頓，又道：「老夫不能再和你們談了，那娃兒騎的一匹馬，雖然沒有我的馬快，但也不能拖得太遠，咱們以後再談吧。」拍馬如飛而去。

玉燕回顧了青燕一眼，二女一齊轉身，施展飛行功夫，夜色中，有如兩道淡煙消失不見。

且說容哥兒縱騎如飛，一口氣跑出去十幾里路，回頭不見有人追來，才緩緩策馬而行。

突然間，一陣得得蹄聲，劃破了寒夜的沉寂。

容哥兒轉目看去，夜色中，只見兩匹快馬，急急奔了過來，閃到一側，避開大道，已自不及，兩匹快馬來勢奇速，已然衝到容哥兒的身前。

星光下，只見來人正是丐幫中神機堂主陳嵐風，和一個身著灰色破衣，年約六旬，蓬髮如草，身軀瘦小的老人。

容哥兒看清了來人，來人也看清了容哥兒。

只見那神機堂主陳嵐風一勒馬韁，道：「閣下是容大俠嗎？」

容哥兒道：「不錯，正是容某，陳堂主別來無恙。」

陳嵐風輕輕歎息一聲，道：「想不到這寒夜荒野中，竟然會遇上容大俠。」

容哥兒忽然想起了黃幫主黃十峰，當下接道：「黃幫主情形如何了？」

陳嵐風道：「唉！一言難盡，容大俠如有時間，咱們找個僻靜之地，長談一次如何？」

容哥兒心中暗道：「這丐幫勢力，弟子遍及多省，黃十峰豪氣干雲，卻被這陳堂主指爲離經叛道，但這陳堂主精明異常，也不像一個壞人，這其間，定然是大有內情，豈可不聽？」

心念一轉，緩緩說道：「兩位好像身有急事的模樣？」

陳嵐風道：「不錯，咱們確有急要之事，必須在一定的時限趕到，但默算時刻，還可有一個更次的餘時，很想和你容大俠促膝長談。」

容哥兒流目四顧，遙指西北一片黑色叢林，道：「那似是一座雜林，咱過去瞧瞧吧！」

陳嵐風道：「好！」當先縱馬而去。

片刻，即到來雜林，陳嵐風當先下馬，把座騎拴在一株小樹之上，道：「咱們就在林邊坐坐吧！」

容哥兒和那瘦弱的灰衣人下馬，在一株大樹旁坐了下來。

陳嵐風指著那矮瘦的灰衣人道：「這位乃我丐幫中護法堂的王堂主。」

容哥兒一抱拳道：「王老前輩。」

陳嵐風指著容哥兒道：「這位容哥兒大俠，就是我常常提起的後起之秀。」

灰衣人急急還了一禮，道：「常聽陳堂主提起容大俠。」

容哥兒道：「對貴幫黃幫主，在下有一份深深的懷念，不知他近況如何？」

陳嵐風道：「那夜容大俠在場所見，不但在下有些疑心，而且懷疑到他的身分，但經在下查證之後，那人確是敝幫黃幫主的真身，只是他性格改變，和以前判若兩人，所有作爲，都是有害我丐幫的事……」

容哥兒道：「這個就不解了。」

陳嵐風道：「容大俠不是我幫中人，自然是不易發覺可疑地方了。」

容哥兒道：「承蒙貴幫黃幫主，看得起在下，和在下相與論交，據在下看那黃幫主的爲人，坦蕩正大，實不似陰沉、險惡人物，何況他身爲丐幫之主，自無出賣丐幫之理。」

陳嵐風道：「也正因如此，才使我丐幫幾遭覆巢瓦解之危。」

容哥兒雙目圓睜，道：「有這等事嗎？」

陳嵐風道：「不錯，這位是我幫中護法堂的堂主，掌管丐幫中法令條規，如非謹慎持重的人，如何能當此大任？我陳某人如是別具用心，另有所圖，豈能見容於王堂主嗎？」

只聽那王堂主輕輕咳了一聲，道：「黃幫主接掌幫主之位時，正值我丐幫聲譽低降之時，幫中弟子，良莠不齊，經他大刀闊斧，銳意整頓，使丐幫日落聲譽逐漸回升，幫中的長者，以及堂主、舵主，無不對他欽敬，想不到一代英明才人，竟會晚年變節，出賣了我丐幫……」

語聲微微一頓，接道：「此本我丐幫中內部的事，不足爲外人道，但你容大俠乃我幫主好友，說說自是無妨了。」

容哥兒沉吟了一陣，道：「容某乃局外人，實不應多問貴幫中事。不過，兩位如若想要在下相信那黃幫主變節，最好能說出一件具體的事來，在下才能相信。」

陳嵐風沉吟了一陣，道：「王堂主，這位容兄生具俠骨，是一位君子人物，說給他兩件事聽聽，亦是無妨。」

容哥兒道：「容某人洗耳恭聽！」

王堂主道：「在下初聽到陳堂主說黃幫主暗賣丐幫之時，心中的激憤、惱怒，恨不得立刻把他拿下，處以玷汙幫主之罪。」

回目望了陳嵐風一眼，接道：「幸得陳堂主膽大心細，早有準備，以性命作保，說動了我心，那夜中我倆聯袂行動，先趕到了一座村落之中……」

容哥兒奇道：「趕到一處村落之中？」

陳嵐風道：「不錯，在下費盡了心機，才查出黃幫主和人相約之地，因此，約這位王堂主同去查看。」

但聞王堂主道：「在下和陳堂主趕到那村落之後，易做農人裝束，守候在村落之外，果然，當天色黃昏，敝幫主帶了兩個從人，急急而來。」

他重重咳了一聲，接道：「在下目睹此情，心中亦不覺動疑，眼看敝幫主行入了一座宅院中去，老朽和陳堂主只好在那宅院外面守候，我們躲在一株大樹之上，等候到初更光景，八匹快馬，護擁一頂神秘的小轎，在那宅院外面停下……」

容哥兒回顧了陳嵐風一眼，接道：「那轎中坐的什麼人？」

陳嵐風道：「一個神秘的青衣老人，那老人下轎之後，就進入了巨宅之中。」

容哥兒心中一動，道：「那神秘老人，可是一天君主？」

陳嵐風道：「那青衣老人是何身分，在下迄今不知，但在下和王堂主，卻探悉那青衣老人，和敝幫主會談的部分內容。」

容哥兒道：「什麼內容？」

陳嵐風道：「在下等把敝幫主帶去的兩個從人之一，設法生擒，曉以大義，才聽他說出了部分內容。但他所知有限，只聽青衣老人說舉行一次大會，要他盡早下手，迫使丐幫中的長老，和二十八位總舵主，早些趕往效命……」

容哥兒道：「可是舉行求命大會？」

陳嵐風道：「我們並不知曉名稱，但事是不會錯的。」

容哥兒沉吟了一陣，道：「對那黃幫主的爲人，在下實有無比的尊敬，照區區之見，他絕

不會有此離經叛道的行徑，所以望兩位處理此事之時，能夠細心查明，務求水落石出。」

陳嵐風道：「多謝容大俠的指教。」

容哥兒站起身子，道：「指教如何敢當？兩位老前輩經驗豐富，晚輩日後還有領教之處。」

陳嵐風和那王堂主，齊齊站起身子，道：「容大俠請多多保重，咱們先走一步！」解下韁繩，縱騎如飛而去。

容哥兒望著兩人逐漸遠去的背影，長歎一聲，自言自語地說道：「江湖上的事情變化，實叫人莫可思議。」

緩步行到拴著健馬的樹下，解下韁繩，正待躍上馬背而去，突聞一個低沉的聲音，傳入耳際，道：「不可思議嗎？」

容哥兒回頭看去，只見一個身著月白長衫，年約五旬的中年人，卓立在夜色之中，赫然是丐幫幫主黃十峰。

黃十峰的陡然出現，使容哥兒有著一種莫名感慨，呆了良久，才急急說道：「大哥啊！這是怎麼回事呢？可叫我糊塗死了。」放下韁繩，大步向黃十峰身前行去。

黃十峰神情嚴肅，緩緩說道：「容兄弟，你是信我的話呢？還是信他們兩人的話？」

容哥兒正快步向黃十峰走去，聞言突然停了下來，緩緩說道：「現在，我有些無所適從。我知道黃大哥不是壞人，絕不會出賣丐幫；但陳、王兩位堂主，也不像說得謊言……」

他亦發覺了黃十峰神色態度之間，有些不對，心中動了懷疑。

黃十峰沉聲接道：「怎麼？他們指說我出賣丐幫？」

容哥兒搖搖頭，道：「沒有，他們內心之中，仍對你十分敬重，但卻希望你能夠恢復昔日重整丐幫聲威的雄風……」

黃十峰突然仰天一聲長歎，道：「兄弟啊！談何容易。」這短短一句，道盡他心中的愁苦憂悶，也說明了那陳、王兩位堂主，並非是捕風捉影。

容哥兒眨動了一下星目，兩道銳利的目光，凝注在黃十峰的臉上，道：「大哥，看來，那陳、王兩位堂主說的是不錯了？」

黃十峰臉色嚴肅，回望著容哥兒，冷冷說道：「你想知道什麼？」

容哥兒道：「大哥出賣丐幫的事。」

黃十峰沉吟了一陣，道：「兄弟，你可知你此刻的處境嗎？」

容哥兒四顧了一眼，道：「四面爲你丐幫高手包圍。」

黃十峰低聲說道：「如若純是丐幫中人物，大哥還有能力放你離開……」

聲音突然轉高，接道：「不錯，眼下你只有一條生路。」

廿九　是非難斷

黃十峰正容說道：「你如想生離此地，那就只有聽我的話。」

容哥兒心中忖道：「也許世間有一種藥物，能夠控制一個人的神智，使他不覺……」

他心中對黃十峰的轉變，有著無比的惋惜，替他想了很多理由來爲他解釋。

黃十峰心中暗道：「這人怎麼搞的，我已經警告過他，此刻處境險惡，他卻渾如未聞。」

容哥兒道：「也許世間有一種藥物，能夠使一個人的神智變得不清，覺不出自己的行徑，對不？」

黃十峰一皺眉頭，道：「在咱們周圍，已有很多人監視著咱們一舉一動，處境很危……」

容哥兒沉聲說道：「大哥先答覆我的問話。」

黃十峰臉上滿是焦急之色，連連皺眉說道：「此刻不是咱們說話之時……」

話還未完，突聞一個冰冷的聲音，傳了過來，道：「黃十峰，不能讓這人生離此地了。」聲音遠遠飄來，容哥兒也聽得十分清楚。

情勢至此，已然明朗，在黃十峰的身後，確然有人控制著他，陳、王兩位堂主所說他出賣丐幫的事，並非是空穴來風的事了。

容哥兒心中大爲激動，厲聲說道：「黃大哥，那人是誰？」

黃十峰臉上是一股很奇怪的表情，忿怒和悲傷，混合成一種奇異尷尬，長歎一聲，冷然說道：「容兄弟，小兄無法幫助你了，你不肯聽我之言，那是自找死路了。」

容哥兒冷冷說道：「丐幫忠義相傳，天下武林敬仰，可是他們的幫主，卻是一位可卑小人，在下高攀不上，從今之後，咱們不再以兄弟相稱，劃地絕交，視若陌路。」言罷，大步向前行去。

行約數步，突覺背後掌風襲來，勢道十分強猛。

容哥兒回身揮掌一擋，震開一掌。

目光到處，只見那發掌人，正是那黃十峰，不禁心頭大怒。

容哥兒本想怒聲叱責他幾句，但聞得黃十峰之言，知他是爲勢所逼，心中又覺不忍，臨時又改變了主意，暗道：「我且接他幾掌，試試他真實的武功如何？」

正待發作，忽聞黃十峰低聲說道：「且戰且走！」口中說話，左掌已然拍了過來。

心念一轉，揮手還擊，兩人就在林外展開一場激烈的惡鬥。

黃十峰用心要迫退容哥兒，要他且戰且走，掌力越來越強。

容哥兒卻存心要一試這位揚名天下丐幫幫主的真實武功，絲毫不肯退讓。

如論兩人武功，容哥兒長在用劍，不但劍招奇異，而且，出手快速無比，但掌法卻非所長，功力遠不及那黃十峰深厚，但他自服那鄧夫人的易筋藥物之後，內力大增，此刻打來，竟如生龍活虎一般，毫無遜色。

黃十峰心中亦知，如是容哥兒拔劍還擊，自己未必能是他之敵，如是雙方赤手對掌，自己是穩操勝券，哪知搏鬥了數十招，仍然是平分秋色之局，竟然未能把容哥兒逼退一步。

不禁心中大奇，暗道：「小別數月，他的內力，似是有很大進境。」

轉眼之間，雙方已鬥五十回合，仍然是一個不勝不敗之局。

黃十峰心中大急，一面加強掌力，著著進攻，一面低聲說道：「此時此刻，你不宜久戰，快些退走吧！」

容哥兒一心想知他武功成就，究竟有何驚人之處，雖然聽得清清楚楚，卻似渾如不覺，掌力亦是越打越強，全力反擊。

形勢迫人，黃十峰不得不全力施展，希望容哥兒能知難而退，惡鬥中，大喝一聲，全力攻出一掌。

容哥兒不肯避讓，竟然一揚右手，硬把一擊接下。

黃十峰心頭一震，暗道：「這一掌如若接實，兩人之中，必要有一個受傷。」心想收勢，已來不及，砰然一聲，雙掌觸接在一起。

黃十峰只覺右臂一麻，身不由主的向後退了一步。

容哥兒更是被震得連退四、五步遠，才站穩了身子。

黃十峰大喝一聲，欺身而上，又是一掌劈了下來，口中卻借勢道：「快些向西南逃……」

容哥兒這次不再堅持己見，轉身向前奔去。但聞身後步履聲動，似有一人亦步亦趨的緊追身後。回頭一顧，只見那追趕之人，正是那丐幫幫主黃十峰。

奔行迅快，轉眼間已跑了十里路。

但聞黃十峰的聲音，由身後傳了過來，道：「容兄弟，你如還想和小兄談談的話，請折向正南方行去。」

容哥兒心中暗道：「我正有一腔怒火，能夠當面罵他幾句，也可消消心中的怒火。」

當下應道：「好！我也有幾句話問你。」折向正南行去。

但聞黃十峰道：「你抬頭望去，星月微光，可有一片形若村落的黑影？」

容哥兒道：「有又怎麼？」

黃十峰道：「那不是村落，那是座很荒涼的古廟，咱們在那古廟內，談談吧！」

容哥兒抬頭看去，夜色中果然隱隱可見一片黑影。當下加快速度，放腿向前奔去。

心中卻暗暗忖道：「我們已經跑出了幾十里路，如若無人追來，早就可以停下談話了。如若是有人追來，躲入那大廟中，那人也會追入廟中，他要到廟中談話，不知是何居心？」

心中念轉，奔速未減，片刻工夫，已到了那座大廟前面。

容哥兒一推木門，但聞呀然一聲，木門大開，這座道觀，雖然破敗，但規模很大，容哥兒穿行了三重院落，才到大殿，大殿前面，是一片白石堆砌的廣大石台。

容哥兒踏上石台，黃十峰已隨後而到，沉聲說道：「進入大殿中去。」

容哥兒心中大爲奇怪，暗道：「難道這大殿之上，有什麼埋伏不成。」

容哥兒輕咳一聲，回頭而立，又見黃十峰緊隨著行入大殿。

容哥兒手握劍柄，說道：「黃幫主讓區區行入此廟，不知是何用心？」

黃十峰緩緩說道：「我想和容兄弟仔細地談談。」

容哥兒道：「談談可以，在下現要問黃幫主一件事情。」

黃十峰聽他一口一個幫主，不禁輕輕一歎，道：「咱們之間，似是陌生了很多，什麼事？

現在可以說了！」

容哥兒道：「你是否爲一種強烈的藥物，控制著生死，所以，才甘心聽人之命，爲人所用？」

黃十峰道：「我的神智如若不清醒，那也不會請你到此了。」

容哥兒神色肅然地說道：「如若幫主的神智很清醒，那當真不可原諒的了。」

黃十峰道：「唉！容兄弟，丐幫正面臨著從未有的危境……」

容哥兒道：「不錯，那是你以一幫之主，出賣了丐幫。」

黃十峰苦笑一下，道：「不錯，我確實受著人控制要脅，但那並非是爲了我黃某人一人之利，容兄弟，世間有一種比死亡更可怖的事情，你可曾想到嗎？」

容哥兒道：「千古萬難唯一死，在下實還想不出有什麼比死亡更爲可怕的事？」

黃十峰道：「就爲兄而言，丐幫興盛存亡，那是重過我個人生死了。」

容哥兒聽他說得莊重嚴肅，不似謊言，心中大惑不解，一皺眉道：「究竟是怎麼回事？我越聽越糊塗了。」

黃十峰道：「我幫中數位長老，和二十八位舵主……」

容哥兒接道：「這些人都聽你之命，趕往去爲那一天君主助拳，助他舉行那『求命大會』是嗎？」

黃十峰奇道：「你怎麼知曉那一天君主之名？」

容哥兒道：「在下不但知曉那一天君主之名，而且還見過一天君主其人了。」

黃十峰仔細打量了容哥兒一眼道：「容兄弟，你還好嗎？」

容哥兒愕然說道：「我很好啊！」

黃十峰道：「你說那一天君主是何模樣？」

容哥兒道：「表面上看去，長髯青衣，神態冷肅，」

黃十峰點點頭，道：「不錯！他又號無極老人，是嗎？」

容哥兒呆了一呆，道：「他是否又叫無極老人，那就不清楚了。」

黃十峰輕輕歎息一聲，又道：「本幫中二十八位舵主，和幾位長老，都中了他預下之毒，一夕之間，可以使丐幫精銳，全部毒發而死……」

容哥兒接道：「閣下呢？」

黃十峰道：「我雖然也中了毒，但卻未把生死放在心上。」

容哥兒道：「你為勢所迫，才一心為人效命。」

黃十峰聲音突然轉低，緩緩說道：「有一件事，使我百思不解，各處分舵的總舵主，如何為人下毒所傷，固已難以思解，那且不去說它，但我幫中幾位長老，都在養壽堂中息居，一向門禁森嚴，如何也會被人下了毒呢？」

容哥兒呆了一呆道：「是啊！那定是你們丐幫中人所為了。」

黃十峰道：「不但我幫中人做了奸細，而且那主持其事的人，在我幫中的地位很高，數月前，長安郊外，預布的一場陰謀，容兒弟是親目所見了。」

容哥兒突有所悟地說道：「你是說那神機堂主陳嵐風……」

黃十峰道：「此人才氣縱橫，不願久居我之下，但他還不致如此倒行逆施，企圖把丐幫一舉毀滅。」

容哥兒道：「你這是苦肉計了，一面和敵首接觸，虛於委蛇，一面想借此機會，查出幫中逆徒，是嗎？」

黃十峰道：「我爲丐幫之主，如此行險，實是爲勢所迫，情非得已。」

容哥兒突然歎息一聲，道：「真把我聽糊塗了！那陳嵐風說的話，不似虛言，黃幫主說的也不像假話，這其間真真假假，實叫人難以分辨了！」

黃十峰道：「不用分辨！」

容哥兒道：「爲什麼？」

黃十峰道：「那兩個人對你都說得是實話，不過，陳嵐風不知小兄處境、用心罷了。」

容哥兒突然神色嚴肅地問道：「眼下就有一個破綻，不知你要如何解釋？」

黃十峰道：「什麼破綻？」

容哥兒道：「方才在那樹林旁側，黃兄出手招招不留餘地，似是和小弟做生死之搏……」

黃十峰道：「那是因爲，在小兄身後有人監視於我，情勢所迫，不得不這樣。」

容哥兒道：「現在呢？難道那人就離開了你，不再監視你的行動嗎？」

黃十峰道：「我丐幫中神鷹五子，守在此廟四周，那人無法接近此廟……」

容哥兒道：「連你一幫之主，也受人控制，無能反抗，那神鷹五子，怎的如此膽大，敢和那人爲敵？」

黃十峰道：「神鷹五子，乃是我目前在丐幫中唯一的心腹之人，只有他們知曉內情，知我用心，是以，肯全力相助於我。」

目光轉到容哥兒的臉上，接道：「容兄弟，據小兄得到消息，趙天霄、田文秀一行，已然

全受那無極老人掌握，西北武林道，已然沒有了反抗之力，容兄弟卻能獨善其身，不能不算是奇蹟，唉！這是一場武林大劫，容兄弟既然沒有捲入這場漩渦，最好不要自投羅網。」

容哥兒道：「兄弟人微言輕，孤掌難鳴，縱然過問其事，也是力所不能，但那一向主裁江湖大事的少林、武當兩派，難道也袖手不管嗎？」

黃十峰苦笑一下，道：「他們雖然想管，只怕也無能管得了。」

容哥兒道：「除了少林、武當外，江湖上還有很多門派，難道就不願管事嗎？」

黃十峰道：「就算他們有此胸懷，卻也無此能耐。」

容哥兒道：「如若幫主說的都是實言，江湖上，卻也未必全爲那無極老人控制。」

黃十峰道：「什麼人？」

容哥兒道：「萬上門主。」

黃十峰道：「萬上門也未必肯出面和那無極老人爲敵。」

容哥兒道：「據在下所知，那萬上門主，還在多方設法，阻止那求命大會……」

只聽一聲冷厲的聲音，傳了過來，道：「閃開。」

黃十峰神色一變，低聲說道：「容兄弟，可否請躲在那神像之後？」

容哥兒心中暗道：「也好，躲起來瞧瞧來的是何許人物？」

心念一轉，突然縱身而起，飛落到一座高大的神像之後，藏起身子。

凝目望去，只見黃十峰急急盤膝而坐，裝作閉目調息之狀。

但見人影一閃，一個勁裝大漢進入大殿，道：「幫主，那……」

黃十峰低聲道：「要他進來。」那大漢低應一聲，倒躍而退。

片刻工夫，只見一個身著青衣的枯瘦之人，緩步走了進來。

那人走入了大殿之中，道：「黃十峰，那人呢？」

黃十峰道：「那人武功高強，打了在下一掌，小勝而去……」

青衣人道：「你傷得很重嗎？」

黃十峰道：「震動內腑，但經過一陣調息，已然大見好轉了。」

青衣人回顧一眼，道：「求命大會即將揭幕，你尚未調度到足夠的人手聽用！」

黃十峰道：「在下已盡了心力，兄台親眼所見，當知在下所言非虛，還望在君主面前，美言一二，黃某是感激不盡了！」

但聞那青衣人冷冷說道：「君主耐性有限，你遲遲不肯兌現承諾，如若怪罪下來，連我也吃罪不起了。」

黃十峰略一沉吟，道：「幫中弟子，大多都聽了那陳、王兩位堂主的挑撥之言，群情激動，在下如何能在此等情形之下，再傳出一道激動群情的令諭呢？」

青衣人冷冷說道：「黃幫主別忘了，丐幫數十位總、分舵主和你黃幫主的生死，都在君主一念之間……」

黃十峰接道：「這個，在下一直記得很清楚。」

青衣人道：「如若你們丐幫，難為我等所用，一夕間，貴幫的精華高手，都暴斃而亡，此事閣下已然深知內情，並非我虛言恫嚇了……」

容哥兒隱身在神像之後，眼看那黃十峰受此迫害，心中大是不安，暗道：「這青衣人不知是何身分，口氣咄咄逼人，黃十峰受制於人，無能反抗，我何不助他一臂之力。」

心念一轉，陡然從神像之後，一躍而出，駢指如劍，疾向那青衣人肋間點去。

那青衣人似是料不到，黃十峰竟敢埋伏人手，暗施算計，幾乎被容哥兒一指點中，倉促間，急急閃身向一側讓開，喝道：「什麼人？」

容哥兒道：「要命的人。」長劍出鞘，唰的一劍，刺了過去。

他劍招以快速見長，那青衣人還未來得及撤出兵刃，容哥兒的劍勢，已然劈向前胸。

青衣人駭然退出五尺，道：「你是丐幫中人？」

容哥兒道：「不是。」唰唰兩劍，逼那青衣人又退出了六、七尺遠。

但聞那青衣人高聲喝道：「黃十峰，你的膽子不小。」

黃十峰暗暗歎息一聲，道：「暫請住手。」

容哥兒依言停下長劍，冷冷道：「我相信，你無法逃得遠去。」

青衣人冷冷說道：「黃十峰，這不是和你動手的人嗎？」

容哥兒冷笑一聲，道：「不錯，閣下既然看了出來，那是非得殺了你不可啦。」

這幾句話似是說給那青衣人聽，又似是說給黃十峰聽。黃十峰輕輕咳了一聲，欲言又止。

容哥兒看那黃十峰沒有阻止，立時揮展長劍，疾攻過去。

這一次出手劃招，較適才更加凌厲，劍劍都指向那青衣人的要害。

那青衣人這次早已有備，容哥兒長劍攻到時，立時揚手接下了一劍。

原來那青衣人一探手間，已從懷中摸出了一柄金色的短刀。

那青衣人手中金刀揮展，一連接下容哥兒五劍，卻無法還擊一招。

容哥兒冷笑一聲，道：「十劍之內，我要取你的性命。」

青衣人似是已知自己處境之危，高聲喝道：「黃十峰出手，助我拿下此人。」

黃十峰重重咳一聲，坐著不動。

容哥兒長劍快攻，眨眼又攻出四劍，那青衣人已被逼得手忙腳亂，應接不暇，一個失神，被容哥兒一劍刺中大腿，登時血流如注。

黃十峰沉聲喝道：「不可傷他性命。」

容哥兒寶劍平轉，啪的一聲，拍在那青衣人右腕之上，青衣人鬆手丟去了手中的金刀。

容哥兒手腕一振，長劍閃動，挑破了青衣人前胸的衣服，冷冷說道：「閣下也許不怕死，不過在下亦將是真的殺人。」

心中卻暗暗奇道：「這青衣人的武功，平常得很，那黃十峰怎會對這人如此畏懼。」

只聽那青衣人說道：「黃十峰，你膽子……」

容哥兒長劍平腕微顫，在青衣人胸前劃了一道兩寸長短的口子，道：「這和黃幫主不相關連，在下亦非丐幫中人，自然也不用聽他之命，閣下的生死，全操在我容某手中，什麼事，最好和我商談。」

青衣人眼看黃十峰不肯過問，心中雖然氣怒，但卻無法發作，只好強自忍下，冷冷說道：「你是什麼人？」

容哥兒道：「似乎在下應該問你。」手腕一沉，森森寒鋒，又在那青衣人的小腹上劃了一道傷痕。

那青衣人腿上血流如注，前胸小腹間，也有鮮血流出，這些傷都不致命，但卻在他精神上構成了一種緊張無比的威脅。

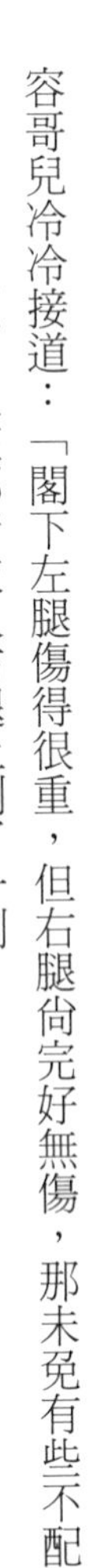

容哥兒冷冷接道：「閣下左腿傷得很重，但右腿尚完好無傷，那未免有些不配合了。」

說著長劍一沉，又在那青衣人右腿上刺了一劍。

這一劍刺得很重，鮮血泉湧而出。

黃十峰眼看容哥兒忽然間變得十分殘忍，心中暗暗忖道：「數月不見，他似是有了極大的轉變。」

那青衣人精神，果然完全被容哥兒擊潰，神態大變，緩緩說道：「閣下要問什麼？」

容哥兒只覺千頭萬緒，一時卻不知該如何問起，沉吟一陣，道：「你是一天君主的屬下嗎？」

青衣人道：「不錯。」

容哥兒道：「別人不識那一天君主真正面目，在下卻是知曉甚多，三位公主，七大劍主，四怪、三魔，乃是貴君主手下的精銳，但閣下卻非其中人物。」

青衣人道：「不錯，看來閣下確和敝上見過。」

容哥兒冷冷說道：「他舉行那求命大會的用心何在？」

青衣人道：「用心在一網打盡天下英雄人物。」

容哥兒道：「這和丐幫何關，那一天君主爲何要對丐幫中人下毒呢？」

青衣人淡淡一笑，道：「中毒的又何止丐幫中人，普天之下哪一門派中人，都有中毒的人。」

容哥兒道：「那又爲何特別找丐幫中人，爲一天君主效命？」

青衣人道：「我們人手雖多，但因那『求命大會』太過重要，需人甚多，故而尚需借重他

們之力。」

容哥兒冷笑一聲，道：「不至如此吧！」長劍一揮，又在那青衣人前胸上，劃了一個傷口。

青衣人急急說道：「還有一作用。」

容哥兒道：「什麼作用？」

青衣人望了黃十峰一眼，突然一揚左手，疾向自己臉上拍去。

容哥兒早已有備，長劍一揮，唰地一聲，斜斜削去。

但聞一聲慘叫傳來，那青衣人一條左臂，齊肘間生生斷落。

容哥兒冷冷說道：「我知道你說出內情，難再有活命之望，不過，你如不據實回在下的問話，卻是求死不能！」

青衣人一臂被斷，其疼刺心，更重要的是，他的精神，已經完全屈服在容哥兒利劍威迫之下，長吁一口氣，道：「丐幫的黃幫主已得敝上答允了他一個條件。」

容哥兒似是突然感覺到前胸被人重重擊了一拳，半天說不出話，呆了一呆才道：「你可知曉那一天君主，答應了黃幫主什麼條件？」

那青衣人道：「詳細內情，在下不知，但那自然不是很小的事情。」

容哥兒左手伸出，點了那青衣人兩處穴道，回頭望了黃十峰一眼，道：「大哥，這人的話，是真是假？」

黃十峰哈哈一笑道：「容兄弟，相信嗎？」

容哥兒道：「在下半信半疑。」

黃十峰道：「小兄弟舉說一事，若他說的都是實言，也不用他來監視為兄了。」

容哥兒道：「這青衣人武功並不高強，但黃幫主對他卻視若蛇蠍，不知是為了何故？」

黃十峰道：「因為他控制著我的生命。」

容哥兒道：「不知怎麼一個控制之法？」

黃十峰道：「不瞞你容兄弟說，小兄身中之毒，已經發作，每十二個時辰之間，必得服用一次解藥……」

容哥兒望了那青衣人一眼，接道：「這解藥可就控制在那青衣人的手中嗎？」

黃十峰道：「容兄弟可是認為那解藥帶在他身上嗎？」

容哥兒怔了一怔，道：「不帶在他身上，帶在何處？」

黃十峰搖搖頭笑道：「除這青衣人，再無知曉那解藥存在何處了。也許在樹上，也許在一處屋簷之下，或是在河溪旁邊的大石之後，每當為兄毒性要發之時，他就能適時取出解藥來給為兄服下，我如殺了他，也不過再活一十二個時辰……」

容哥兒目光轉到那青衣人的身上，道：「究竟是怎麼回事？」

青衣人道：「他說得不錯，我雖然控制著他的生死，但身上卻未有解藥，每次能取到的解藥，只夠供他一次應用，下一次那解藥會在何處出現，連我也不知曉……」

容哥兒道：「黃幫主，我如殺了這青衣人，那是要連累你也不能活了？」

黃十峰道：「正是如此。」

容哥兒道：「好！為了你黃幫主的生死，在下留下他的性命，告辭了！」舉步向外行去。

青衣人高聲說道：「站住！你為何不殺了我？」

容哥兒淡淡一笑，道：「殺了你，那黃幫主無法取得解藥，豈不是也得死嗎？」

青衣人道：「他和敝上有著承諾，也有聯絡，敝上絕不會看著他死。」

容哥兒沉吟了一陣，道：「如是你情急之言，我豈不中了你的詭計，害死黃幫主。」

不再理會那青衣人，縱身幾個飛躍，走得蹤影全無。

一口氣奔行出數里之遙，才停了下來，長長吁一口氣，暗暗忖道：「黃十峰言語支吾，神態冷靜，看起來，倒是那青衣人說的是真話了，其間的真實內情，實叫人無法測出，先得看看那黃十峰如何對付那青衣人，再作計議了。」

心中念轉，立時折向西行，到了大道旁側，縱身躍上一棵大樹，藏好身子。

足足等了半個時辰之久，仍不見一個行人，容哥兒心中大感失望，暗道：「看來他們不會從此地經過了。」正待躍下大樹，突見幾條人影，遠遠而來。

凝目望去，只見五個身著勁裝的大漢，一排而行，身後緊隨著黃十峰和青衣人。

那青衣人斷了一臂，傷痕累累，像似已經敷過藥，包紮了起來。

大約是因那青衣人傷勢不輕，所以九人行得並不很快。

容哥兒仔細瞧那青衣人和黃十峰，似是毫無敵意，一面走，一面低聲交談。

這情景使容哥兒心中泛起了一陣茫然，他雖然是極度聰明，但究竟是極少閱歷的人，面對這等繁雜的情勢，心中大感困惑。

思忖之間，黃十峰和那青衣人已然匆匆行過。

容哥兒眼看著幾個人的背影，消失在夜色之中，才躍下大樹，長長歎息一聲，自言自語地

說道：「江湖中事，果然是複雜得很，變化多端，莫可預測，剛才，我傷那青衣人時，黃十峰爲何不出手阻止，這青衣人能夠控制他，那是等於抓著他的生死啊！」心中不想也還罷了，這一想，更覺得複雜萬端，理不出一個頭緒。

呆呆出神良久，突然想到此行目的，必得早些回家，晉謁母親，自己一身武功，都爲母親所授，算起來母親也是一位不平凡的人物，只是她深居簡出，不肯過問江湖中事，那鄧夫人既然堅持要見她，只怕是心中早有猜疑了。心意一轉間，興起了急欲歸家之念。

這時，他座下之馬，尚留在那古樹林之外，只好施展開陸地飛行功夫，放腿奔去。

這一陣耽誤，延擱了不少時間，天色已然是將明時分。

奔行到中午時分，到了一座大鎭之上，選購了一匹駿馬，立時又兼程而進。

第三日太陽下山時，趕回到自己家門。

這是一座傍山臨溪的山村，三、五人家，晚霞中炊煙嫋嫋。

容哥兒躍下馬背，轉身瞭望了一陣，不見有人跟蹤，才牽馬直行，繞過山村，行入了一座幽谷之中。行數十丈，只見林木掩映中，露出了一角茅屋。

容哥兒直奔那茅舍之前，只見木門緊閉，一片寂靜。當下伸手扣動門環，三響之後，木門呀然而開，一個十八、九歲，面目清秀的少女，當門而立。

只見那少女微一欠身，道：「公子回來了，夫人早餐時還談起呢。」

容哥兒牽馬而入，一面低聲說道：「家母呢？我有要事，必須立即晉見。」

那少女關上木門，接過容哥兒手中座騎，拴在院中一株龍松上，搖頭答道：「不行，夫人正在入定，要到子時，才能醒來。」

容哥兒抓著頭皮道：「我有火急要事，不能多等……」
那少女嫣然一笑，接道：「我先替你煮碗麵吃。」轉身向廚房行去。
片刻之後，玉梅端了一碗麵和兩樣小菜進來，道：「相公長途跋涉而來，腹中定然饑餓，先吃一碗麵吧！」轉身而去。
這一去，足足過了將近一個更次之久，才姍姍而來。
容哥兒早已等得不耐，急急說道：「我母親醒了沒有？」
玉梅道：「醒了，現在廳中等你。」容哥兒急急奔向廳中。
只見廳中高燃著一支火燭，一位身著青衣的中年夫人，端坐在廳中。
容哥兒整整衣衫，進入廳中，欠身一禮，說道：「見過母親。」
那中年夫人生得十分美麗，但美麗中另有著一股威嚴之氣，當下微一欠動身軀，說道：「你回來了！」
容哥兒道：「孩兒回來了！」
容夫人道：「虎兒呢？」
容哥兒道：「他留在長安，未隨孩兒一同歸來。」
容夫人道：「爲什麼？」
容哥兒道：「孩兒這數月所見所歷，奇幻如夢，有如二十年一般悠長。」
容夫人嚴肅的臉上，不見一點笑容，冷冷說道：「好！你坐下慢慢的告訴我，都是經歷的什麼事？」
容哥兒本來很急，似是有一肚子話要問母親，但見到了容夫人，卻又急不起來，依言坐了

下去，把奉命趕往長安，幫助王子方奪鏢的經過，很仔細地說了一遍，自然有很多難以啓口之處，卻從略而過。

容夫人閉著雙目，似是在很仔細地聽他敘述，直待容哥兒說完之後，才睜開眼睛，說道：「我都知道了，你去休息吧！」

容哥兒怔了一怔，道：「母親，孩兒還有下情稟告。」

容夫人道：「好！你說吧！什麼事情？」

容哥兒道：「關於那萬上門主的事。」

容夫人道：「她怎麼樣？」

容哥兒道：「她就是鄧玉龍的夫人。」

容夫人內心之中，似是受了震動。

但不過一瞬間，又恢復了鎮靜，說道：「那鄧玉龍死去很久了，鄧夫人還活在世上嗎？」

容哥兒隱隱感覺母親的話，言不由衷，似是藉冷漠來掩飾內心的激動，當下說道：「那鄧夫人武功甚高，組織了萬上門，目下是武林內唯一能夠對抗那一天君主的力量了。」

容夫人道：「好！我都知道了。」

容哥兒想不到母親竟是如此冷漠，不肯多問一言，輕輕咳了一聲，接道：「那萬上門主鄧夫人，要孩兒快馬兼程，趕回來求見母親，有一件要事請示。」

他見母親一直不願多問，似是很怕觸及到江湖上的事，只好開門見山地說了出來。

容夫人道：「什麼事？如若和我們無關，那就不用說了。你長途跋涉，也該休息了。」

容哥兒道：「這件事不但和母親有關，而且是針對母親而來。」

容夫人臉色微變，道：「什麼事？」
容哥兒道：「那萬上門主，希望能和母親見上一面。」
容夫人搖頭說：「為什麼？為娘隱居此地，很少與外人來往，你難道不知曉嗎？」
容哥兒道：「孩兒知曉。」
容夫人道：「你就該代我婉絕了才是。」
容哥兒道：「孩兒已代母親推辭，但那萬上門主非要見你不可。」
容夫人雙目眨動了一陣，淡然一笑，道：「所以，她要你回來告訴我？」
容哥兒道：「正是如此。」
容夫人輕輕歎息一聲，道：「孩兒，你中了人家投石問路之計了。」
容哥兒呆了一呆，道：「怎會中了別人投石問路之計？」
容夫人道：「如若那萬上門主派人追蹤於你，豈不是輕易可找上咱們母子居住之地嗎？」
容哥兒道：「這麼說來，母親是不準備和那萬上門主見面了？」
容夫人道：「讓為娘仔細想想，明天再告訴你……」
語聲微微一頓，又道：「你一路跋涉，早些休息去吧！」
容哥兒站起身子，行了兩步，又回過頭來，說道：「母親，孩兒有幾句不當之言，不知是該不該問？」
容夫人微微一顰柳眉，道：「什麼事？」
容哥兒道：「母親素喜清靜，孩兒一直不敢打擾，心中早有所疑，但卻又不敢亂問。」
語聲微微一頓，又道：「孩兒總感覺到母親有些隱秘，在瞞著孩兒。」

容夫人微微一歎，欲言又止。

容哥兒接道：「孩兒感覺到這哥兒兩字，似不像我的名字，縱然不錯，那也是孩兒小時乳名，現在孩兒這樣大了，連一個真正的名字都沒有嗎？還有我的身世，母親一直沒有告訴過孩子，我那先逝的父親，原籍何處？因何而死？兇手是誰？這些年來，母親何以不肯替他報仇？」

突然雙膝跪下，接道：「母親心中分明有著很多隱情，但卻不肯告知孩子，如今我已長大成人，母親不用再瞞著孩兒了。」

三十　莫測高深

容夫人緩緩站起身子，直向內室行去。

容哥兒高聲說道：「母親止步。」

容夫人回過頭，道：「休息去吧！有什麼事，也等到明天再談。」

容哥兒叩頭於地，道：「母親恕罪，孩兒想問一句大逆不道之事。」

容夫人臉色一變，道：「你要問什麼？不能等到明天再問？」

容哥兒道：「孩兒心急如焚，片刻難忍。」

容夫人神色肅然地說道：「好！你問吧！」

容哥兒抬起頭來，望著容夫人道：「孩兒是不是真的姓容？」

容夫人本已行向內室，但卻被容哥兒這幾句話，問得重又轉回在原位上坐下，緩緩說道：「孩子，你起來。」

容哥兒緩緩站起身子，道：「孩兒心中悲忿交集，言語間開罪，還望母親不要生氣才好！」

容夫人長長歎息一聲，道：「孩子，你說得不錯，你不姓容，也不叫哥兒，那只是小時的乳名，唉！那容字，乃是為娘的姓。」

這幾句話，字字如鐵錘擊下一般，敲打在容哥兒的心上。

他萬萬未曾想到，心中所疑所懼，竟然是真的事實。

他鎮靜一下心神，緩緩說道：「孩兒的真實姓名呢，母親可否講給我聽？」

容夫人點點頭，道：「我既然說穿了這件事，自然是要說給你聽……」

容哥兒道：「孩子記得母親告訴過我，我那父親是傷在很多人圍攻之中。」

容夫人雙目中緩緩滾下來兩行淚水，道：「你爹爹劍術高強，雖受圍攻也不會傷在他們手中……」話說至此，容夫人語聲忽然頓住，高喊：「什麼人！」

容哥兒霍然轉身，一提氣，疾向門外衝去。

容夫人沉聲喝道：「回來！」

容哥兒人已衝到廳門口處，聞聲止步，退回原地。

只是一個清亮的聲音應道：「我！」

一個身著淡青勁裝，外罩玄色披風的女人，緩步行了進來。

容哥兒伸手取出懷中暗藏的至尊劍，厲聲喝道：「站住。」

那淡青衣女人望了容哥兒一眼，緩緩取下了臉上的面具，赫然是萬上門主。

容哥兒呆了一呆，道：「萬上門主，鄞夫人……」

萬上門主微微一笑，道：「我必須見令堂，等你傳話太慢，只好跟蹤你來了。」

容哥兒道：「我母親說得不錯，我中了你投石問路之計。」

萬上門主揮手對容哥兒道：「你可以退出休息了，我要和令堂談談。」

容哥兒道：「家母不善和生人談話……」

萬上門主接道：「我們是老相識，她還未嫁給你爹爹之前，我們就認識了，這也就是我定要見她的原因。」

容哥兒似是想再說什麼，但又強自忍了下去，大步行出大廳，直回到自己臥房。

容夫人輕輕歎息一聲，道：「你先退出去吧！」

容哥兒滿臉茫然之色，回顧母親，道：「她說的當真嗎？」

玉梅正在替容哥兒打掃房間。

容哥兒輕咳了一聲，道：「你在這裏，那很好，我正要找你。」

玉梅道：「什麼事？」

容哥兒道：「你不要騙我，我要問你一件事。」

玉梅道：「你問吧！」

容哥兒道：「你是我母親唯一的從人，她做些什麼事，你自然都知道！」

玉梅道：「你見過夫人了，爲什麼不問她呢？」

容哥兒道：「她來了客人，無暇和我多談，問你也是一樣。」

玉梅道：「來了客人？直衝到夫人坐息的大廳中？」

容哥兒道：「不錯……」

玉梅道：「那人的膽子很大，不知是男的，還是女的？」

容哥兒道：「女的，萬上門主鄧夫人。」

玉梅道：「她和夫人的交情很好，可直入夫人的住處。」

容哥兒一皺眉頭，道：「我母親會見外來之人，從不在居住之地。」

玉梅道：「你怎麼知道呢？」

容哥兒道：「她如在家中會客，那也不會瞞過我這多年了。」

玉梅微微一笑，不再接口。

容哥兒走上一步，抓住了玉梅的右腕，肅然說道：「玉梅，如再不肯告訴我實話，支吾以對，那就有得你的苦頭吃了。」

容哥兒暗中加力，但覺五指有如抓在一塊堅鐵之上，玉梅竟然是若無所覺，面不改色，不禁心頭一震，暗道：「這丫頭武功如此高強，那是我始料未及的了。」心中念轉，放開了玉梅手腕。

玉梅緩緩放下手中的抹布、毛撢，慢慢說道：「你知道拜天石嗎？」

容哥兒道：「知道啊！就在墜猿洞下。」

玉梅道：「夫人一向在那裏會見客人……」轉身出室而去。

容哥兒急急叫道：「玉梅姐姐，請留步片刻，好嗎？」

玉梅轉過身子說道：「幸好小婢的骨頭還結實，如若不夠結實，叫你剛才一抓，早已經筋斷骨折了。」

容哥兒急得抱拳一揖，道：「在下心急失常，開罪了姐姐，還望姐姐多原諒！」

玉梅冷肅的臉上，綻開了一絲笑容，道：「少爺，別忘了我是丫頭身分啊！怎能夠姐姐、姐姐的叫不停口？」

容哥兒歎道：「如母親厚你薄我的情形，說你是我姐姐，豈有不當？」

玉梅淡淡一笑，道：「你不能辜負你母親的好意，她不讓你知道此事，是要你專心一志於練習武功。」

容哥兒道：「但姐姐你可知道，你的武功，並不比我差啊？」

玉梅神色肅然地說道：「你只想一面之理，那是覺得自己想的很有道理了，但你如知曉了很多事，那就有些不同了。」

容哥兒道：「可我不知曉啊！」

玉梅沉吟了一陣，道：「現在你已經知曉了很多事，夫人如若不告訴你內情，勢將無法遮掩，我想，她定會顧及此事，今天，也許明天，定然告訴你所有內情，你可以放開胸懷，好好地休息一夜了。」

容哥兒心中鎮定了下來，當下運氣調息一陣，和衣睡去。

他一路奔走，早已睏乏累極，這一覺直睡到日升三竿才醒。

容哥兒望著那滿窗陽光，不禁啞然一笑，匆匆起床，急急漱洗一番，行出臥室。

只見玉梅手中執著一把鐵剪，正在剪那院中花樹。

回顧了容哥兒一眼，笑道：「少爺，起床了！」

容哥兒道：「起來了。」大步向前行去。

玉梅輕輕咳了一聲，道：「少爺要到哪裏去？」

容哥兒道：「去向母親請安。」

玉梅搖搖頭，道：「不用了……」

咐小婢幾句而去。」

容哥兒急急接道：「為什麼呢？」

玉梅道：「夫人已經出門去了。」

容哥兒吃了一驚，道：「出門去了？那是……」

玉梅道：「夫人本想當面囑咐少爺幾句，她連來兩次，見你好夢正甜，不忍叫醒你，才吩咐小婢幾句而去。」

容哥兒道：「我母親說些什麼了？」

玉梅道：「夫人要你好好守在家裏，等她回來。」

容哥兒道：「可是她幾時回來呢？」

玉海道：「夫人臨去之際交代小婢說，多則七日，少則五天，就可以回來了。」

容哥兒道：「我母親一個人去的嗎？」

玉梅道：「還有那位萬上門主鄧夫人結伴同行。」

容哥兒道：「玉梅，你曉得我母親前往何處嗎？」

玉梅道：「似是要去會一個人，詳細內情，小婢確然不知。」

微微一頓，接道：「今天再好好的養息一天，明宵我要借重少爺幫忙。」

容哥兒奇道：「借我幫忙？」

玉梅道：「不錯啊，此刻這『養性山莊』中，只有你少爺和小婢兩人，不請你幫忙請哪一個幫忙？」

容哥兒心中暗道：「事情是越來越奇怪，萬上門主來了一趟，十幾年不肯下山的母親，竟然被她說服，陪她下山而去。再說那玉梅武功亦似是在我之上，她武功如是母親傳授，為什麼會對兒子藏私，卻把真才實學，傳給一個女婢？我又怎會像煞了鄧玉龍？」

但覺重重疑問紛至沓來，泛上心頭，是那般千頭萬緒。

玉梅眼看容哥兒一直呆呆出神，半晌不發一言，忍不住說道：「少爺，你在想什麼心事？」

容哥兒道：「我在想母親的事！」

玉梅輕輕歎息一聲，接道：「你已經等了十幾年了，難道就不能再多等幾天嗎？」

容哥兒苦笑一下，道：「我知你不能告訴我，問你也是枉然，不過，要我助你的事，希望你能坦然的告訴我！」

玉梅微微一笑道：「好！告訴你，名義上是你助我，事實上讓你自己也去見識一番。」

容哥兒眼睛一亮，道：「什麼事啊？」

玉梅緩緩說道：「明日是夫人會客之日，夫人臨去之際，交代小婢代她會客。」

容哥兒道：「你代家母見客，我又代表什麼人呢？」

玉梅道：「委屈相公，暫時塡補一下小婢之位。」

容哥兒道：「在下雖然相助，但卻心餘力絀！」

玉梅道：「爲什麼呢？」

容哥兒道：「明日會見之人，大部都是來過此地之人，自然識得你玉梅姑娘了，要堂堂男子，改扮一個女人去見他們不成？」

玉梅微微一笑，道：「這倒不用了，夫人和我每次和他們相會之時，都是戴著面具，我雖然站在夫人身側，但數年來未講過一句話，你只要戴上面具，站在我往日站的位置上，那就成了。」

容哥兒道：「果然如此，在下自然是樂得效勞了。」

玉梅道：「夫人臨去時，告訴我應對之法，但我怕臨時會露出馬腳，萬一事情被人揭穿了，恐怕要引起風波。」

容哥兒瞪大了眼睛道：「你是說萬一事情被揭穿，會鬧成動手相搏之局？」

玉梅道：「小婢不敢這麼肯定，但並非無此可能，有備無患，要少爺好好養息一下精神。」

容哥兒道：「你們每次和那些來人會晤，是否帶有兵刃呢？」

玉梅道：「夫人是否帶有兵刃，小婢不知，但小婢每次隨同夫人會客時，暗中帶有兩把匕首，以備不時之需。」

容哥兒道：「好！我也暗帶一把短劍就是。」

玉梅笑道：「少爺休息，小婢該去做飯了。」言罷，轉身行去。

一日匆匆而過，第二日天色入夜時分，玉梅改著一身黑色的勁服，披了一個奇大的黑色斗篷，道：「少爺，準備好了嗎？」

容哥兒道：「好了，姐姐要我做些什麼？最好事先吩咐我一遍。」

玉梅道：「沒有事，只要身著黑衣，黑紗蒙面，站在我的身後就是。」

容哥兒道：「那很簡單，在下已記下了。」

玉梅望望天色，道：「好！咱們可以走了。」

容哥兒道：「不太早些嗎？」

玉梅道：「咱們要早些去。」

容哥兒起身行入內室穿上一身黑衣，帶上蒙面黑紗，暗中藏了至尊劍。

玉梅又檢視了一下門戶，兩條人影，直奔墜猿洞。

容哥兒低聲說道：「玉梅，爲什麼不繞到懸崖盡處，進入谷中，卻要從這峭壁上面冒險下谷？」

玉梅道：「此刻不是談話的時機，你跟著我走就是。」

容哥兒凝聚目力望去，才發覺那玉梅落腳之處，早已有了痕跡，顯然，那是人工鑿成，以做接腳之需。容哥兒小心翼翼，照著玉梅的接腳方法，下入了谷中。

拜天石就在下谷的地上，高約三丈，形如一個童子，望空面拜，故稱作拜天石。

將要接近那拜天石時，玉梅身子突然一縮，消失不見。

容哥兒不見了玉梅，那等於沒有了帶路之人，回頭探視，距離那拜天石還有一丈左右，當下一提氣，飛落石頂之上。只見石頂上一片平坦，如若坐下一個人後，餘下之地，也僅留下供給一個人站著之位。

但聞玉梅的聲音傳了過來，道：「少爺，小心飛躍過來。」

容哥兒用足目力瞧去，只見那削立的石壁上，有一條尺許寬，五丈長的石縫。他估計自己輕功，躍到那石壁之處，自然是綽有餘裕，但如要正巧地躍入那石縫之中，卻是力所難及了，除非是橫裏滾躍過去。一時間躊躇不敢嘗試。

玉梅的聲音又傳了過來，道：「少爺，這裏本有一條路可以下來，只是忘記了先告訴你，現在你只有設法躍過來。」

容哥兒道：「跳入那尺許寬窄的石縫中嗎?在下恐沒有這份能耐。」

玉梅道：「不但你沒有，只怕武林中人，能有這份能耐的，寥寥可數……」

容哥兒接道：「那我要如何過去？」

玉梅道：「你看著小婢的手，力量只需能抓住我的手就行了。」

說完，伸出右手，在洞口搖揮了數下。

容哥兒道：「瞧到了。」縱身而起，抓住了玉梅的右手。

玉梅輕輕一拖，把容哥兒拖入石洞之中。

這是座天然的岩洞，但生得十分奇怪，洞口雖然很小，但裏面卻高大，足足有兩間房子大小，只見一角處鋪著褥子，上面還放著枕頭。

容哥兒奇道：「玉梅，這裏有人住嗎？」

玉梅笑道：「那是夫人打坐休息的地方，你如累的話，請在那裏休息吧！」

容哥兒道：「我不累。」

玉梅道：「你如累了，只管躺在那裏休息，咱們出現的時間還早。」

她似很怕容哥兒再多問話，言罷，立時閉目而坐。

容哥兒心中已然知曉，她要講的，不用問自然會講，不講的問也是枉然，忍下心中重重疑問，不再多言。

大約是二更過後，突然有噹噹兩聲鑼響，傳了進來。

玉梅低聲說道：「催駕鑼，少爺準備了，咱們從洞口跳到那拜天石上。」

容哥兒戴上蒙面紗，緊隨玉梅之後，跳上拜天石。

玉梅盤膝而坐，容哥兒卻緊靠玉梅身後而立。

這時，天上彌漫著輕薄的淡雲，掩去了月華星光。

容哥兒凝目望去，突然間，山谷中幾點快速的身影，直向拜天石這邊奔馳而來。

容哥兒心中有些緊張，全神貫注那奔來的人影。

玉梅似是已感覺到了容哥兒的緊張，施展傳音之術說道：「相公，沉著些，不要緊張，一切都由小婢應付。」說話之間，那人影已然奔行到拜天石下。

來人一共三個，都穿著深色的夜行衣服，暗淡夜色中，無法看清楚三人的面貌。

只見三人行近那拜天石後，忽然齊齊在拜天石前跪下來。

但聞一個沉重的聲音，傳入耳際，道：「水旱總領有事報請定奪！」

玉梅學著容夫人的聲音，道：「什麼事？」

中間那人說道：「洞庭湖君山之上，舉行求命大會，天下武林人物，現在陸續趕往君山，參加大會，屬下已然召集了二十位高手，各率十名武功高強的助手，分乘二十艘小舟，集合於洞庭湖中。」

玉梅又學著容夫人的聲音，道：「知道了。」

但聞左邊一人說道：「屬下奉命，訓練三十六位劍手，已於昨日期滿，三十六位中，十二人受到淘汰，二十四人，均如進度完成，隨時可受命行事。」

玉梅又模仿容夫人的聲音，說道：「知道了。」

右首一人也抬頭道：「屬下奉命訓練十二火龍，亦按時完成，恭請擇日觀看。」

玉梅仍然學著容夫人的聲音，道：「好！你們都很辛苦了。」

容哥兒聽她學用母親的聲音，十分相像，心中暗道：「只怕這丫頭，冒充我母親身分，已非頭一次了。」

只聽玉梅緩緩道：「今宵我有嘉賓造訪，不能和你們多談了，七日之後，你們再來候命。」

三個人齊齊站了起來，同聲說道：「屬下領命。」轉身照原路退了回去。

容哥兒待三人去後良久，才說道：「你就這樣答覆他們嗎？那未免太簡單了。」

玉梅道：「夫人臨去之際，告訴小婢，答覆是越簡單越好，我要他們七日後再來，自然最爲簡單了。」

站起身子，接道：「咱們回那石室去吧，今夜沒有人來了。」

容哥兒正待接言，那玉梅已然躍下了拜天石。

容哥兒緊追在玉梅身後，行到那山壁之下。

玉梅低聲說道：「相公，這一段沒有接腳之處，也沒有人能夠在一提氣之間，躍起四、五丈高，小婢無此能耐，因此，這一峭壁，必得施展壁虎功，才可以上得去，但不知相公是否學過這門功夫？」

容哥兒道：「大概可應付。」

玉梅微微一笑，後背貼在石壁之上，急急向上遊去。

容哥兒如法尾隨緊追，片刻工夫，已然遊到那石洞所在。

玉梅行入洞中，長長吁了一口氣，道：「少爺，小婢帶有乾糧，你如腹中饑餓，只管向小婢索取。」

容哥兒奇道：「乾糧？你帶乾糧作甚？咱們離家並不太遠。」

玉梅道：「夫人臨去之際，吩咐小婢，要咱們在石洞中，留居幾日，等她回府時，再一道回去。」

容哥兒道：「爲什麼呢？」

玉梅道：「爲什麼我不知道，但夫人一向是料事如神，也許是內情解說起來，太過麻煩，所以，她一向只告訴小婢處事方法，卻不說理由，小婢知夫人性情，自然是不敢多問的。」

容哥兒心中暗道：「這丫頭分明知曉甚多秘密，只是每當重要關頭，就不肯說出而已，必得在她不知不覺之間，或是激將之法，才能逼她開口。」

心中念轉，口中卻說道：「看來玉梅姐姐知道家母前來很多次了。」

玉梅道：「嗯！很多次。」

容哥兒道：「你們會見之人，每次都是這三個嗎？」

玉梅沉吟了一陣，道：「夫人既要小婢帶你來此，想來，她已經不準備再對相公隱瞞了，從今而後，小婢當盡所知告訴於你……」

語聲微微一頓，接道：「夫人會見之人，自然是不只這三個，不過，這三個是最爲重要的人，但他們拜見夫人，談的都是重大事情，其他人，談的都局限於一時一地的事。」

容哥兒道：「他們自稱屬下，那又不似只是來請教我母親了？」

玉梅道：「他們本是落敗之人，但是經夫人指導、協助之後，重又立足在江湖之上，而且

鴻圖大展，自然是對夫人敬若神明了。」

容哥兒心中忖道：「她雖然知曉不少內情，但只怕無法知曉全部，不可問到她無法答覆，眼下先設法問出那三人的身分再說。」

當下說道：「那中間之人，自稱水旱總領，究竟是何等身分？」

玉梅微微一笑，道：「水旱總領，顧名思義，那也不用小婢去解釋了，自然是統率水、旱兩路人物的首腦了。」

容哥兒道：「那二十四劍手，又是怎麼回事呢？」

玉梅長長歎一口氣，道：「好！說說吧！如若小婢再不說，少爺就要恨死我了……」略一沉吟，接道：「那二十四劍手，就是夫人托那人訓諫的劍手，日後，要仗依這些劍手，對付強敵。」

容哥兒暗道：「看來，母親也在暗中準備。」口中又問道：「那十二火龍呢？」

玉梅道，「這個小婢真的不清楚了，大概是一種陣法……」

容哥兒搖搖頭，道：「不會是一種陣法吧？」

玉梅閉上雙目，如若不勝睏乏，打了個呵欠，道：「我很倦了，咱們休息一會兒再談如何？」

容哥兒暗道：「非得語中帶刺，傷她一下不可。」

於是重重咳了一聲，道：「玉梅姐姐啊！你今年十九歲了，是不是？」

玉梅霍然睜開眼睛。道：「怎麼樣？」

容哥兒微微一笑，道：「我呢？今年好像已經二十歲了，是嗎？」

玉梅心中緊張，道：「大概是吧！」

容哥兒道：「你已不是當年的黃毛丫頭，我也已成人長大，黑夜如漆，孤男寡女，在這等荒涼的山洞中，如何能夠靜下心來睡覺呢？」

玉梅料不到他說得這般單刀直入，呆了一呆，道：「那麼如何才好？」

容哥兒心中暗笑道：「你心中害怕了。」

口中卻說道：「最好，咱們別睡覺，談談目下的事，度過這漫漫長夜，天明了，再睡覺不遲。」

玉梅雖然一向冷靜沉著，但她卻從未和少年男子，這般相處一室，黑暗對坐，何況眼前的那少年又是那般清俊明朗，有如臨風玉樹。容哥兒不提起孤男寡女，也還罷了，提說之後，竟使她內心之中，泛引起一種莫名的驚懼和喜悅。

容哥兒的用心，只想使她無法再裝作睏倦之態，好使漫漫長夜對坐清談，就算她再有準備，也無法不洩露一些隱秘出來。

但聞玉梅輕輕嗯了一聲，道：「照你的說法，小婢是不能睡了。」

容哥兒道：「自然是不睡的好。」

玉梅道：「可是咱們談什麼呢？小婢實在想不出一個題目。」

容哥兒心中暗道：「看來她是已經屈服了，我要設法引起她談論的興趣才成。」

心中在轉念頭想題目，口中卻說道：「你在我母親身側，見聞了不少奇怪的事……」

玉梅接道：「小婢知道不……」

容哥兒不待她說下去，接道：「可是，我這次外出時間雖然不長，但所經歷之事，卻是香豔、驚險，兼而有之。」

玉梅道：「講給我聽聽，好嗎？」

容哥兒道：「自然要講給你聽了……」

語聲微微一頓，接道：「你知道長安城吧，數代帝王建都之地，當真是熱鬧得很啊！」

玉梅山居已久，童心未泯，聽得大爲神往，說道：「可是有很多人嗎？」

容哥兒道：「城開不夜，人如潮湧，笙聲不綴，繁華似錦。」

玉梅道：「唉，不知小婢哪一天才能到長安城去看看那等熱鬧。」

容哥兒道：「機會自然有了，異日有暇，我可以帶你去了。」

玉梅道：「小婢這裏先謝謝少爺了。」

容哥兒道：「我長了很多見識，也經歷了很多驚險，唉！江湖上，當真是可怕得很啊！」

長長呼一口氣，把幫助王子方奪銀經過，雨花台中遇上水盈盈，相互比劃，結交丐幫的經過，很仔細地說了一遍。

玉梅只聽得大爲開心地說道：「好熱鬧啊，好熱鬧啊！不過，虎兒武功太差，幫不了少爺的忙，如是帶我同去，那就不同了。」

容哥兒道：「你不知江湖險詐，實叫人防不勝防。」

接著又把太白山中遇險，陰差陽錯地混入一天君主手下，幾乎送掉性命的經過，又說了一遍。

自然，其間有很多礙口的事，刪繁從簡，略過不提。

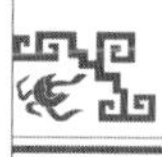

玉梅聽得長長吁一口氣道：「唉！少爺，如若有了什麼不測之禍，那豈不使夫人痛心欲死？」

容哥兒搖搖頭道：「不會吧！我瞧我那母親一點也不關心我。」

玉梅道：「你不能誤會夫人，夫人表面上對你冷淡，但她有苦衷。」

容哥兒道：「什麼苦衷？如若夫人怕我捲入江湖恩怨之中，怎會派我去助那王總鏢頭！」

玉梅道：「唉！你可知道，夫人派你去救王總鏢頭之事，內心之中的那份後悔、痛苦，絕非你所能想到的……」

容哥兒道：「我母親如若不願我捲入江湖是非之中，只要不傳我武功就是，又何必事事欺瞞我呢？」

玉梅道：「提起傳你武功的事，小婢知曉一些內情。」

容哥兒道：「請教姐姐了！」

玉梅道：「夫人為是否該傳你武功一事，也是大感煩惱，但她還是不禁的傳授了你，唉！夫人用心良苦，常處在矛盾之中，她不想你混入江湖，卻派你下山救人，她不想傳你武功，卻又不禁的傳了你上乘劍術，不過……」突然住口不言。

容哥兒道：「不過什麼？」

玉梅說漏了嘴，一時間改不過口，只好接著說道：「小婢告訴相公，但相公不能在夫人面前提起。」

容哥兒道：「好！我不說就是。」

玉梅道：「夫人怕你武功太高了，會生出和人爭雄江湖之心，所以，有幾種絕技就沒有傳

你。」

容哥兒沉吟了一陣道：「玉梅，我母親的武功很高嗎？」

玉梅道：「夫人武功，有如長江大海，叫人莫測高深。」

容哥兒道：「姐姐的武功，可也是家母指點傳授的嗎？」

玉梅道：「不錯，小婢因受先天限制，本難入大成之境，但夫人在三年前，傳小婢一種內功，據說有伐毛洗髓之效，小婢習過那內功之後，武功才有進境，而且，速度奇快，一日千里。」

容哥兒道：「除了武功方面外，家母和你談過些什麼？」

玉梅道：「在少爺的眼光中，也許會覺得夫人很清閒，山居茅舍，從不見客，其實呢，夫人很忙，她限制少爺居住，無事不許前去打擾，表面是要你專心於武功文事，實則，夫人利用這些時間，會見客人，督導屬下練武，忙碌異常。唉！可惜十幾年，少爺一直沒有動疑、發覺。」

容哥兒苦笑一下，道：「我身爲人子，難道要去懷疑自己的母親嗎？」

玉梅道：「我所知曉的，大概就是這些了，不論你再用什麼方法，也無法問出什麼了！」

容哥兒想她以丫頭身分，確也再難知曉內情，母親絕不會和一個丫頭談說她心中的隱秘痛苦，當下也不再多問，探首洞外，望望天色，道：「現在，天已快亮了。」

玉梅歎道：「如是夫人責怪小婢多嘴，也許要殺死小婢，以洩心中之忿，那時，還望少爺……」

容哥兒接道：「如若發生此事，在下必然將全力阻止，捨身相救，在所不惜。」

玉梅道：「小婢倒不敢存此妄念，只望小婢被夫人殺死之後，少爺能替我收了屍體，在我墳前獻上一束鮮花，小婢雖死，亦感覺心滿意足了。」

容哥兒肅然道：「姐姐但請放心，容哥兒有口氣在，決不讓姐姐受半點委屈。」

玉梅微微一頓，道：「小婢這裏再謝過少爺了。」

言罷，閉上雙目，運氣調息，不再多言。

容哥兒長長吸了一口氣，鎮靜了一下心神，也閉目調息。

兩人相對而坐，大約過了一個時辰之久，兩人同時醒了過來。

這時，天亮已久，金黃色的陽光，由山谷口中，透了進來，照射在對面的石壁上，回光反射，洞中一片明亮。

玉梅微微一笑，道：「少爺，咱們在這石洞之中，還有數日停留，如若白白過去了，豈不是可惜得很。」

容哥兒道：「那咱們要幹什麼？」

玉梅道：「咱們借這幾日時光，小婢把那伐毛洗髓的上乘內功，轉授給少爺。」

容哥兒心中暗道：「按說她是女婢身分，武功再高，我也不能學她，但此刻形勢不同，無論如何不能不答應她。」

心念一轉，緩緩說道：「那就麻煩姑娘了。」

玉梅道：「這武功是夫人傳給我的，小婢只算是轉給少爺。」

容哥兒覺到自己此後處境，武功對自己至爲重要，果然很認真地學習起來。

時光匆匆，兩人在石洞之中，不覺已過了四天。

第五日中午時分，容哥兒已學會全部竅訣。他只管用心學習武功，忘記了時間。

玉梅望望洞外落日餘暉，道：「少爺的才氣，強過小婢甚多了！」

容哥兒道：「爲什麼？」

玉梅道：「小婢當年學這內功，花去近半月的時間，但少爺只學習四天時間。」

容哥兒道：「已經過了四天？」

玉梅道：「是啊！今天已經是第五天了，是咱們回家的時間了。」

容哥兒道：「怎麼？家母已經回來了嗎？」

玉梅道：「不知道，不過夫人叫咱們今日回去看看，小婢擔心少爺武功無法練成，所以心中焦急。」

容哥兒道：「幸未辱命。」

玉梅微微一笑，站起身子，道：「小婢帶路。」縱身而起，躍出石洞。

容哥兒緊隨在玉梅身後，攀上峰頂。

兩人回到茅舍所在，已是掌燈時分，只見雙門大開，燈光隱隱透了出來。

玉梅奔到大門前面，突然停了下來，低聲說道：「少爺，情形有些不對！」

容哥兒道：「什麼不對？」

玉梅道：「夫人在家之時，一向閉著門戶，此刻怎會大開雙門？」

容哥兒道：「咱們進去瞧瞧。」大步直向室內行去。

但聞唰的一聲，人影一閃，玉梅飛躍到容哥兒的身前，道：「小婢帶路。」直向大廳行去。

只見廳門大開，廳中景物，一目了然。一支火燭，高高燃起，照得大廳中一片通明。

但見那支孤獨的火燭，在熊熊燃燒，大廳中卻不見一個人影。

容哥兒正待舉步入室，卻被玉梅一把抓住，低聲說道：「少爺，你不覺得這情景有些詭異嗎？」

容哥兒心中暗道：「不錯啊！仔細想起來，這情景比廳中一片黑暗，更覺可怕。」

心念一轉，回顧了玉梅一眼，低聲說道：「玉梅，你看我的好了！」

玉梅點點頭，退到一側。

容哥兒一挺胸，高聲說道：「何方朋友，來到此地，恕我容某人沒有迎接，但閣下遠來，總算客人，何不請出一見？」

忖思之間，瞥見一個人頭，緩緩由地上抬起頭，終於手扶著木桌，站了起來。

容哥兒凝目望去，只見一個大漢面色蒼白，雙手十分吃力地按在桌面上，似是盡量在減少雙腿的壓力，心中大感奇怪。

玉梅眼看容哥兒幾聲呼叫，竟然真的能叫得一個人現出身來，心中大為奇怪，暗道：「江湖上原來還有這多規矩。」

這時，容哥兒已然緩步行入室中，冷冷說道：「閣下是什麼人？到此作啥？」

口中說話，人卻直對那人逼行過去。

玉梅生恐容哥兒有何閃失，急急追在身後，行了過去。

那大漢左手抬起，指著容哥兒，道：「在下姓王……」突然一跤跌坐在地上。

容哥兒急急行了過去，道：「你受傷了？」

那大漢道：「我雙腿上的主筋，被人挑斷，又被人廢了武功。」

容哥兒看他說話神智，不似謊言，伸手拉過一張木椅，扶他在椅子之上坐下，凝目望去，果見他雙腿上盡是鮮血，濕透了兩條褲管。

那人坐好之後，有氣無力地說道：「我要喝一杯茶。」

玉梅忽道：「你擅闖私宅，死有餘辜，還想人倒茶給你喝，我瞧你渴死算啦。」

容哥兒低聲說道：「姐姐倒一杯茶給他喝吧！」

玉梅道：「咱們數日不在家中，哪有茶喝？一定要給他喝，我只好去燒了。」

那大漢重重喘兩口氣，接道：「我有話，要告訴兩位，但我如不進點熱湯食物，只怕難以支持下去……」

容哥兒低聲說道：「玉梅姐姐，咱們後池有魚，捉一尾給他做碗湯吃吧，也許，他有很重要的事情告訴咱們。」

那大漢微閉的雙目，忽然睜開，道：「很重要，一萬尾、十萬尾鯉魚湯也是值得。」

玉梅道：「好吧，我去做碗魚湯給他吃。」轉身出廳而去。

容哥兒伸出右掌，頂在那大漢的背心之上，道：「閣下振作一些，在下助你一臂之力。」暗中運氣，內力滾滾，直向那大漢「命門」穴中攻去。

那大漢臉色蒼白，一直不停的喘氣，但得容哥兒內力支援之後，蒼白的臉色，突然現出紅潤的血色。

那大漢臉色赤紅，不住地喘息著說道：「你快些停手……快拿開……手。」

容哥兒拿開按在那大漢命門穴的右手，道：「為什麼？」

那大漢長長呼一口氣，道：「你年紀不大，但內功卻是深厚得很……」

語聲微微一頓，接道：「你的內力太強，我一個失去武功的人，無法承受。」

容哥兒道：「原來如此，過猶不及，在下疏忽了。」

那大漢望了容哥兒一眼，道：「此刻，最好是讓我好好休息一下。」

容哥道：「好，閣下儘管靜坐，在下不再打擾就是。」言罷，緩步退到一側。

那大漢閉上雙目，倚在大椅上養息。

大約過了頓飯工夫之後，玉梅端了一碗魚湯，緩步行了進來。

她心中悶氣很大，砰然一聲，把魚湯放在桌子上。

卅一　翻雲覆雨

容哥兒端起魚湯說道：「兄台請用魚湯。」

那大漢雙手持碗，喝了兩口，道：「魚湯煮得很好，姑娘手藝不錯。」

玉梅冷冷說道：「不用你來誇獎。」

那大漢似是十分饑餓，大口食用，不大工夫，竟然把一碗魚湯吃了。

容哥兒接過空碗，放在木桌之上，道：「閣下好些嗎？」

那大漢點點頭道：「好些了，你想知曉什麼？」

容哥兒沉吟一陣，暗道：「如若由他從頭說起，他當可從容思索，編排一番謊言，倒不如問他較好。」

心中一轉，緩緩說道：「如若閣下從頭說起，那未免使閣下太過勞累，還是在下問一段，閣下說一段如何？」

那大漢點頭道：「好！閣下請問吧！」

容哥兒道：「閣下怎麼稱呼？屬於何門何派？」

那大漢道：「兄弟王仁，屬於崆峒門下。」

容哥兒道：「閣下到此作甚？」

王仁道：「你真是這茅舍的主人嗎？」

容哥兒道：「怎麼？閣下有些不信嗎？」

王仁道：「據在下所知，這茅舍中的主人，是一位中年婦人，閣下是男人，那位女人又太年輕，都不像這茅舍的主人。」

容哥兒道：「那是家母。」

王仁道：「你是這茅舍中的少主人了？」

容哥兒點點頭，道：「不錯……」

玉梅突然接口說道：「少爺，是你問他呢，還是他來問你了？」

容哥兒聽得微微一怔，暗道：「不錯啊！我本來在問他，怎麼他竟問起我來了？」

當下臉色一整，說道：「閣下到此，有何作爲？」

王仁輕輕咳了一聲，道：「據說，這茅舍主人，有一本鄧玉龍鄧大俠留下的劍訣……」

語聲微微一頓，接道：「年輕人，你知道鄧玉龍鄧大俠這個人嗎？」

容哥兒聽得鄧玉龍三個字，不禁心頭大震，暗道：「怎麼？鄧玉龍的劍訣，會留在我們家中？」

頓覺重重疑雲，泛上心頭，冷冷接道：「不用談鄧玉龍的事，我只問你奉何人之命，來取鄧玉龍的劍訣？」

王仁沉吟了一陣，道：「自然是敝派掌門人的令諭了。」

容哥兒道：「你們幾時到此？」

王仁道：「昨夜三更。」

容哥兒道：「你一個人來此嗎？」

王仁搖搖頭道：「我們共有四人。」

容哥兒道：「另外三人呢？」

王仁道：「都負傷了。」

容哥兒道：「你們受了傷，那是沒有取走鄧玉龍的劍訣了？」

王仁苦笑一下，道：「我們四人剛進此廳，就和那人相遇，展開了一場搏鬥。」

容哥兒道：「你們遇上了什麼人？」

王仁道：「一個勁裝蒙面人，她雖然蒙著臉，卻無法瞞得過我們的雙目，她是一位女子……」

容哥兒訝然道：「是一位女子？」

王仁道：「不錯，是一位姑娘，她雖然未說過一句話，但我也看得出來。」語聲微微一頓，接道：「那人雖是女流之輩，但她劍招的惡毒，卻是從未見過，在下和三位同伴，都傷在她的劍招之下。」

容哥兒道：「以閣下傷得最重？」

王仁道：「在下首當其衝，被她奇詭的劍招，挑斷了雙腿上的主筋。」

玉梅突然接口說道：「那是說你們進入這座大廳之後，就遇上那位蒙面姑娘，你那三位負傷而逃，閣下一人重傷倒臥在此廳之中？」

王仁道：「不錯，我等進入了茅舍之後，只到這座大廳，不過，那位姑娘也是從茅舍裏面出來，如是你們丟了鄧玉龍的劍訣，定然是那位姑娘取走了。」

王仁續道：「那女孩子姓江。」

容哥兒只覺心頭之上，突然重重被人擊了一拳，道：「姓江？」

王仁道：「不錯，在下聽得有人呼叫江姑娘，那女人才匆匆而去，顧不得殺在下滅口了。」

突見玉梅呼的一聲，吹熄了桌上燈火，冷然喝道：「什麼人？」

只聽一個女子聲音應道：「我！是玉梅嗎？」

容哥兒也聽出了那是母親的聲音，正待接口，玉梅已搶先說道：「夫人回來了？」

應對之間，容夫人已經過了廳門，道：「怎麼樣，家中發生了事故？」

玉梅晃亮火摺子，道：「崆峒派五方真人，派遣幾個徒弟，來咱們家偷東西。」

容夫人冷笑一聲，道：「該死的牛鼻子，偷走了什麼？」

王仁急急接道：「在下等來此之時，已經有人先行進入茅舍。」

容夫人目光轉到玉梅臉上，道：「把經過情形，仔細的說給我聽聽。」

玉梅道：「所有經過之情，都是聽這人口述。」

容夫人道：「你轉述一遍就是。」

玉梅應了一聲，把經過之情，很詳盡的重述了一遍。

容夫人聽完之後，伸手從懷中摸出一顆丹丸，交給玉梅，道：「讓他服下。」

玉梅心中不願，但也不敢違抗夫人之命，只好接過靈丹，送到王仁手中。

王仁服下靈丹，頓覺一股熱力，直下丹田。

容夫人神色鎮靜，臉上既無惡意，也無笑容，緩緩說道：「玉梅扶他出去。」

王仁還想講話，卻被玉梅疾出一指，點了啞穴，提了起來，向外行去。

容夫人望了容哥兒一眼，道：「你跟我來……」

語氣微微一頓，高聲接道：「玉梅，送他出去之後，立刻回來，收拾好行李兵刃，天亮時分，和少爺一起下山。」

玉梅應了一聲，急步向外行去。

容哥兒隨在母親身後，直行入母親臥房之中。

容夫人燃起火燭，只見箱櫃盡被打開，衣物盡棄一地。

她回顧了一眼，也不收拾，指指妝台前面木椅，緩緩說道：「孩子，你坐下。」

容哥兒依言坐了下去，道：「孩兒謝坐。」

容夫人閉上雙目，沉吟不語。

容哥兒心中很多話想問，但是母親神色冷肅，竟然是不敢開口。

母子兩人相對無言，足足有一刻工夫之久，容夫人才睜開眼睛，說道：「孩子，你可感覺到咱們母子之間，似乎有很多秘密、隔閡，是嗎？」

容哥兒道：「孩兒確有此感，使孩兒不解的是，母親爲什麼要騙孩兒，母子之情，何等親切，母親難道還要欺騙孩兒嗎？」

容夫人道：「爲娘的並無騙你之意，隱瞞你二十年，那是爲娘心有苦衷。」

容哥兒道：「舉世間親情，母子最近，孩兒想不出母親爲什麼把一切隱藏在心中，瞞住孩兒？」

容夫人似是心有難言之苦，臉色忽青忽白，沉吟良久答不出話。

容哥兒冷眼觀察，看母親爲難之情，心中油生黯然之處，暗暗忖道：「看來母親確有隱衷。」心中念轉，竟然不敢多問。

容夫人沉吟了良久，突然落下淚來，緩緩說道：「孩子，你說世界親情，莫過於母子，是嗎？」

容哥兒道：「孩兒確有此感。」

容夫人道：「如是爲娘有了對不起你的事情，你心中有何感覺？」

容哥兒奇道：「對不起孩兒？」

容夫人道：「也許算對不住你故世的爹爹。」

容哥兒突然覺得有人在胸前擊了一拳般，半晌講不出話。

容夫人道：「孩子，你在想什麼？」

容哥兒道：「孩兒想不出，母親有什麼地方對不起孩兒。」

容夫人神色肅穆，緩緩說道：「母親做了一件錯事，我用了後半生的心力，希望彌補這個大錯……」她說話時十分苦澀，每一句每一字，似是都十分吃力。

容哥兒道：「子不言父母之過，孩兒只要知曉真實內情，並無責怪母親之心。」

容夫人道：「孩子，你已經長大，爲娘的實在應該早把內情告訴你。」

容哥兒道：「是啊，縱然母親有何錯失，那也是出於無意。」

容夫人理理秀髮，道：「孩子，爲娘並未想長期騙你，我已經把經過詳情，寫在一本絹冊之上，那上面記述甚詳，只是還未到給你閱讀的時間而已。」

容哥兒奇道：「幾時才能夠讓孩兒閱讀？」

容夫人道：「原來還要一段很長的時間，但現在快啦，如若事情順利，也許在一年之內。」

容哥兒呆了一呆，道：「還要一年時間？」

容夫人突然流下淚來，道：「孩子，你希望為娘的很快死嗎？」

容哥兒吃驚道：「孩兒怎敢有此不孝之心，希望母親多福多壽，活上千百年。」

容夫人道：「你既希望為娘多活幾年，那就不要逼我。」

容哥兒心中暗道：「我哪兒逼你了，為什麼這件事竟然要對我保密？」但是母親淚痕未乾，竟然是不敢再問。

母子相對沉吟了片刻，仍由容夫人接口說道：「孩子，你知道為娘原本不希望你依然混跡在武林之中。但我竟無能完成我這個心願，仍然使你學了武功，唉！既然教了你，就應該傾囊相授才是，但為娘竟然是又下不了這個決心，就這樣耽誤了你。」

容哥兒心中暗道：「看來母親是確有隱衷，她以死亡脅迫，叫我難再追問，看來只有旁敲側擊的問到一些算一些了。」

心中念轉，緩緩說道：「孩兒有一事想問母親。」

容夫人道：「什麼事？」

容哥兒道：「母親武功如此高強，我那過世爹爹的武功，比起母親如何？」

容夫人道：「你爹爹生在世上時，那是強過母親百倍的，但此刻，為娘的卻強過他生前很多了。」

容哥兒道：「為什麼？」

容夫人道：「母親此刻武功，全是為了要替你爹爹報仇，苦練而成。」

容哥兒聽她口風嚴謹，答話簡短，似是處處小心，生恐說漏了嘴一般，心中暗道：「她這般小心，只怕是很難問出一點頭緒。」

略一沉吟，又道：「咱們家中藏有鄧玉龍的劍譜，可是真的嗎？」

容夫人道：「真的。」

探手從懷中摸出一本薄薄的絹冊，遞了過來，道：「孩子，這就是鄧玉龍的劍道精華，為娘的交給你，你能夠學得多少，那要看你的造化、智能了。」

容哥兒望了那絹冊一眼，卻不肯伸手去接，緩緩說道：「母親，那萬上門主來此，可是為了要討取這本劍譜嗎？」

容夫人搖搖頭，道：「不是，她要和為娘合作。」

容哥兒沉聲說道：「母親，這鄧大俠的劍譜，怎麼落在我們家中？」

容夫人雙目盯注在容哥兒臉上，道：「孩子，你可是聽到鄧玉龍很多傳說？」

容哥兒點點頭，道：「不錯……」

容夫人接道：「所以，你對母親也動了懷疑？」

容哥兒道：「孩兒怎敢妄生異念，只望母親給孩兒說明此事內情。」

容夫人道：「為娘可以告訴你，這劍譜絕非竊取而得。」

容哥兒呆了一呆，道：「不是竊取，那是鄧玉龍送給你了？」

容夫人神色肅然，緩緩說道：「鄧玉龍怕他的絕技失傳，身負重傷之後，把劍譜交給為

娘，要我替他保管傳諸後世。」這幾句話，字字如刀如劍，刺入容哥兒的心中。

歷經往事，一幕幕展現腦際，想起了萬上門主談起那鄧玉龍死亡經過，臨死之前，遣人去通知她，約她相晤，如若母親的話說得真實，那就是鄧玉龍在死亡之前，先去見了母親，留下劍譜，再去會見那鄧夫人了。

一念及此，百念叢生，又暗自問道：「那鄧玉龍為什麼要把劍譜交給我母親呢？鄧夫人、白娘子都不願交，卻把畢生心血所聚的劍譜，交給了我的母親，顯然，在鄧玉龍心目之中，母親的地位，高過兩人了。」

但覺重重凝雲湧上心頭，竟忘了母親還在身側。

容夫人一直冷靜的觀察那容哥兒臉上的神情變化，只見他忽而愁鎖眉尖，滿臉幽苦，忽然激忿難耐，滿臉怒容，口中亦是在喃喃自語，不禁黯然一歎，道：「孩子，你在想什麼心事？」

容哥兒抬起頭來，望了那劍譜一眼，道：「母親，鄧玉龍這冊劍譜很寶貴嗎？」

容夫人道：「天下劍道無出其右。」

容哥兒道：「這劍譜還是母親收著吧！孩兒不想學鄧玉龍的劍法。」

容夫人若有所悟，道：「拿去吧！先閱讀一遍試試，若你不喜歡，那就把它燒掉算了，免得留在世上害人。」

容哥兒接過劍譜，望也未望一眼，就隨手放在懷中，道：「孩兒如若能成武林第一劍，我要殺盡天下負情人……」

容夫人接道：「包括為娘的在內。」

容哥兒欠身說道：「這個，孩兒怎敢。」

容夫人突然站起身子，舉步一跨，擋在容哥兒的身前，道：「什麼人？」

她藝高膽大，連室中火燭也不熄去。

只聽一個女子聲音應道：「小妹俞若仙。」隨著答話之聲，緩步走進來萬上門主。

萬上門主俞若仙對容哥兒點點頭，道：「公子好嗎？」

容哥兒道：「晚輩很好。」站起身子，向外行去。

容夫人沉聲叫道：「孩子……」

容哥兒急急回身，應道：「母親還有何吩咐？」

容夫人道：「我和你鄧嬸母商談天下大事，你留在這裏聽聽吧！」

容哥兒道：「孩兒留此方便嗎？」

俞若仙道：「只怕還有借重公子之處，公子留此，自是無妨。」

容哥兒也不答話，緩緩坐了下去。

俞若仙目光轉到容夫人的臉上，說道：「小妹兼程而來……」

容夫人道：「一日一夜零半天，你走了千里路程。」

俞若仙道：「事情變化得十分快速，如若咱們再去晚幾日，可能要大勢已去。」

容夫人道：「什麼變化？」

俞若仙道：「姐姐手下之人，情形如何？小妹不知內情，小妹的屬下，目下所知，未中暗算的人……」

語聲微微一頓，接道：「就小妹得到報告，少林、武當等幾派掌門人，都已動身趕往君

山，參加求命大會，準備和那一天君主妥協，如若少林、武當兩大門派，先和那一天君主妥協，江湖上諸大門派，只怕都要和那一天君主妥協，如此一來，整個武林，都將受制於那一天君主，那時，再想挽回狂瀾，只怕是力有不逮了。」

容夫人緩緩說道：「你準備幾時動身？」

俞若仙道：「越快越好，最好立刻動身，直往君山，阻擋少林、武當兩派掌門人，使他們暫緩向一天君主屈服。」

容夫人沉吟了一陣，道：「只怕愚姊難和賢妹同行了。」

俞若仙道：「為什麼？」

容夫人道：「愚姊一些屬下，尚未集齊……」

俞若仙道：「小妹來此之時，已然先行遣派屬下趕往君山，小妹如不能及時趕到，萬一要引起衝突，無人主持其事，小妹屬下，可能要全部被殲。」

容夫人沉吟一陣，道：「我要小兒和女婢玉梅先和賢妹同行，愚姊三日之後，再兼程往君山，接迎你們。」

伸手在壁間一推，一扇小門，應手而開。

取出一片白絹封包，緩緩說道：「孩子，帶著這個去吧！」

容哥兒接過那白絹封包，欠身說道：「多謝母親。」

容夫人目光又轉注俞若仙的臉上，道：「小兒還望多多照顧。」

俞若仙道：「小妹豈敢不盡力。」

容夫人微微一笑，拱手說道：「你們可以走了。」

「等一下……」語聲一頓，高聲接道：「玉梅何在？」

餘音未落，玉梅已奔入室中，道：「小婢在此。」

容夫人道：「你收拾好了行李嗎？」

玉梅道：「小婢已經準備妥當。」

容夫人道：「那很好，跟少爺一起去吧！你要好好保護少爺，聽他之命。」

玉梅道：「小婢知曉。」

容夫人目光一掠三人，接道：「你們上路吧！」閉上雙目，不再望三人一眼。

容哥兒道：「孩兒去了，母親保重！」隨在玉梅和俞若仙的身後，出了大廳。

三人出了茅舍大門，容哥兒再也忍不住憋在胸中的話，說道：「夫人似早已和家母相識。」

俞若仙點點頭，道：「不錯，我組織萬上門時，已然開始查訪她的下落，想不到找了這些年才找到她……」

語聲一頓，接道：「我知道你心中有很多懷疑，但此刻卻不是咱們談話時間，我們必須要盡快地趕往君山，阻止這一場大劫發生，在山下我備好了三匹馬，咱們必須日夜兼程。」一面說話，一面加快了腳步，向前奔行。

容哥兒和玉梅只好緊緊隨在她的身後。三人腳程奇快，片刻工夫，已到山下。

果然，早已有三匹健馬，掛在一株松樹之上。

俞若仙當先跳上馬背，道：「咱們得快些趕路了，此刻時光寶貴，咱們如是多耽誤一刻工

夫，武林大局多一分險惡。」口中說話，人已解開韁繩縱馬向前奔去。

容哥兒和玉梅也急急縱身上馬，解韁急奔。

這日，天色入夜時分，三人趕到了洞庭湖。容哥兒抬頭看去，只見停身之處，是一處很荒涼的湖畔，星光下水波蕩漾，靜悄悄地聽不到一點聲息。

玉梅低聲問道：「這是什麼所在？」

容哥兒道：「大概是洞庭湖吧！」

俞若仙翻身下馬，道：「不錯，這是洞庭湖。」

復又跳上馬背，行到湖畔，探手從懷中摸出一個火摺子，高舉手中，繞了兩周，才回頭對容哥兒和玉梅道：「洞庭湖周圍八百里，幾個碼頭上，都已有他們耳目，因此，不得不約在這荒涼所在會面。」

容哥兒道：「夫人和何人所約？」

俞若仙道：「約到些什麼人，我還不知道，等一會兒，你可以見到他們了……」

說話之間，忽聞木櫓划水之聲傳來。回頭看去，只見一艘小舟，疾快向湖邊駛來，小舟距湖岸兩丈左右時，突然停下來，接著傳來一個女人聲音，道：「什麼人？」

容哥兒只覺得聲音十分熟悉，卻聽不出是何人。

但聞俞若仙道：「玉燕嗎？」

只見人影一閃，小舟上飛落下一個勁裝佩劍少女，欠身說道：「萬上回來了？」

俞若仙道：「此地情形如何？」

玉燕道：「小婢聽金道長說，形勢很緊張，這兩日，有數百武林人物，乘船趕往君山求命。」談話之間，小舟已然靠岸。

俞若仙舉步上了小舟，道：「咱們到船上再談吧。」當先舉步跨上小舟。

玉燕目光一轉，道：「容相公，久違了。」

容哥兒一面舉步跨上小舟，一面應道：「姑娘好嗎？」

玉燕道：「小婢還好……」

轉眼瞧到了玉梅，道：「姑娘怎麼稱呼？」

玉梅道：「我叫玉梅。」

玉燕道：「小婢玉燕，姑娘請上船吧。」

玉梅道：「我也是人家的丫頭，不用這麼客氣。」人也依言登舟。

一個黑衣勁裝大漢，站在船後操櫓，見四人上了小舟，立時掉頭過去。

俞若仙長長吁一口氣，道：「兩位很累了吧？藉此時光，不妨閉目調息，也許咱們還要出動。」

容哥兒道：「夫人，鄧大俠有一本劍譜在世上，不知你是否知曉？」

俞若仙道：「聽過傳說，這未證明。」

容哥兒淡淡一笑，道：「在下可以奉告鄧夫人一句話，鄧大俠千真萬確的在人間留下了一本劍譜。」

俞若仙道：「你見過？」

容哥兒點點頭道：「見過。」

俞若仙道：「是在令堂那裏了？」

容哥兒道：「夫人料事如神，那劍譜確爲家母所管。」

俞若仙沉吟良久，說道：「此刻此情，大敵當前，咱們以後再談吧！」

小舟又向前行了片刻，突然停下來，玉燕低聲說道：「稟告夫人，已近大舟。」

容哥兒凝目望去，只見那大船甲板之上，放滿魚具，艙中不見一點燈火。

只見舟上突然亮起了一盞燈火，金道長當先由艙中行了出來。

燈火下，只見金道長手上包著白紗，顯然是臂上受了傷。

容哥兒心中暗暗震驚，忖道：「這金道長武功高強，劍術精奇，怎的受人傷害?那人的武功，定然十分高強的了。」

心念轉動之間，只見人影翻飛，俞若仙和玉燕飛離小舟，登上小船。

玉梅低聲問道：「少爺，咱們也要上去嗎？」

容哥兒道：「上去。」兩人連袂而起，飛上漁船。

金道長欠身對俞若仙一禮，道：「見過萬上。」

俞若仙道：「不用多禮。」

金道長低聲說道：「萬上請入艙中，屬下還有要事稟告。」

俞若仙人已行入艙中，金道長卻站在門口，欠身說道：「容大俠請。」

容哥兒道：「多謝道長。」舉步入艙。玉梅隨在容哥兒的身後，行入艙中。

金道長最後入艙，隨手關上了艙門。

容哥兒凝目望去，只見艙中窗門之處，都用很厚的黑布掩起，縱然在艙中燃起燈火，外面也無法瞧見。

俞若仙緩緩在一張木凳上坐下，說道：「什麼緊要之事？」

金道長道：「強敵似是已發現了咱們，只不過還無法確定咱們來歷而已。」

俞若仙望了望金道長一眼，道：「道長幾時受了傷？」

金道長道：「昨夜，我乘了一艘小舟，準備行近君山瞧瞧，卻不料和他們巡邏的相遇，被迫動手而負傷。」

俞若仙道：「那些人是何身分？」

金道長道：「對方既不肯通名報姓，也沒有顯著的標記，屬下只能在幾人武功路子上，推判幾人的身分。」

俞若仙道：「有何發現？」

金道長沉吟了一陣，道：「看四人身手，都似出於正大門派，兩人用的少林杖法，兩人用武當劍招……」

語聲微微一頓，接道：「這就是屬下觀察所得而言，是否正確，屬下亦不敢遽下定論，但四人武功高強，足可列名武林第一流的高手，如是少林、武當之人，在兩派之中，身分將不會很低。」

俞若仙道：「八公三燕和三路總探，都趕往何處了？」

金道長道：「這三日中，有數百武林高手，擁來此地，而且都是迫不及待的匆匆行過求命橋。」

俞若仙突然插口接道：「據聞少林、武當兩派掌門人，都已趕到，可有此事？」

金道長道：「不錯，還有丐幫幫主，那少林、武當兩派掌門人一住金龍寺，一住純陽宮。」

俞若仙道：「你去看過他們沒有？」

金道長苦笑一下，道：「沒有，我們到此之後，就連番和強敵接觸，前日八公中的四老亦和強敵接手，雙方惡鬥甚久，四公傷了兩敵而去。」

俞若仙道：「我不是交代過你，最好不要和強敵動手嗎？」

金道長道：「屬下已然極盡小心，但強敵佈置的周密，高手眾多，實非人始料所及，他們似乎已然預感到有人要破壞這場求命大會，所以，處處都布下了暗探耳目，天一入夜，這湖面上，至少有百艘以上的小舟，在水上巡邏。」

俞若仙點點頭，道：「那就難免了。」

語聲微微一頓，接道：「你派八公一齊出動，四燕也派出三燕，此地卻如此空虛，萬一強敵至此，你一人之力，如何應付？」

金道長道：「屬下雖知萬上近日之內，定會趕到，但卻無法料知確定日期，屬下業已和萬上約定此地會晤，如若被強敵查出，以我等實力，只怕難抗拒，奮勇血戰，也難支持很久，何況水上搏鬥，亦非我等所長，屬下等戰死事小，但恐萬上趕來時陷入強敵埋伏，屬下心念及此，才派八公三燕，改裝易容。在陸上誘敵，使敵人料斷出錯，免得注意及此……」

語聲微頓，長吁一口氣，道：「屬下推想，萬上最早也要明日可到，卻不料竟於今夜到達。」

四燕八公，三路總探，可算是萬上門中全部精銳，尤其四燕，不知費了那俞若仙多少心血。金道長竟然派出了三燕八公，外加三路總探，如此龐大的陣容，那自然不是存心誘敵，而是準備硬碰硬的動手惡鬥了。但金道長的處置，並無錯誤，俞若仙心中雖然覺得他處事過於輕率，但也無法出言相責。

金道長似是已經瞧出了俞若仙心中所思，接道：「屬下已然再三告誡三燕、八公，和三路總探，要他們分成三隊，以免實力過於分散，遇弱則施下毒手，一舉盡殲，遇強則不可戀戰，相互掩護撤走，務求保全實力，等待萬上歸來。」

俞若仙點點頭，道：「這法子很好，咱們人手太少，不能和他們硬拚。」

金道長道：「屬下已然下令，不論情形如何變化，明夜初更時分，在岳州十里外，閣家塞外，一株大柏樹下集合。」

請續看《雙鳳旗》之三

臥龍生武俠經典珍藏版 34

雙鳳旗（二）

作者：臥龍生
發行人：陳曉林
出版所：風雲時代出版股份有限公司
地址：10576台北市民生東路五段178號7樓之3
電話：(02) 2756-0949
傳真：(02) 2765-3799
執行主編：劉宇青
美術設計：許惠芳
業務總監：張瑋鳳
出版日期：臥龍生60週年珍藏版 2023年4月
ISBN ：978-986-5589-75-2
風雲書網：http://www.eastbooks.com.tw
官方部落格：http://eastbooks.pixnet.net/blog
Facebook：http://www.facebook.com/h7560949
E-mail：h7560949@ms15.hinet.net
劃撥帳號：12043291
戶名：風雲時代出版股份有限公司

風雲發行所：33373桃園市龜山區公西村2鄰復興街304巷96號
電話：(03) 318-1378　　傳真：(03) 318-1378
法律顧問：永然法律事務所 李永然律師
　　　　　北辰著作權事務所 蕭雄淋律師

行政院新聞局局版台業字第3595號 營利事業統一編號22759935

定價：320元　

國家圖書館出版品預行編目資料

雙鳳旗／臥龍生 著. -- 臺北市：風雲時代出版股份有限公司，2021.06- 冊；公分（臥龍生武俠經典珍藏版）

ISBN：978-986-5589-74-5（第1冊：平裝）
ISBN：978-986-5589-75-2（第2冊：平裝）
ISBN：978-986-5589-76-9（第3冊：平裝）
ISBN：978-986-5589-77-6（第4冊：平裝）

863.57　　110007331